13th Edition

POWER MANUAL SERIES

의사국가고시 | 레지던트시험 | 산부인과 전문의시험 준비를 위한

Korea Medical Licensing Examination

POWER
Obstetrics

산과

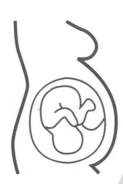

1

군자출판사

POWER 산과^{13th ed.}

첫째판 1쇄 발행 | 1998년 08월 29일
다섯째판 1쇄 발행 | 2002년 09월 06일
여섯째판 1쇄 발행 | 2003년 03월 19일
여섯째판 2쇄 발행 | 2003년 06월 15일
일곱째판 1쇄 발행 | 2004년 03월 20일
여덟째판 1쇄 발행 | 2005년 06월 30일
여덟째판 2쇄 발행 | 2005년 10월 07일
아홉째판 1쇄 발행 | 2006년 07월 30일
열째판 1쇄 발행 | 2007년 10월 25일
정정판 1쇄 발행 | 2009년 03월 18일
열한번째판 1쇄 발행 | 2010년 07월 02일
열두번째판 1쇄 발행 | 2013년 07월 12일
열세번째판 1쇄 발행 | 2017년 02월 12일

지 은 이   전북대학교 의과전문대학원 학술편찬위원회
감   수   이우석, 안지현
발 행 인   장주연
출 판 기 획   김도성
표지디자인   이상희
편집디자인   김영선
발 행 처   군자출판사
　　　　　등록 제 4-139호(1991. 6. 24)
　　　　　본사 (10881) **파주출판단지** 경기도 파주시 회동길 338(서패동 474-1)
　　　　　전화 (031) 943-1888   팩스 (031) 955-9545
　　　　　www.koonja.co.kr

ISBN 979-11-5955-127-7
ISBN 979-11-5955-126-0(세트)

2권 세트 50,000원

머리말

의학이 발달할수록 의학 관련 지식정보는 눈덩이처럼 불어납니다. 다양한 국내·외 교과서들이 있고 인터넷으로 방대한 의학지식을 접할 수 있지만 한정된 시간에 많은 과목을 공부해야 하는 학생 시기에는 잘 정리된 교재가 필요합니다.

지금도 대부분의 학교 수업은 슬라이드와 강의록을 중심으로 제각각 이루어지고 있습니다. 의사국가시험, 레지던트 임용시험, 전문의 시험처럼 전국 단위로 치러지는 시험에서는 전 단원이 일관성 있는 요약정리서가 필요합니다. '파워 시리즈'는 오랜 기간 국내 유일 의학 요약정리서로 자리매김해 왔습니다.

이번 개정판에서는 국내·외 새 교과서를 바탕으로 그동안 업데이트된 의학지식을 반영하였습니다. 새 교과서에서 내용이 사라졌더라도 이전 교과서의 내용 가운데 시험에 임하거나 환자를 만났을 때 도움이 될 수 있는 내용을 살렸습니다. 교과서마다 내용에 차이가 있는 부분도 함께 다루었습니다. 이 과정에서 전·현직 교수님, 전문의 선생님의 자문을 통해 완성도를 더욱 높였습니다.

이제 학교 수업의 진도에 맞춰, 임상실습을 하는 동안, 의사국가시험을 준비하면서 파워 시리즈를 활용하면 보다 효율적으로 고득점의 목표에 도달할 수 있을 것입니다. 레지던트 선생님도 수련 기간 동안 이 책을 서브노트로 활용하면 전문의 시험 대비에 훨씬 수월할 것으로 확신합니다.

이우석 · 안지현
전북대학교 의과전문대학원 학술편찬위원회

Contents

01. 산과학의 개관 1

02. 배우자 형성과 난자의 발달 7

03. 탈락막, 태반, 태아막의 발달 17

04. 태반 호르몬 29

05. 임신의 진단 37

06. 임신중 태아의 발달 41

07. 임신중 모성의 생리학 63

08. 임신부의 산전 관리 79

09. 청소년기 및 고령임신 93

10. 유전성 질환의 산전 진단 95

11. 태아 건강 평가를 위한 방법 109

12. 임신중 약물복용 및 방사선 조사 133

13. 정상 골반 141

14. 태아의 태축, 태위, 태세, 태향 153

15. 정상 진통과 분만 165

16. 산욕기 199

17. 만출력 이상에 의한 난산   219

18. 태아의 태위 및 발육 이상에 의한 난산   231

19. 골반협착에 의한 난산   255

20. 생식기의 이상과 임신   261

21. 태반 및 양막의 질환 및 이상   273

22. 유산   287

23. 딴곳임신   305

24. 임신중 고혈압성 질환   325

25. 산과적 출혈   343

26. 조기 진통과 조기양막파수   369

27. 태아 과도 성장   377

28. 태아 발육부전   381

29. 다태임신   387

30. 태아와 신생아의 산과적 관리   403

31. 임신과 동반된 모성 질환   415

32. 산과 수술 및 관련 수기   475

01 산과학의 개관

Power Obstetrics

I. 정의

- 임신의 준비 및 시작에서 출산 후까지 임산부, 태아 및 신생아의 건강을 다루는 의학의 한 분야

II. 산과학의 목적

- 임산부와 태아의 건강관리를 증진시키는 것.
- 생식 과정에서 발생하는 모체와 아기의 사망을 극소화하여, 그로 인한 생리적, 기능적 또는 정서적 손상을 감소.

III. 통계

● 주산기(Perinatal period)

: 재태 20주부터 생후 28일까지(산과학 교과에서는 만 22주~출산 후 7일)

1. 출생에 관한 통계

1) 출산(Birth)

: 제대의 절단이나 태반의 부착여부에 관계없이 모체로부터 태아가 완전 만출 또는 적출된 경우

: 체중 500 gm 이상, 임신 주수 20주 이상, 두종장(CR length) 25 cm 이상

2) 생식률(Fertility rate)

: 15~44세까지의 여성인구 1,000명당 출생수(Live birth)

3) 출생(Live birth)

: 영아가 출산 시 또는 출산 후 자연호흡이 있거나, 심박동 또는 수의근의 자발적인 운동 등
의 생명징후가 있는 경우

4) 출생률(Birth rate)

: 인구 1,000명당 출생수

2. 사망에 대한 통계

1) 사산(Stillbirth=fetal death)

: 출산 시 또는 출산 후 생명의 징후가 없는 경우

　① 주산사망의 약 반을 차지

　② 사산의 80%는 만삭 전에, 특히 50% 이상은 28주 전에 일어난다.

　③ 분만중 태아 질식사는 크게 감소

2) 신생아 사망(Neonatal death)

: 생후 4주 이내의 사망(생후 1일에 가장 많음)

　(1) 조기 신생아 사망 - 생후 7일까지의 사망

　(2) 후기 신생아 사망 - 생후 8일부터 29일 이전의 사망

　(3) 주된 원인

　　① 조산(Prematurity) or 저체중아 출산(m/c)

　　② 선천성 기형

　　③ 영아급사 증후군

3) 영아 사망(infant death)

: 출산된 영아의 출생부터 12개월까지의 사망

4) 사산율(Stillbirth rate = Fetal death rate)

: 출생 및 사산을 포함한 1,000명의 태어난 영아당 사산아수

5) 신생아사망률(Neonatal mortality rate)

: 1,000명 출생당 신생아 사망수

6) 영아사망률(Infant mortality)

: 1,000명 출생당 영아사망수

7) 주산기 사망률(Perinatal mortality rate)

: 1,000명 출생당 사산수와 신생아 사망수를 합친 것

(그 나라 산과 진료 수준을 평가하는 지표가 된다)

8) 낙태아 (Abortus)

: 임신 20주 이전, 체중 500 g 미만, Crown-Heel length 25 cm 미만으로 자궁으로부터 제거

또는 배출된 태아 또는 배아

3. 태아 체중에 따른 분류

1) 저체중아(Low birthweight) : 출산 후 체중 〈 2,500 g

2) 심한 저체중아(Very Low BW) : 출산 후 체중 〈 1,500 g

3) 극심한 저체중아(Extremely Low BW) : 출산 후 체중 〈 1,000 g

4. 태아 출생 시기에 따른 분류

1) 만삭아(Term neonate)

: 37주 ≤ 임신 기간 < 42주(259~293일)

2) 조기 출생아(Preterm neonate)

: 임신 기간 < 37주

3) 만기 후 출생아(Postterm neonate)

: 42주 ≤ 임신 기간

5. 모성 사망에 대한 통계

1) 직접 모성 사망(Direct maternal death)

: 임신, 분만 또는 산욕기의 산과적 합병증이나, 부적절한 치료, 치료의 소홀 또는 이들 요인

들의 연쇄적 진행 결과에 의한 모성 사망(예: 자궁 파열에 의한 심한 출혈에 의해 임산부가

사망한 경우)

2) 간접 모성 사망(Indirect maternal death)

: 직접적인 산과적 원인이 아닌 것으로서, 임신부의 임신 전 지병 또는 임신, 분만, 그리고 산
욕기 중에 발병했거나 임신부가 임신에 적응하는 과정 중에 악화된 질병에 의한 모성 사망
(예 : 승모판 협착증의 합병증에 의한 사망)

3) 비모성 사망(Nonmaternal death)

: 임신과 관련이 없는 사고 또는 우발적 원인에 의한 모성 사망(예 : 교통사고)

4) 모성 사망률(Maternal mortality ratio)

: 10만 출생당 임신, 분만, 산욕기에 발생한 모성 사망수

(※ 예방의학에서는 1만 출생당 모성 사망수)

5) 임신 관련 사망(Pregnancy-related death)

: 임신 기간~분만 후 ≤ 42일 이내의 사망. 사망원인과 관계 없음.

IV. 모성 사망

1. 모성 사망의 원인

1) 직접 모성 사망 – 80.9%

(1) 직접 모성 사망의 원인

① 분만 후 출혈

② 산과적 색전증

③ 고혈압성 질환(PIH)

2) 간접 모성 사망 – 19.1% (* 임신 또는 산욕 기간 중 사망을 제외)

(1) 간접 모성 사망의 원인 : 심장계 질환이 m/c

2. 모성 사망이 감소하는 이유 ★

최근 다시 증가하는 이유는 분만 병원의 감소, 산부인과
전문의의 감소, 고령임신 등 고위험 임신의 증가에 기인

(1) 산과적 중증 합병증 발생시 수혈과 항생제 사용의 증가

(2) 수액과 전해질 균형의 유지

(3) 병원분만 증가와 병원 및 보건소에서 모자 보건관리의 증대

⑷ 산과 교육의 보편화와 지속적 프로그램으로 인한 산과의의 자질 향상

⑸ 산과 마취 인력 및 마취 장비의 발전

3. Reproductive Mortality

1) 생식사망(Reproductive mortality)

- 임신에 의한 사망 + 피임법에 의한 사망

- 가장 큰 요인 : 피임과 유산

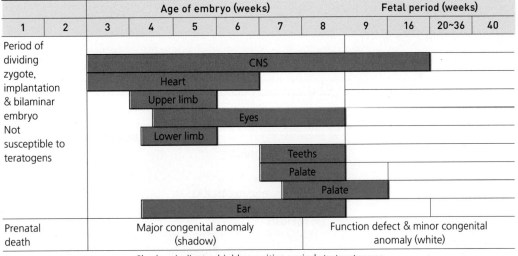

	Age of embryo (weeks)							Fetal period (weeks)			
1	2	3	4	5	6	7	8	9	16	20~36	40

Period of dividing zygote, implantation & bilaminar embryo
Not susceptible to teratogens

CNS
Heart
Upper limb
Eyes
Lower limb
Teeths
Palate
Palate
Ear

Prenatal death	Major congenital anomaly (shadow)	Function defect & minor congenital anomaly (white)

Shadow indicates highly sensitive periods to teratogens

wks	Day						
	1	2	3	4	5	6	7
1	수정	Zygote divides	Morula	Early blastocyst	Late blastocyst	착상	Trophoblast invasion begin
	8	9	10	11	12	13	14
2	Bilaminar embryo	Lacunar appearance in syncytiotro-phoblast	Blastocyst completely implated	Primitive Plavental circulation established		Primary villi	
	15	16	17	18	19	20	21
3	Primitive streak Trilaminar embryo	Notochorda I provess Secondary villi				Tertiary villi	Heart tube begin to fuse
	22						
4	Heart begin to beat						

1. Gametogenesis ☆

1) 감수분열의 특징(배우자 형성)

(1) 생식세포(Gonad)에서만 일어난다.

(2) 세포분열의 전기가 비정상적으로 길다.

(3) Prophase의 Pachytene 시기에 염색체간의 유전물질의 교환한다.

(4) 염색체 수가 반으로 감소한다.

     • 감수 분열의 이상으로 비분리 현상(Nondisjunction)이 일어날 수 있다.

       → Down syndrome 등의 발생

2) Oogenesis(난자 형성)

cf) 비뇨 생식기의 발달 시기

    : 수정 3주~성숙기

      ① 발생 4주 : 생식기 발생의 조기 징후가 나타남

      ② 발생 4개월 : 일차 난모세포(Primary oocyte)의 발달

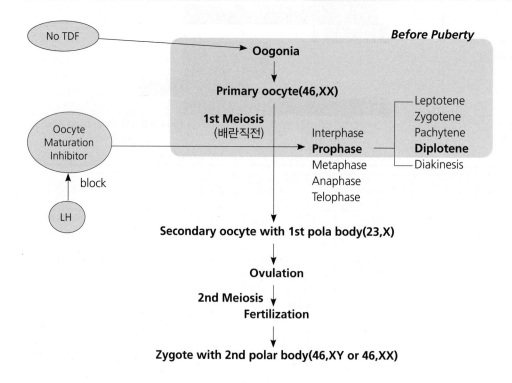

• Nondisjunction이 일어나는 시기 : 1st meiosis

● 출생시 1차 난모세포 : 200만개

　사춘기 1차 난모세포 : 40~50만개

　실제 배란에 사용되는 난모세포 : 400~500개

● 1차 감수분열의 완성시기 : Ovulation 직전

　2차 감수분열의 완성시기 : 정자가 난자를 통과해 들어가는 순간(수정)

● OMI (Oocyte maturation inhibitory factor)

　• Granulosa cell에서 분비

　• Ovulation 되지 않는 모든 난포안에 존재

　• LH에 의해 억제(→ 즉, LH가 Ovulation에 결정적 역할)

3) Spermatogenesis(정자형성)

(1) Spermatogenesis가 Oogenesis와 다른점

　　① Medulla에서 일어난다

　　② Meiosis에 의해 1개의 정모 세포는 4개의 정자 세포로 된다.

　　③ Polar body가 만들어지지 않음

　　④ Second meiotic division 된 후, Sperm은 Neck, Tail, Body 등이 만들어짐

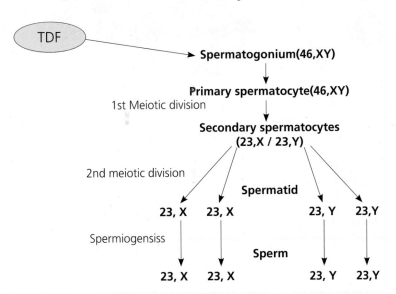

• 정자 형성 기간 : 약 2개월

• 정자는 발생 후 72일 후 부고환에 도달하여 저장되고 기능적으로 성숙하게 된다.

● 고령 임신과 염색체 이상

① 40세 이상 여성

: 난소에서 1st meiosis의 중단 기간이 길어짐

→ 난자의 염색체 비분리 현상의 증가(Nondisjunction)

(i.e. Down syndrome의 증가)

② 40세 이상의 남성

: 태어나는 자손에게는 새로운 Autosomal dominant mutation의 위험 증가

2. Transport & Fertilization

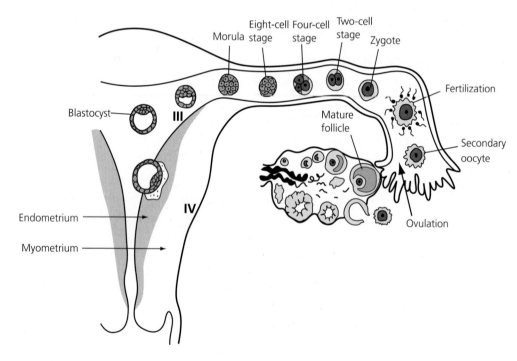

▶ Development during the First week
: Ovarian cycle, Fertilization and Human blastocyst development

1) 배란

• 시기 : LH surge 10~12시간 후 발생

• 배란의 발생기전 : 단백분해효소에 의해 난포막의 일부가 용해되어 Stigma를 형성하고 이

　　　Stigma를 통하여 난자가 흘러나옴

- 배출되는 물질(Oocyte-Cumulus complex)

　: Secondary Oocyte, Zona pellucida, Corona radiata, Cumulus oophorus

- 난자의 이동 : 난관의 섬모운동 & 연동운동

2) 정자의 운반 – 평균 4~6시간

- 운반 기전 : 정자의 Flagellar action + 여성 생식기 내의 Certain action

- Acrosome 내의 protease 분비 → 경관점액 분해 : 점액을 쉽게 통과

3) 수정

(1) 투명대(Zona pellucida)

① glycoprotein으로 구성되어 있으며 정자 수용체(주로 Zp3)를 갖고 있다.

② 착상시 투명대(Zona pellucida)는 탈락

③ 107세포 blastocyst가 되면 투명대는 소실되고 착상하게 됨

(2) Acrosomal reaction

: 정자가 Zp3 수용체와 결합하면 acrosome 내의 여러 효소에 의해 정자가 투명대를 쉽게 통과하게 도와준다.

(3) Cortical zona reaction

: 수정 후 난자의 원형질막과 투명대의 변형에 의해 다른 정자의 투명대 통과가 억제 → Polyspermy(다정자 진입) 방지

4) 수정란의 이동

- 자궁에 도달 : 3~4일(*난관 통과 : 3~3.5일)

- 이동기전

- 착상 : 수정 후 6일

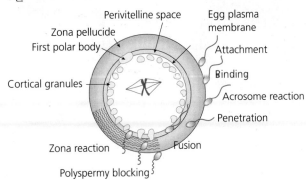

3. Human embryo development

(1) Zygote(수정란) - 정자와 난자가 수정되어 발생한 세포

(2) Blastomere(분할세포) - Zygote의 Mitotic division (Cleavage)에 의해 Daughter cell이 발생한 것

(3) Morula(상실배) - 16개 가량의 Blastomere로 형성된 세포 덩어리의 상태, 자궁내강으로 들어갈 때의 세포상태

(4) Blastocyst(배포) - Morula가 자궁에 도달한 후, Fluid-filled cavity가 형성된 상태, 자궁내막에 착상될 때의 세포상태

(5) Embryo(배아) - Inner cell mass에 의해 형성되며 발생 3~8주 말까지를 Embryonic period라 한다.

(6) Fetus(태아) - 수정 9주초부터 Fetus라 함

(7) Conceptus(수태물) - 임신에 의해 형성된 모든 구조물(Embryo or Fetus, Fetal membrane, Placenta), 즉 Zygote에서 발생한 모든 조직

1) 접합자(Zygote)의 분할 및 Blastocyst의 형성

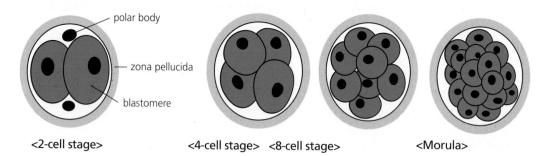

<2-cell stage>   <4-cell stage> <8-cell stage>   <Morula>

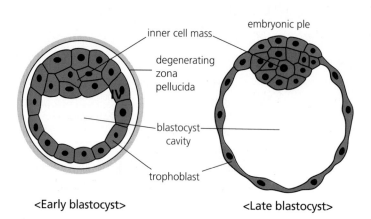

<Early blastocyst>   <Late blastocyst>

- Inner cell mass - Embryo가 되는 부분

- Chorion (outer layer) - Chorionic villi를 형성하여 Placenta가 되는 부분

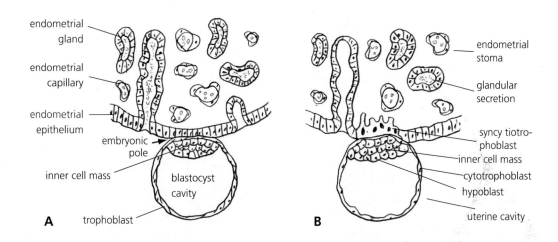

▶ Schematic diagram of Implantation of Blastocyst (A : 6 days / B : 7 days)

2) 착상

(1) 착상 위치 : 대개 자궁의 후벽 상방(Posterior wall의 upper part)

(2) 착상 과정

① 수정 6일째, Inner cell mass가 있는 쪽의 Embryonic pole이 자궁 내막에 부착

② 부착 후, Trophoblast가 급속히 증식하면서 2개의 층으로 분화

　　a. Cytotrophoblast(세포영양막)

　　b. Syncytiotrophobast(융합영양막) -Cytotrophoblast에서 분화되어 발생

③ Syncytiotrophoblast가 자궁내막에 침투 → 후에 Chorionic villi가 형성

④ 그 위는 자궁내막(endometrium)으로 완전히 덮힌다.

3) 발생 2주째의 변화

: 착상의 완성과 Early embryo의 발생

(1) 수정 7일

　　a. Bilaminar embryonic disc의 형성(Primitive ectoderm + Endoderm)

　　b. Amnionic cavity의 형성 : embryonic disc와 trophoblast 사이

(2) 수정 9일 : Lacuna의 형성

(3) 수정 10일

　　• Conceptus가 자궁 내막에 완전히 파묻힘(Closing plug가 보임)

　　• Lacunar network의 형성

(4) 수정 11~12일 : Primitive placental circulation의 형성

(5) 수정 13~14일 : Primary chorionic villi의 발생(2주 말)

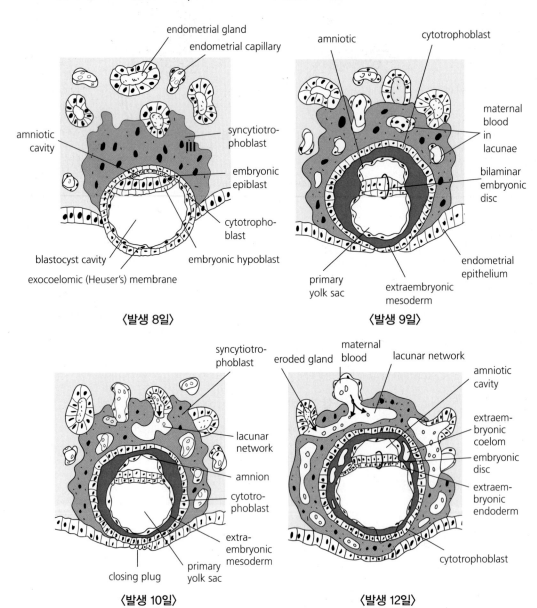

〈발생 8일〉　　　　　　〈발생 9일〉

〈발생 10일〉　　　　　　〈발생 12일〉

4) 발생 3주째의 변화

(1) Trilaminar germ disc의 형성

: 외배엽 세포가 분화하여 중배엽 형성

(2) Notochodal process 초기 신경계의 형성

(3) 심혈관 계통의 초기 발생

: 3주에 발생하여 4주 초부터 심박동 시작

(4) Secondary & Tertiary chorionic villi의 형성(3주 초 / 3주 말)

5) 발생 4~8주

: 조직, 장기 및 체형의 발생

(발생 3주에 형성된 Trilaminar germ layer가 분화)

3 Germ layer에서 유래하는 Organ		
Ectoderm(외배엽)	Mesoderm(중배엽)	Endoderm(내배엽)
A. Surface ectoderm 　1. Epidermis 　2. Hair, Nail 　3. Cutaneous & Mammary gland 　4. Lens 　5. Inner ear 　6. Enamel of Teeth 　7. Anterior pituitary **B. Neuroectoderm** 　a. Neural tube origin 　　1. CNS 　　2. Posterior pituitary 　　3. Pineal body 　　4. Retina 　b. Neural crest origin 　　1. PNS – Cranial nerve 　　　　　　Sensory nerve 　　2. Medulla of Adrenal gland	1. Skeletal system 2. Muscular system 3. Dermis of skin 4. Connective tissue 5. Urogenital system 　(Gonad, Duct, Accessory gland) 6. Serous membrane 　: Pleura, Pericardium, Perito- 　　neum 7. Cardiovascular system 8. Lymphatic system 9. Blood & Lymphatic cell 10. Spleen 11. Cortex of Adrenal gland	1. Epithelium of 　Trachea, Bronchi, Lung 2. Epithelium of 　GI tract, Liver, Pancreas, 　Urinary bladder 3. Epithelium of 　Pharynx, Tympanic cavity 　Eustachian tube 　Tonsil 　Parathyroid 　Thyroid

4. 신경관 형성

1) 인체구조물의 분화는 머리에서 꼬리 쪽으로 연속적으로 분화한다.

2) neural fold가 발달함에 따라 하외측의 중배엽이 분명히 구별되는 부분, 즉 체절로 나누어지게 되며 후에 골격근, 결합조직, 근육, 진피 등을 발생시킨다.

3) neural fold의 닫힘으로 신경관을 형성한다.

모체 엽산 부족 시 '닫힘'에 문제
생겨 신경관 결손(NTD) 발생!

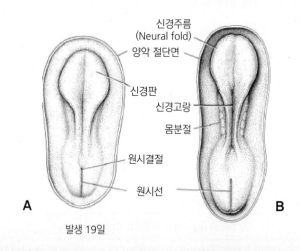

발생 19일

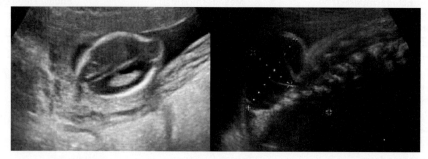

03 탈락막, 태반, 태아막의 발달

Power Obstetrics

개념 정리		
Amnion(안), 양막	**Chorion, 융모막**	**Decidua(밖), 탈락막**
태아막의 가장 안층 외배엽에서 발생	fetal Decidua에 부착되어 있는 villi로 extraembryonic membrane의 가장 outer layer 융모막 생검 부위	임부 자궁내막이 변한 구조물, Blastocyst 착상하는 optimum site
		Decidua basalis / Decidua capsularis / Decidua parietalis

① 바닥탈락막(D. basalis) : Blastocyst 착상부 바로 밑 부분

② 피막탈락막(D. capsularis) : Blastocyst의 위쪽 덮고 있는 부분

③ 벽쪽탈락막(D. parietalis) : 나머지 자궁강을 덮고 있는 부분

④ 진성탈락막(D. vera) : 임신 초기, D. capsulais와 D. parietalis 사이에 공간이 있으나, 임신 14~16주

경 두 탈락막이 융합 ⇒ 공간 폐쇄, 이 때의 D. parietalis를 가리키는 Term

I. 탈락막(Decidua)의 발달

1. 탈락막(Decidua)

1) Decidual reaction

(1) 징의

: 배란 후 다량 분비되는 Estrogen과 Progesterone 작용에 의해 시작되는 Endometrial change

(착상과 영양공급을 위해 자궁내막을 준비하는 과정으로 배아가 착상을 해야 완성)

(2) Decidual cell의 특징

  : 다각형 또는 원형이고, 핵이 둥글게 되어 낭포성으로 변화하며, 세포질은 투명한 호염기

  성으로 변화

cf) Double ring sign과 관계있는 구조물 : Decidua Capsularis & Parietalis (=vera)

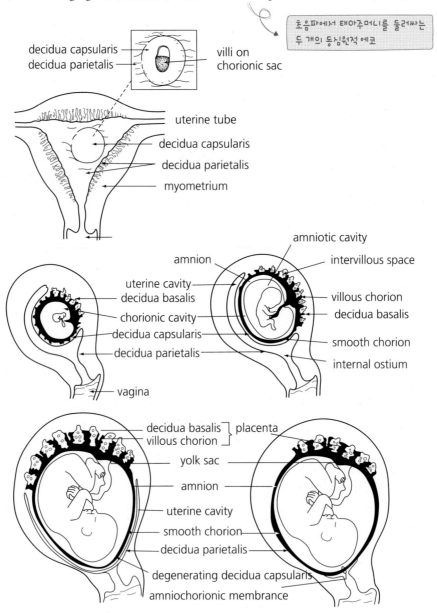

▶ 태반과 태아막의 발생

2) decidual structure

(1) 성숙 decidual cell의 대부분이 pericellular membrane으로 싸여 있다.

- pericellular matrix : cellular adhesion molecule을 통해 cytotrophoblast의 adhesion에 중요

- pericellular membrane : cytotrophoblast의 proteinase에 대해 decidua를 보호

(2) 위치에 따른 명칭 ☆

① Decidua basalis(바닥탈락막)

- Blastocyst가 착상된 바로 아래의 자궁 내막

- Trophoblast invasion에 의해 변화

② Decidua capsularis(피막탈락막)

- Blastocyst의 윗부분을 덮는 자궁 내막

- 수정란을 나머지 자궁강으로부터 분리시켜주는 구조물

- 점점 얇아져 임신 2개월에는 Decidual cell과 한층의 상피로 구성되며, Gland는 소실

③ Decidua parietalis(벽쪽탈락막)

- Basalis나 Capsularis 이외의 자궁 내막

◎ Fusion of Capsularis and Parietalis

: 매우 커진 수정낭은 14~16주에 Uterine cavity를 채우게 되고 Decidua capsularis와 parietalis 가 Fusion되어 Uterine cavity는 폐쇄, 이 시기에 Decidua parietalis를 Decidua vera(진성 탈 락막)라고 부르기도 함.

※ 안(태아)쪽에서 바깥쪽으로

: 배아 → 배아밖체강 → 피막탈락막 → 자궁강 → 진성탈락막

3) Decidua의 3 Layer

(1) Secretory endometrium과 같음

① Zona Compactica (surface) ─────── Zona functionalis(분만 시 분리됨)

② Zona Spongiosa (middle) ─────

③ Zona Basalis (inner layer)

(2) 태반 분리가 일어나는 층 - Zona Spongiosa

(3) Zona Basalis는 분만 후에도 유지되어, 새로운 Endometrium 생성

4) Decidua의 혈액 공급

(1) Decidua Basalis

: Spiral artery에 의해 영양 공급을 받으며, Cytotrophoblst의 invasion에 의해 Spiral artery는 혈관 평활근과 Endothelium을 소실 → ∴ 혈관 활성물질(Vasoactive agent)에 반응 안함

(2) Decidua Parietalis : Spiral artery → Vasoactive agent에 반응

(3) Decidua Capsularis : 혈액공급 차단

5) 탈락막의 노화

(1) Nitabuch's layer

: 침투해 들어가는 Trophoblast가 Decidua와 만나는 곳에 생긴 Fibrinoid degeneration zone

•유착 태반(Placenta accreta)과 같이 태반에 결함이 있는 경우 존재하지 않음

(2) Rohr's stria : Intervillous space의 밑바닥 및 Anchoring villi 주위의 Fibrin 침착영역

(3) Decidual necrosis : 1st & 2nd Trimester에서의 Normal process로서 자연 유산과는 무관

2. Decidua의 Bioactive substances ☆

(1) Prolactin : 10,000 ng/mL in amniotic fluid

(2) Relaxin

(3) β-Endorphin

(4) 1,25-dihydroxyvitamin D_3

(5) 임신특이 단백(Pregnancy-specific protein)

(6) Prostaglandin

(7) Cytokine

Prolactin 분비의 조절인자	
증가시키는 물질	감소시키는 물질
1. Glycoprotein (hCG, FSH, LH, TSH)의 Free α-subunit (임신 시 증가)	1. Interleukin-1, 2 2. Endothelin-1 3. Arachidonic acid
•Dopamine, TRH와 같은 뇌하수체에서의 조절 물질과는 무관	

(8) CRH

(9) Parathyroid hormone-related proteins (PTH-rP)

II. 태반(Placenta)의 발달

1. 융모막 융모(Chorionic villi)의 발달

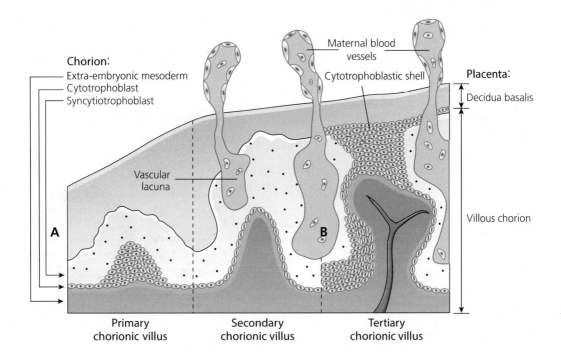

Chorion:
Extra-embryonic mesoderm
Cytotrophoblast
Syncytiotrophoblast

Maternal blood vessels

Cytotrophoblastic shell

Placenta:
Decidua basalis

Vascular lacuna

A

B

Villous chorion

Primary chorionic villus

Secondary chorionic villus

Tertiary chorionic villus

1) 영양막세포(Trophoblast)의 분화

• Blastocyst의 구성

① Inner cell mass : Embryo로 분화

② Trophoblast : Blastocyst의 바깥쪽을 싸고 있는 Layer로써 Placenta로 분화

(1) 발생 6일 : Blastocyst의 착상

(2) 발생 7~8일 : Trophoblast가 두 층으로 분화

① Inner - Cytotrophoblast(세포 영양막)

② Outer - Syncytiotrophoblast(합포 영양막 , 융합세포 영양막)

(Syncytiotrophoblast는 Cytotrophoblast에서 분화되어 발생)

(3) 발생 13일 : Primary villi의 발생

(4) 발생 15일 : Secondary villi의 발생

(5) 발생 18~20일 : Tertiary villi의 발생 → 이 시기에 Villi 내로 혈관이 발달하여 Embryo의 혈액이 흐른다.

(6) 발생 5주 : 태아-태반간 순환의 완성

2) 영양막세포(Trophoblast)의 기능

(1) Invasiveness : Blastocyst가 자궁 내막에 부착

(2) Nutrition : 영양의 공급

(3) Endocrine organ : 임신의 유지와 모체적응호르몬의 생성

 • **Cytotrophoblast에서 GnRH 생성→ Syncytiotrophoblast에서 hCG의 생성**

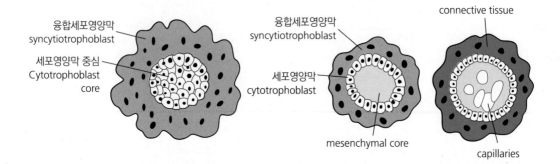

융합세포영양막
syncytiotrophoblast
세포영양막 중심
Cytotrophoblast core
융합세포영양막
syncytiotrophoblast
세포영양막
cytotrophoblast
mesenchymal core
connective tissue
capillaries

▶ Transverse section of Chorionic villi

3) Chorionic villi(융모)의 변화

 • 발생 8주까지 Chorionic villi는 전체 Chorionic sac 표면을 덮는다.

 • 이후 Chorionic sac이 팽창하면서 Chorionic villi의 구조가 변화하여 두 부분으로 나뉜다.

(1) Chorion frondosum(거친융모막) - 태반 형성 부위

 : Decidua basalis 쪽의 융모는 급격히 수가 많아지고, 풍부히 분지되며 커진다. 즉, 태반의 두께가 두꺼워지는 것은 Villi가 분지한 결과이다.

(2) Chorion laeve(평활융모막) : Decidua capsularis 쪽의 융모는 눌려 혈액 공급이 감소하고, 융모가 퇴화한다.

4) 만삭시 태반의 무게 – 450~500 g

5) Placental aging(태반의 성장과 노화)

 : 태아의 대사가 증가함에 따라서 물질의 수송과 교환의 효율성 증대를 위하여 태아와 모체가

가까워짐

(1) Cytotrophoblast (Langhans cell)의 감소

(2) Syncytium thinning(두께 감소)

(3) Villous stroma (Hofbauer cell)의 감소

(4) Capillary의 수 증가

(5) Stroma 감소

2. 태반의 혈액 순환

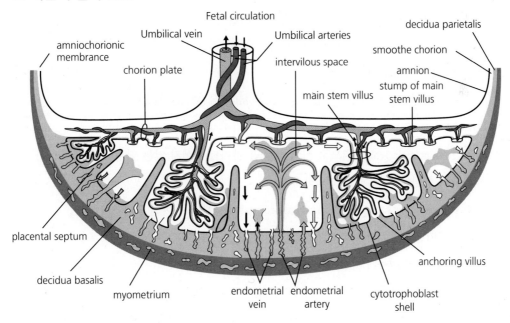

▶ Feto-Maternal communications : Cut surface of Full-term Placenta

1) Intervillous space

• Maternal blood가 Endometrial artery (Spiral artery)를 통해 유입되며 태아와 모체 사이의 물

길 이동이 일어나는 실지적인 구조가 된다.

• Placenta의 분당 혈류량 - 700~900 mL/min

2) 태반장벽(Placental barrier) ☆ (Intervillous space에서 태아쪽으로)

(1) 합포 영양막(Syncytiotrophoblast)

(2) 세포 영양막(Cytotrophoblast)

(3) 영양배엽 기저판(Basal lamina of the trophoblast)

(4) 융모 내 결합조직(Connective tissue)

(5) 태아모세혈관내피(Fetal capillary endothelium) → 태반장벽으로 인해 Fetal blood & Maternal blood는 섞이지 않는다.

(6) Definitive한 융모막 판(chorionic plate) 형성 : 8~10주

3. 태반 면역학

1) 모체가 semiallogenic인 태아를 받아들이는 기전

(1) trophoblast의 antigenicity 결여(MHC class II Ag 결여)

(2) 모체의 lymphatic action 저하

(3) 세포영양막 세포에서 발현 되는 것은 모두 HLA-G (MHC class I)

2) HLA-G

: HLA nonclassic I(b) 항원으로 사람에 따라 차이를 보이지 않는 단형(monomorphic). 다른 사람의 항원이라도 'self'로 인식하게 함

※ semiallogenic fetal graft의 maternal acceptance에 대한 태아의 역학

영양배엽과 같은 배아외 조직으로만 모체조직과 직접 접한다.

- 면역학적 적응의 가장 중요한 기전

※ oncofetal fibronectin (onfFN)

① fibronectin 분자의 type III connecting segment (IIICS) 내에 있는 특이한 glycopeptide 분자

② trophouteronectin 또는 trophoblast glue라고도 함

③ cytotrophoblast, 평활 융모막 등에서 분비

④ 분만 시 배아외 조직이 자궁으로부터 분리되는 것을 조장

⑤ 특히 분만이 진행하면 태아막과 자궁사이의 분리가 일어나고 평활융모막에 있는 oncofetal fibronectin이 자궁경부와 질로 분비가 증가

⑥ 단일 클론성 항체인 FCD-6와 X18A4가 개발되어 조산의 조기 진단에 이용

※ 자궁큰과립림프구(uterine large granular lymphocytes, LGLs)

자궁내막에 존재하며 골수에서 유래한 NK cell 계통의 림프구로 표면에 다량의 CD56이

존재. 황체기 중기에 다량으로 출현하여 GM-CSF를 분비하여 영양막의 세포자멸사 (apoptosis)를 방지

※ Fas ligand

Fas ligand는 영양막에서 발현되는데 비하여 Fas는 발현정도가 낮아 정상 임신의 영양막 에서는 Fas/Fas ligand 매개의 세포자멸사(apoptosis)가 잘 일어나지 않음

III. 양막(Amnion)

1. 양막의 발달

- Origin - Fetal Ectoderm of the Embryonic disc (Not from Trophoblast)
- 발생 7~8일경 처음 발견

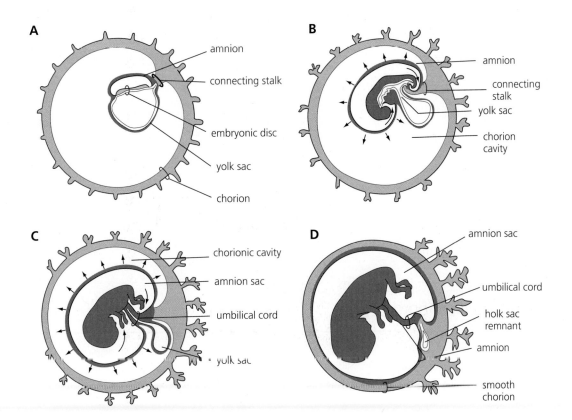

▶ Morphological change of Amnion (A : 발생 3주, B : 발생 4주, C : 발생 10주, D : 발생 20주)

2. 구조

1) 양막에는 평활근, 신경, 림프관, 혈관 등이 존재하지 않는다.

2) 5개의 층

(1) 상피세포(Epithelium)

(2) 기저막(Basement membrane)

(3) 치밀층(Compact layer) - I, III, V형 교원질로 구성(세포가 없다)

(4) 중간엽세포층(Mesenchymal cell; Fibroblastic layer)

(5) 해면층(Spongy layer)

- apposition of amnion and chorion ; end of the 1st trimester

3. 양막의 기능

1) 양수를 담고 있어서 모체의 복부 충격으로부터 태아 보호

2) 수분과 전해질의 이동을 통해 양수의 양을 일정하게 조절

3) 물질 분비 기능

(1) Vasoactive peptide: Endothelin-1, 부갑상선 호르몬 관련 단백

(2) Growth factor

(3) Cytokine 생산

(4) Brain Natriuretic Peptide (BNP)

(5) ACTH

4. Amnionic fluid

IV. Umbilical cord(탯줄)

1. 구조

- 직경 0.8~2.0 cm

- 길이 30~100 cm (Mean : 55 cm)

- 사람에서 가장 흔한 혈관기형 : Single umbilical artery (SUA)

2. 제대 혈관(3 vessels)

- 2개의 동맥 + 1개의 정맥(Left umbilical vein) (A_2LV_1) (Right umbilical vein은 초기에 없어짐)

- 혈관 50~90%는 시계 반대 방향(anticlockwise)으로 꼬임 : 동맥이 정맥을 휘감고 돈다.

태반 호르몬

P o w e r   O b s t e t r i c s

• 태반 호르몬의 생성 및 분류

만삭 임신부와 비임신부에서의 steroid 생성		
Steroid	**생성량(Production rates (mg/24hr))**	
	비임신(Nonpregnant)	**임신(Pregnant)**
1. Estradiol-17 β	0.1~0.6	15~20
2. Estriol	0.02~0.1	50~150
3. Progesterone	0.1~40	250~600
4. Aldosterone	0.05~0.1	0.250~0.600
5. Cortisol	10~30	10~20

- **Estrogen과 Progesterone은 태반에서 생성**
- **Aldosterone은 Angiotensin II의 자극으로 모체 부신에서 생성**
- **Cortisol은 임신 중 증가하지 않는다.**

태반 호르몬의 분류 및 생성 장소			
	Syncytiotrophoblast	**Cytotrophoblast**	**Unknown**
1. Protein hormone	Human chorionic gonadotropin (hCG) Human placental lactogen (hPL) Chorionic CRH, Chorionic ACTH Chorionic thyrotropin (TSH) Inhibin, Activin Atrial natriuretic peptide (ANP) Pregnancy specific protein	Chorionic GnRH Chorionic TRH Neuropeptide Y PTH-rP	Chorionic LHRH
2. Steroid hormone	Estrogen Progesterone		

cf) Decidua에서 생성되는 Hormone
  : Prolactin, Relaxin, β-Endorphin, Vit. D, Prostaglandin, Cytokine
   CRH, PTH-rP, Pregnancy-specific protein,

Ⅰ. 단백질 호르몬(Protein hormone)

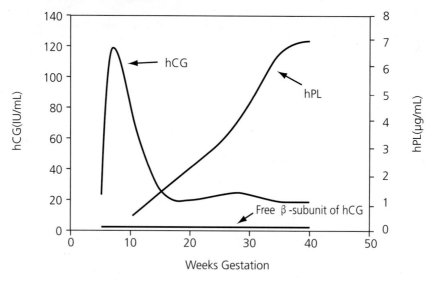

▶ Mean concentration of hCG and hPL ☆

- 혈장 내 free α-subunit은 임신 36주까지 지속적으로 증가하지만, free β-subunit은 임신기간 내내 매우 낮은 농도로 존재

1. Human Chorionic Gonadotropin (hCG)

1) 화학적 특성

- 구성 : α-subunit + β-subunit
- 구조적으로 유사한 호르몬 : hCG, LH & FSH, TSH

  (α-subunit 구조가 유사, β-subunit에 의해 생물학적 특성을 나타냄)

2) 융모성선자극호르몬의 생합성 ☆

- Cytotrophoblast에서 생성된 GnRH가 Paracrine 기전으로 Syncytiotrophoblast에 작용하여 hCG 합성
- Cytotrophoblast가 가장 많은 시기인 임신 8~10주에 최고치

3) 혈청 및 소변 내 융모성선자극호르몬 농도

- LH Surge 후 7.5~9.5일에 모체혈에서 측정 가능

•가장 높은 시기 : 8~10주(60~70일) (최저치 : 임신 20주)

•정상 초기 임신 시 hCG Doubling time : 1.5~2일

•임신 후기에도 낮은 농도이기는 하나 지속적으로 검출

•요중 hCG- 혈중 농도와 평행하게 증감, 약 10주에 최고치

•출산 후 정상으로 돌아가는 시기 : 출산 후 2주일 후

4) β-hCG의 연속적 측정 ☆

•임상적 의의 : 정상 임신, 불완전 유산과의 감별진단에 유용

•정상 임신 : 첫 6주동안 6,000~10,000 mIU/mL→ 60~70일까지 1.4~2일마다 doubling

•정상적인 Doubling time은 생존 가능한 자궁내 임신을 의미

•비정상 임신 : β-hCG 상승이 Plateau 모양(Doubling time - 7일 이상)

•혈중 β-hCG 농도가 2,000 mIU/mL 이상이면서 Transvaginal US상 자궁내 임신낭이 보이지

않는 경우 비정상 임신을 의미 ☆

5) hCG 분비의 조절

hCG 분비를 증가시키는 물질	hCG 분비를 증가시키지 않는 물질
① Butyrated cAMP ② GnRH, CRH ③ Interleukin (IL-1 & IL-6) ④ Growth factor 　• TGF- 　• Fibroblast growth factor (FGF) ⑤ Colony-stimulating factor ⑥ Thyroid hormone	① Dibutyryl cGMP ② AMP ③ Insulin ④ Progesterone ⑤ Epinephrine ⑥ Prostaglandin

6) hCG 생물학적 기능 ☆

(1) 난소 황체의 기능 보존(Progesterone 분비 유지)

(2) 태아 고환 자극 ☆: fetal testis의 Leydig cell을 자극(LH 유사 작용)

　→ Testosterone 합성·분비 촉진 → Sexual differentiation

(3) 모체 갑상선을 자극 hCG가 TSH receptor에 결합하여 나타남

(4) Steroid Hormone의 합성 촉진(Estrogen, Progesterone)

(5) 면역 억제 : 모체로부터 태아거부 반응을 억제

(6) 기타 응용 : Induction of ovulation, Clinical use of hCG assay

Conditions that showing High or Low hCG titer during Pregnancy ☆	
Significant High titer	Low titer
1. Multiple fetus 2. Erythroblastosis fetalis 3. Pregnancy-induced hypertension 4. Diabetes mellitus (DM) 5. Gestational trophoblastic disease 6. Down syndrome	1. Threatened Abortion 2. Ectopic Pregnancy 3. Fetal Death 4. Edward syndrome

2. Human placental lactogen (hPL)

- Syncytiotrophoblast에서 합성

- 구조 - Single polypeptide

- 태반에 Prolactin과 유사한 작용을 보임

- 강한 최유성 & 성장호르몬과 유사한 작용(Chorionic growth hormone) (Chorionic somato-mammtropin)

1) 혈중농도

- 임신 5주(수정 후 3주) 임신부 혈청에서 발견된다(임신 중 꾸준히 증가).

- 최고농도 : 임신 34~36주, 만삭 : 1 g/day, 반감기 : 10~30분

  → 모체의 혈중 농도는 태반의 양과 관계가 있다.

- 모체의 혈중 농도 > 양수내 농도(즉, 모체에 일차적인 작용)

- 합성 촉진되는 경우 : 모체의 금식상태, Insulin, IGF-1

- 합성 억제되는 경우 : PGE_2, $PGF_{2\alpha}$, cAMP

2) hPL의 대사기능 ☆

- Diabetogenic carbohydrate metabolism

  ① Lipolysis & Free fatty acid 증가 → maternal metabolism과 fetal nutrition의 energy 제공

  ② 모체에서 Glucose absorption과 Gluconeogenesis를 억제(→ 포도당 & 단백질을 보존)

  ③ Anti-insulin effect : 모체 Insulin 농도를 증가시켜 단백합성 촉진 → 태아에 Amino acid 공급 촉진

  ④ Lactogenic effect

  ⑤ 기타 : 황체 기능 연장, 조혈 기능을 증가

II. 스테로이드 호르몬(Steroid hormone)

1. Estrogen

에스트로겐의 이름
E_1 : estrONE (1)
E_2 : estraDIol (2)
E_3 : esTRIol (3)

1) 임신중 Estrogen의 생성

(1) 연령에 따른 주요 Estrogen 종류

① E_1(Estrone) : 폐경 시, Extraglandular Origin

② E_2 (Estradiol) : 비임신 시, 여성의 난소 origin

③ E_3(Estriol) : 임신 시(Fetal Well-being Monitoring에 이용)

전구물질 : 16 OH-DHEA sulfate(태아 origin) 태반에서 Estriol로 전환됨

(2) Estrogen 생성기관

• 임신 초 : 난소

• 임신 7주 : 50% 이상이 태반(placenta)에서 생성

(3) estrogen 합성에 태아, 모체 도움이 필요한 이유

• 태반에서 cholesterol과 progesterone이 estrogen합성을 위해 제공되지 않는다(HMG CoA reductase activity가 낮다).

• 태반에는 CYP17 gene에 encode되어 있는 17α-hydroxylase와 17, 20-lyase가 없음!

(4) 생성 과정

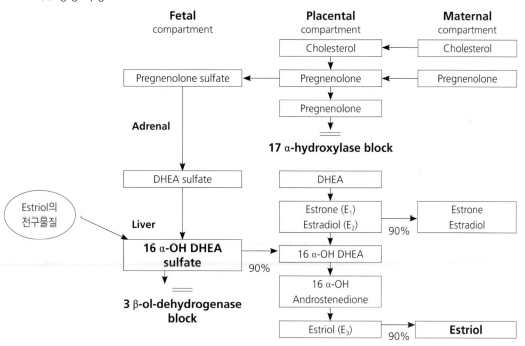

2) 태아 건강상태 평가 ⭐

Conditions that showing High or Low E₃ titer during Pregnancy	
High	**Low**

Multiple Pregnancy
Erythroblastosis Fetalis
Congenital Adrenal Hyperplasia
	Down syndrome
	Edward syndrome
	Poor Placental Function
	  : Postpartum, PIH, DM
	Anencephaly
	Congenital Adrenal Hypoplasia
	Maternal Renal Function 감소
	Antibiotics, Aspirin, Ampicillin
	  Phenobarbital, Laxatives
	Glucocorticoid 투여(ACTH 억제 때문)
	Gestation trophoblastic disease
	Fetal death
	Placental sulfatase deficiency
	FGR
	Smith-Lemli-Opitz syndrome
	X-linked ichthyosis

2. Progesterone

- Luteal-placental transition - 임신 8주

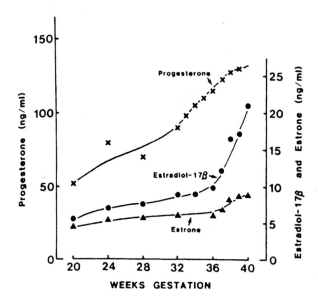

▶ Mean plasma levels of Progesterone, Unconjugated estradiol and Unconjugated estrone

1) 임신중 Progesterone의 생성

- 임신 6~7주경까지 - Corpus luteum에서 생성
- Luteo-placental shift : 임신 7주에 시작~12주 ☆

    임신중 10주 이전에 불가피하게 난소를 제거해야 하는 상황에서는 임신 유지를 위하여 →

    17α-hydroxyprogesterone caproate (150 mg)를 비 경구로 투여(간단히 말해서 프로게스테론

    주사).

- 12주부터는 대부분 태반(syncytiotrophoblast)에서 생성된다.
- 전구 물질 : Maternal plasma LDL-cholesterol
- Fetal state monitoring에 도움 안됨
- 임신 중 Estrogen과 Progesterone 합성의 비교

    ① 공통점 : 두 호르몬 모두 Circulating precursor를 이용

    ② 차이점 ┌ Estriol - Utilization of Fetal Adrenal Precursors (16α-OH DHEA sulfate)

              └ Progesterone - Utilization of Maternal Precursors (LDL)

    ※ 태아 건강의 monitoring은 progesterone보다 주로 estriol을 이용

2) 임신중 기능 ☆

① 착상을 위한 자궁내막 변화 유발

② 자궁 이완 유지

③ 분만과 수유 준비

④ Fetal antigen에 대한 모체의 면역 반응 억제

⑤ Fetal adrenal corticosteroid의 기질 준비

✚ 참고

임신 시 E₃와 progesterone의 합성

A. Fetal compartment
  - 3β-ol-Dehydrogenase system 부족
    ① Pregnenolone Progesterone
    ② DHEA Androstenedione
B. Placental compartment
    ① 17α-hydroxylase activity 부족
        Pregnenolone →/ 17-OH-pregnenolone
        Progesterone →/ 17-OH-Progesterone
    ② Acetate →/ Cholesterol

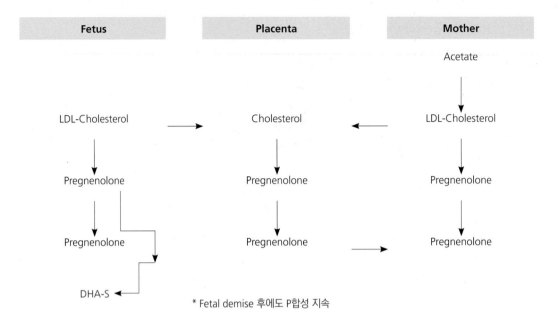

05 임신의 진단

Power Obstetrics

I. 임신의 진단

1. 임신의 증상과 징후

1) 월경의 중단

- 예정일보다 ≥ 10일 경과(blastocyst에 의한 착상 출혈이 있을 수는 있다.)

2) 유방의 변화

- 통증, 압통, 색소침착, 크기 증가

3) 피부의 변화

- 기미처럼 착색

4) 자궁 및 하부 생식기관의 변화

- 임신 12주까지는 자궁이 Symphysis pubis 바로 위에서 만져짐 ☆
- 'Hegar 징후' : 골반 진찰을 했을 때 자궁경부가 딱딱하게 느껴지고 비교적 부드러운 협부(isthmus)위로 신축성 있는 자궁체부가 느껴지는 것(마치 자궁목과 자궁몸통이 분리되어 있는 기관처럼 만져짐)
- 'Chadwick 징후' : 질점막이 자주색, 울혈.
- 자궁목 점액 슬라이드 도말 : 엽주 모양(by 프로게스테론)

  ※ 비임신 시는 고사리 잎 모양(by 에스트로겐)

5) 태동

- 임신 16~18주에 임신부가 인지(검사는 20주 경부터)

6) Braxton-Hick 수축

- 임신 초기부터 자궁이 불규칙한 간격으로 무통 수축하는 것을 말하며, 자궁을 마사지하면 수축의 횟수나 강도가 증가한다.

  <감별> 자궁 내 혈종이나 자궁근종에서도 유사한 현상이 관찰될 수 있다.

- Ectopic pregnancy에서는 없다.

7) Ballottement

- 임신 중기에는 태아에 비해 양수의 양이 많으므로, 진찰하는 손으로 자궁에 갑작스런 압력을 가하면, 태아가 양수 속에서 밀렸다가 원래 위치로 되돌아오는 것을 느낄 수 있다(임신 4~5개월).

※ hCG는 위양성 없다고 보면 되므로
hCG(+)면 임신(유산, 딴곳임신, ...),
hCG분비 종양(germ cell tumor 등),
GTD 등 고려

2. hCG(사람융모생식샘자극호르몬)의 검출

- hCG는 임신 6주 동안, 프로게스테론의 주된 생성 장소인 황체의 퇴축을 방지
- 임신 60~70일까지 혈청에서 doubling time(두 배로 되는데 걸리는 시간)이 1.4~2.0일로서 급증(→ 이후 감소하다가 임신 16주부터는 일정하게 유지)

  ① serum hCG : 임신 21일 이후

  ② urine hCG : 임신 38일 이후

※ 뉴도 G-sac은
double ring sign
이 없다

3. 초음파로 확인

① LMP 4~5주 : 질초음파로 확인 가능(※ 딴곳임신에서도 정상 임신처럼 자궁강내의 pseudogestational sac이 보일 수 있어 double decidual sign으로 감별)

② LMP 6주 : 작고 흰 Gestational ring이 특징적

③ LMP 7주 : 임신륜 내에서 태아로부터 나오는 Echo를 초음파로 볼 수 있다

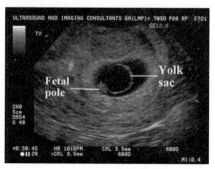

④ LMP 8주 : 태아의 심박동과 뇌를 관찰할 수 있다.

12주까지 CRL을 측정하여 임신연령 측정 가능

질초음파 : 5주 - Fetal sac, 6주 - Fetal pole, 7주 - Fetal heart activity

- Double sac sign과 관계있는 구조물 ⭐

① Decidua capsularis

② Decidua parietalis (=vera)

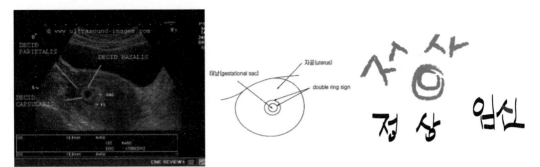

▶ **Double ring sign**

• 고사난자 Blighted ovum

(1) 특징

① 임신낭(Gestational sac)의 소실

② 비정상적으로 작은 임신낭

③ 임신 8주 후부터 태아로부터 나오는 Echo의 소실

(2) 의미 : Embryo가 죽어서, 곧 유산이 될 것임을 시사

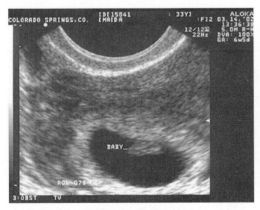

A. Normal fetus

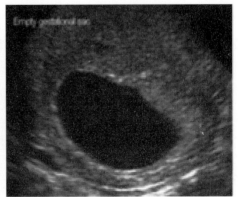

B. Blighted ovum

▶ 임신 9주의 소음파 소견

II. 태아 사망의 진단

- 임신 10~12주 후에 초음파검사에 의해 태아심장운동이 없으면 태아 사망의 믿을 만한 소견이 된다.

1. 태아 사망 시 소견

1) 임신 초기에 자궁의 크기가 증가하지 않는다.

2) 임신 후기에 Fetal movement의 소실

3) 청진, Ultrasound상 Fetal heart action의 소실

4) 임신 초기 동안, CR length에 비해 Amnionic cavity가 크다.

5) 임신부 체중 증가의 중단

6) Partially dilated cervix를 통해 Collapsed fetal skull을 촉지

7) 방사선학적으로 태아 사망을 시사하는 소견

　(1) 두개골의 심한 중첩(Spalding's sign)

　(2) 태아 척추의 심한 굴곡

　(3) 태아 순환 내에 Gas의 존재

2. 태아 사망 시 응고 기전의 변화(사망 1개월 이내에는 응고 장애가 없다)

1) 사망한 태아가 자궁 내에 오래 잔존할 경우 25% 이상에서 응고 장애 발생

2) 사망한 태아 산물로부터 thromboplastin이 유리되어 DIC 유발

　: 저용량 헤파린으로 응고장애 교정

3. 태아 사망 시 처치

- 대부분의 경우 2주내에 자연분만이 이루어지므로 다른 합병증이 없는 한 2주까지 기다려 본다.

06 임신 중 태아의 발달

I. 태아 발육(Fetal development)

- 임신 날짜의 계산

  (1) Gestational age or Menstrual age(임신령, 월경령)

    - 최종월경(LMP) 시작일을 기준으로 함

    - 이를 기준으로 하면 임신 기간은 280일(40주)로 추정할 수 있다.

    - postconceptional age보다 2주 빠름

  (2) Ovulation age or Postconceptional age(배란령, 수태 후령)

    - Fetal age를 기준으로 한 것

    - 보통 LMP 2주 후가 시작일

  -일반적으로 Gestational age를 이용하여 표기

  -예정일 : 최종 월경 제 1일에서 날짜에 +7, 달에서 -3

1. 시기에 따른 발달

1) 배란 후 첫 2주

  ① 수정

  ② Free blastocyst의 형성

  ③ Blastocyst의 착상

  ④ Primitive chorionic villi의 형성 및 발달

2) Embryo

- 시기 - 발생 3주초~8주(LMP 5~10주)

  - 주요 신체 장기가 형성되는 시기 : 대부분 임신 반응검사(hCG test)에 양성 반응

3) Fetus

- 시기 : 11주 fetal period 시작

- 주요 신체 구조의 새로운 형성은 드물고, 이미 배아기에 형성된 구조들이 성장하고 성숙

임신 주수에 따른 Fetus의 특징				
임신 주수 (Weeks)	CRL (cm)	Foot (mm)	Weight (g)	주요 특징
12	6.1	9	14	장이 복부내로 복원 골화중심이 보임 손톱발생
14	8.7	14	45	외부성기 구별이 가능 목이 잘 구분됨
16	12	20	110	연하, 호흡운동 시작 외이 발생 고개를 들고 시지기 잘 구별됨
20	16	33	320	태지형성 발톱발생 솜털이 보임 임신부가 태동을 느낌
28	25	55	1,000	눈을 부분적으로 뜰 수 있음 눈썹이 존재 소리를 알아 들음
32	28	63	1,700	고환이 하강 머리 털이 많아짐
40	36	83	3,400	배내 털이 거의 없어짐 prominent chest 고환이 음낭내에 있거나 inguinal canal에 존재

- Gestational age ≒ CR length + 3~4

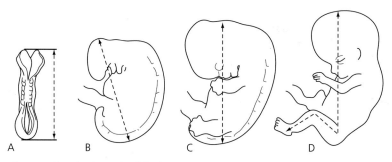

▶ Methods of measuring the Length of Embryos
A. Greatest length, B, C. Crown-Rump length, D. Crown-Heel length

2. 태아의 길이와 머리의 구조

1) 태아의 길이

- Crown-Rump length (CRL)를 재는 것이 좋음

- 특히 1st trimester 시 재태연령 추정에 가장 좋은 방법

- 임신 14주 이전에 C-R length가 체중보다 임신 주수와의 상관성이 높다.

2) 태아 머리의 구조

(1) Fontanelle

① 종류

a. Greater Anterior Fontanelle : Diamond Shape

b. Lesser Posterior Fontanelle : Small Triangular

② 유용성

: 분만 과정중 용이하게 촉지되므로 태위(Presentation) 및 태향(Position) 등의 유용한 정보를 알 수 있다.

(2) 만삭아 아두의 직경과 두위 ☆

Diameter of Fetal head diameter in Full term baby			
Anterio-Posterior diameter (cm)		**Transverse diameter (cm)**	
1. Occipito-Mental diameter	12.3	1. Biparietal diameter	9.5
2. Occipito-Frontal diameter	11.3	2. Bitempotal diameter	8.0
3. Suboccipito-Bregmatic diameter	9.3		

a. Fetal head의 Flexion의 의의
: 골반강을 통과하는 태아 아두의 길이가 Occipito-Frontal diameter에서 더 짧은 Suboccipito-Bregmatic diameter로 대치되어 통과가 용이해 진다.
b. Biparietal diameter (BPD)
– 태아의 Transverse diameter 중 가장 길므로 분만을 위해서는 임신부 골반의 Interischial spine의 거리는 10 cm 이상이 되어야 분만이 용이하다.
– 14주 이후 재태연령 추정에 도움

- 만삭아 아두의 두위(Circumference)

① Occipitofrontal diameter를 포함하는 면의 둘레 - 34.5 cm

② Suboccipitobregmatic diameter를 포함하는 면의 둘레 - 32 cm

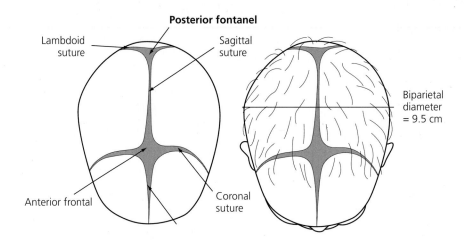

▶ Fontanelles, Sutures, and Biparietal diameter

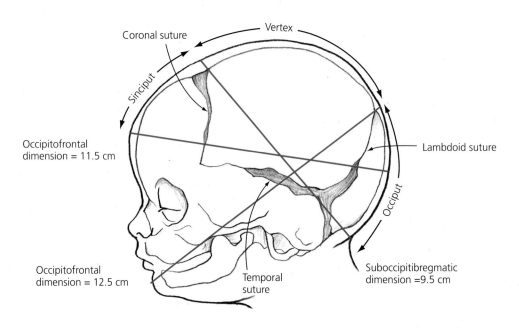

▶ Diameters of the Fetal head at Term

II. Fetal-Maternal communication system

Placental arm과 Paracrine arm의 구성과 기능		
	Placental arm	**Paracrine arm**
구성	1. Fetal blood in Intervillous space 2. Placenta 3. Maternal blood in Intervillous space	1. Fetal membrane 　: Amnion, Chorion 2. Decidua 3. Myometrium
기능	1. Nutrient transfer 2. Removal of Fetal waste products 3. Endocrine function 4. immunologic process	1. Maintenance of Pregnancy(임신의 유지) 2. Acceptance of Semiallogenic fetal graft 　(면역학적 수용) 3. Homeostasis of Amnionic fluid volume 　(양수량을 일정하게 유지) 4. Physical protection of Fetus(태아의 물리적 보호) 5. Parturition(분만)

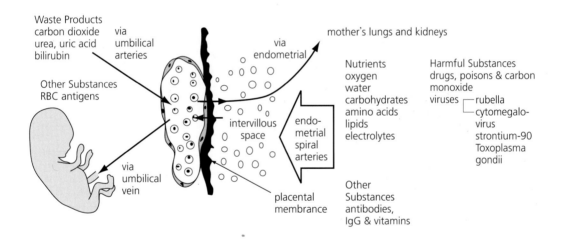

▶ Placental membrane을 통한 물질이 이동

1. 태반의 물질 이동

1) Placental transfer에 영향을 주는 Factor

① 모체 혈청내 물질의 농도 및 Carrier protein 등과 결합하는 비율

② Intervillous space를 지나는 모체 혈류량

③ Villous trophoblast epithelium을 통과하여 물질 교환이 가능한 면적

④ Diffusion에 의한 경우, Intervillous space와 태아 모세혈관 사이의 Tissue barrier의 물리적 특성

⑤ Active transport의 경우, 능동 수송을 위한 Placenta의 생화학적 처리 능력

⑥ 태반을 통과하는 동안 물질의 대사량

⑦ Fetal capillary를 통과하여 물질 교환이 일어나는 면적

⑧ 태아 혈액 내 물질의 농도

⑨ Villous capillary를 통과하는 태아 혈류량

2) 태반 내 물질 이동의 방법

태반 내 물질 이동의 방법 및 각 물질의 종류 ☆		
Diffusion	**Selective transfer**	
	Facilitated Diffusion	**Active transport**
O_2, CO_2, H_2O Fatty acid Amino acid most Electrolyte (except Fe, Ca) Anesthetic gas Insulin Steroid hormone Thyroid hormone Placental hormones : hCG, hPL	Glucose Galactose Lactate IgG (by way of Specific 　　trophoblast receptor 　　-mediated mechanism)	비타민 C Iodide Iron (Fe) Calcium (Ca) Phosphorus

① 중성지방은 태반을 통과할 수 없으나, Glycerol은 통과한다.

② Syncytiotrophoblast에는 중금속 결합단백인 Metallothionein-1이 존재

　→ 아연, 구리, 납, Cadmium 등 다수의 중금속과 결합

③ Virus, Bacteria, Malignant cell 등은 Selective transfer에 의해 통과

④ TSH는 통과하지 못함 / T_3, T_4, rT_3는 극소량만 통과

　　TRH, Propylthiouracil, Methimazole, Long-acting thyroid stimulator (LATS)는 통과

⑤ 모체혈보다 Fetal blood 내에서 높은 농도를 보이는 물질

: Retinol (비타민 A), Ascorbic acid (비타민 C), Iron, Zinc, Amino acid

⑥ Vitamin D, Copper는 모체혈이 높다

2. O_2 및 CO_2의 이동

- Intervillous space의 평균 산소 포화도 - 65~75%

  PaO_2 : 30~35 mmHg

1) Fetus가 Low O_2 tension에 적응하는 기전 ☆

① High Cardiac output

② Fetal hemoglobin의 높은 산소친화도(Oxygen affinity) (O_2 dissociation curve의 Shift (Shift-to-Left))

③ Inactivity of fetus

④ Fetal hemoglobin에 의한 높은 산소 운반 능력

2) CO_2 transfer

- CO_2는 Placental barrier 잘 통과하며, Fetal blood는 CO_2 affinity가 모체 혈액보다 낮다.

- 임신부 - Tachypnea (Progesterone이 Respiratory center 자극)

  → Maternal $PaCO_2$가 낮아지므로, 태반을 통한 CO_2의 이동을 촉진

3. 태아의 영양 공급

1) 태아의 에너지원: Glucose

2) 임신부에서는 Lipolysis가 촉진되어 태아로의 영양 공급을 증가시킨다.

(1) Lipolysis를 증가시키는 물질

① Human placental lactogen (hPL) - Growth hormone-like effect

② Glucagon

③ Norepinephrine

④ Glucocorticoid

⑤ Thyroxine

3) DM patient와 Uncontrolled hypoglycemia시 Severe ketoacidosis 발생 가능

→ 즉, 임신부에서 엄격한 혈당 조절이 필요

III. 태아의 생리(Physiology of fetus)

1. 태아 순환

구조	출생 후 변화
1. 제대동맥(umbilical artery) 2개	umbilical ligament
2. 제대정맥(umbilical vein) 1개	ligamentum teres
3. 동맥관(ductus arteriosus)	ligamentum arteriosum : 출생 10~96시간 후 기능적 폐쇄, 2~3주 후 해부학적 폐쇄
4. 정맥관(ductus venosus)	ligamentum venosum
5. 난원공(foramen ovale)	fossa ovalis : 출생 직후 기능적 폐쇄, 1년 후 해부학적 폐쇄

- 출생 후 Ductus arteriosus의 폐쇄의 원인

  : Prostaglandin E_2의 감소(PG 생성 억제제(Indomethacin)로 폐쇄를 촉진시킬 수 있다.)

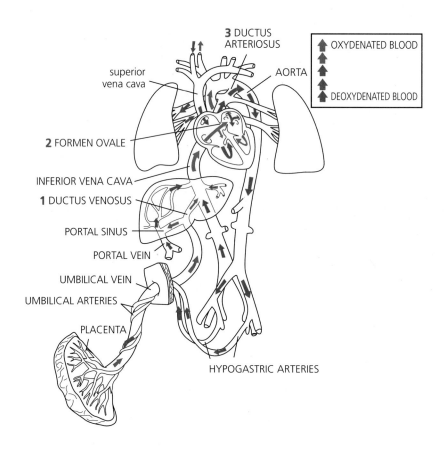

※ 산소화 정도 ☆

: 제대정맥(umbilical vein) > 정맥관(ductus venosus) > 난원공(foramen ovale) > 제대동맥 (umbilical artery) > 동맥관(ductus arteriosus)

1) Fetal circulation

(1) umbilical vein ductus venosus IVC

(2) 성인 순환과 다른점

umbilical vein, umbilical artery, ductus venosus, ductus arteriosus, foramen ovale

(3) IVC → RA → foramen ovale (50%) → LA, LV → Aorta → brachiocephalic artery → body 의 upper portion supply

SVC → RV (50%) → pul. artery → Lung (10%)과 ductus arteriosus (90%), descending aorta 를 통해 body의 lower portion blood supply

2. 태아 혈액의 특징

1) Hematopoiesis

(1) 태아혈액의 주된 조혈 기관 ☆

① 1기 : Yolk Sac

② 2기 : Liver

③ 3기 : Bone marrow, Lymph node

(2) 태아 조혈의 특징

① Nucleated and Macrocytic RBC의 생성

• 태아가 성장함에 따라 Unnucleated RBC 생성

② Hemoglobin 농도의 점진적 증가

• 임신 중기 12 g/dL / 임신 말기 18 g/dL

③ Reticulocyte count가 높다.

• Fetal RBC의 수명이 짧기 때문(Stress erythrocyte) : 약 90일. 정상 성인의 2/3

• 만삭 시 5%로 감소

④ RBC의 변형성이 높다. → 제대혈의 High viscosity를 상쇄시킴

⑤ Erythropoietin이 Liver에서 생성

: 정상적으로 출생 후 3개월까지는 높은 산소 분압으로 인해 Erythropoietin 분비가 억제되어 측정되지 않는다.

(3) Fetal hemoglobin (Hb-F)의 특징

① Globin의 구조 : 2a+ 2γ

② 임신 32~34주에 Hb-F에서 Hb-A (2a+2b)로 전환 시작

- γ-globin gene의 Methylation에 의해 전환
- 당뇨병 임신부에서는 Methylation이 저하되어, 신생아에서 Hb-F가 지속된다.

③ 산소와 결합력이 높다(O_2 saturation curve의 Left-shift).

- 의의 - 모체에서 태아로의 산소 이동을 돕는 역할
- 원인 - 2,3-DPG 농도가 모체혈보다 낮기 때문
- 태아 체온이 상승하면 Right-shift되어 태아의 저산소증이 심해짐

④ Acid 및 Alkali에 저항성이 강하다.

a. Apt test - 신생아 토혈시 모체 혈액인지 태아 혈액인지 감별하는 방법(1% NaOH를 이용)

- 태아 혈액 - Pink color(무변) (∵ Alkali resistance)
- 모체 혈액 - Browny discoloration

b. Kleihauer acid elusion technique - Acid에 저항이 강함을 이용

⑤ 만삭시 Hb-F는 전체 Hb의 3/4을 차지

⑥ 출생후 6~12개월동안 감소하여, 1년 이후에 성인 수준에 도달한다.
(성인에서도 소량의 Hb은 관찰 가능)

⑦ life span이 짧다(정상 성인의 2/3).

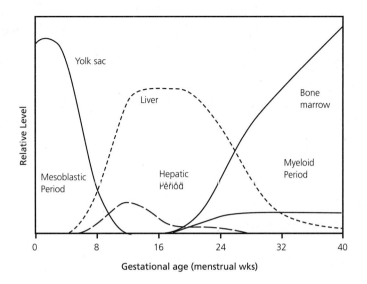

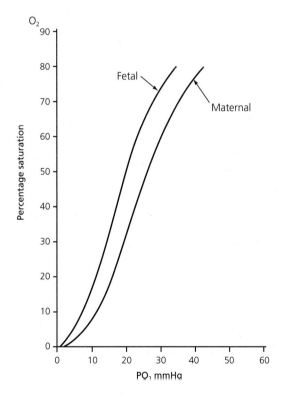

▶ Oxygen dissociation curves of Human Fetal and Maternal blood prepared at pH 7.4

O₂ saturation curve of Fetal hemoglobin is <u>shifted to Left</u>

2) Coagulation factor의 전반적 저하

- Factor II, VII, IX, XII, XIII, Fibrinogen의 저하
- Liver의 미성숙 때문에, Vit. K-dependent coagulation factor 결핍

  → 출생 즉시 Vitamin K를 투여하지 않으면, 신생아 출혈 발생 가능

- Platelet은 정상 성인 수준

3. 태아 면역계의 특징

- IgG - 태반 통과 / IgM - 태반 통과 못함

1) IgG

IgG : 태반을 통과하여 Go!

① 모체로부터 IgG의 이동

- 임신 16주부터 시작
- 대부분은 임신 마지막 4주 동안 이동

  → ∴ Preterm baby는 모체의 항체를 적게 받는다.

② 신생아기의 IgG 생성 - 3세가 되어야 성인 수준에 도달

2) IgM

① 태반을 통과하지 못함

- 태아에서 발견되면 태아가 생성하는 경우이므로 자궁 내 감염을 의미

  a. 정상적으로 모체 T lymphocyte에 대한 반응으로 극소량은 발견

  b. 선천성 감염(TORCH)시 매우 증가 : Rubella, CMV, Toxoplasmosis

② 신생아기의 IgM 생성 - 9개월 이후에 성인 수준에 도달

3) Lymphocytes

① B-림프구 - 임신 9주에 간, 12주에 혈액·비장에서 발견

② T-림프구 - 14주에 흉선에서 생성

4. Digestive system

1) 위장관의 발달

(1) 발달 시기

: 임신 10~12주부터 연하운동이 시작되어 소장에서 glucose을 흡수할 수 있으나 완벽한 위

장 기능은 임신 4개월이 되어야 발달

(2) 태아 연하운동의 의의

① 양수의 양 조절

② 위장관의 발달 촉진

③ 임신 말기 양수 내로 유입하는 불용성 물질의 제거

④ 연하운동에 의해 얻는 칼로리는 매우 적으나 임신 말기에 하루 필수영양소(가용성 단백

질 0.8 g)을 연하

(3) 태변

• 정상적으로 Fetus는 자궁 내에서 배출 못함.

But) Hypoxia에 빠지면 태아 뇌하수체로부터 AVP가 분비되어, 대장의 Smooth muscle을

수축시킴으로써 태변이 양수내로 배출

• 색깔 - Dark green (Biliverdin)

2) Liver & Pancreas

(1) Liver

• Maturation이 늦다

① Bilirubin conjugation 능력↓ → Hyperbilirubinemia

② Enzyme 저하로 Coagulation, Metabolism의 감소

(2) Pancreas

• Insulin, Glucagon 분비 능력 - 임신 4개월

• 인슐린 함유과립이 임신 9~10주경 확인, 혈장 인슐린은 임신 12주, 글루카곤은 임신 8주

경 확인

5. Urinary system

• Fetal kidney의 성숙 시기 - 임신 4개월

• Fetal urine은 Fetal plasma보다 Hypotonic

6. Amnionic fluid(양수)

1) 기능

① 태아 움직임을 용이하게 함(Lubrication)

② 외부 충격에 Cushion 역할로 Protection

③ 일정한 온도 유지

④ 분만 시 Cervix opening에 Hydrostatic pressure로 작용하여 자궁목 확장 촉진

⑤ Fetus 상태(Fetal well-being)에 대한 정보 제공 - Amniocentesis (16~18주)

⑥ Placental detachment 방지

⑦ Sterilization & Moistening of Birth canal

2) Amnionic fluid. pH- 7.0~7.5(약알칼리성) ☆

3) Volume의 변화

• 임신 34주에 최고(1,000 mL) ☆

만삭에 가까울수록 점차 감소(과숙아에서 양수과소증이 문제됨) ☆ → Term에서 500~1,000 mL

• Osmolarity는 감소

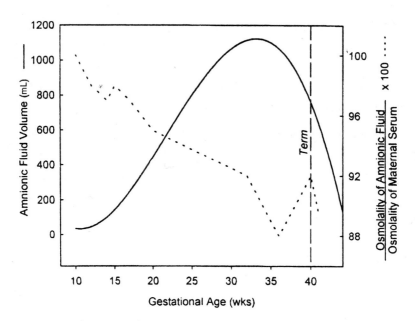

▶ Amnionic fluid volume (solid line) and Osmolarity (dotted line)

4) 양수의 조절 인자

• 임신 4개월이 되면 Urination과 Swallowing의 양이 증가

① Fetal urine

- 4개월(16~18주)부터 양수 구성에 중요한 역할을 한다.

- 특징 : 낮은 전해질 농도, Urea, Creatinine, Uric acid는 많이 함유

② Swallowing - 4개월에 양수를 삼켜서 수분을 섭취할 수 있을 정도의 위장 기능 발달

• 이 두가지 System이 유지되어야 정상적인 양수 상태 유지

cf) 양수 과소증과 과다증의 원인

7. Respiratory system ☆

1) Anatomical maturation

(1) 거짓샘시기(Pseudoglandular stage) : 5~7주

- 구역 내 기관지나무(Intrasegmental bronchial tree) 발달

(2) 소관기(Canalicular strage) : 16~25주

- 기관지 연골판(bronchial cartilage plates) 발달

(3) 종말낭(Termial sac)과 폐포기(Alveolar stage)

- 원시폐포(primitive alveoli) 형성

2) Surfactant(type II pneumocyte에서 합성되는 lipoprotein)

(1) 구성요소 및 비율

① Dipalmitoyl Phosphatidylcholine(DP-PC, Lecithin) : 48%

② Other Phosphatidylcholine(PC) : 30%

③ Phosphatidylglycerol(PG) : 9% → RDS 예방에 가장 중요한 역할 ☆

(당뇨병 임신부의 임신시 PG 생성에 문제가 발생)

④ Phosphatidylinositol(PI) : 4%

⑤ Phosphatidyl-Ethanolamine : 5%

⑥ 기타 : 4%

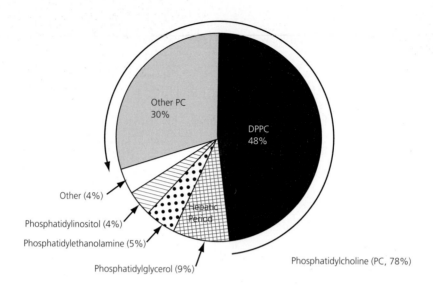

▶ Glycerophospholipid composition of Mature surfactant

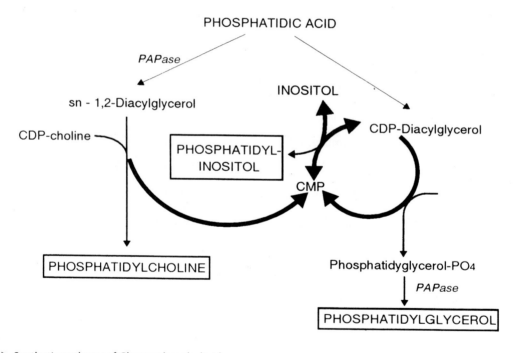

▶ Synthetic pathway of Glycerophospholipids

● PI → PG로의 Shift가 일어나는 기전 ★

① Glycerolphosphate phospatidyltransferase 활성 증가

② 태아 혈장의 Inositol 감소(가장 중요) ─────┐ Main mechanism

③ Lecithin 합성의 증가로 인한 CMP (cytidine monophosphate)의 증가 ─┘

● Lung maturation을 위한 Surfactant 농도의 변화 ★

① Phosphatidylcholine (PC) 농도의 급증

② Phosphatidylglycerol (PG)의 상승 + Phosphatidylinositol (PI)의 하강

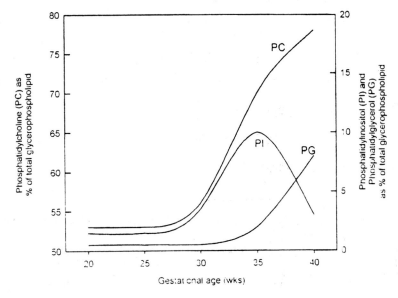

▶ Relation between Glycerophospholipids in Amnionic fluid

● Surfactant 형성에 관여하는 호르몬

① Cortisol : 임신 24-33주에 glucocorticoid 투여 - RDS 발생 감소

② Thyroxine, TRH

③ Epidermal growth factor (EGF)

④ Platelet-activating factor (PAF)

⑤ Fibroblast pneumocyte factor (FPF)

⑥ Prolactin

⑦ Estrogen

● Fetal Lung Maturation Index

• L/S (Lecithin/Sphingomyelin) ratio - 2 : 1 at 34주(More than 2:1 means lung maturation)

(2) apoprotein - surfactant 구성성분 중 하나이며, 기능적으로 중요한 역할

① 종류 - surfactant protein A, B, C, D

major apoprotein; surfactant protein - A (SP-A)

② 합성을 증가시키는 물질 - cAMP, Epidermal growth factor, triiodothyronine

③ 합성을 감소시키는 물질 - insulin, glucocorticosteroid

④ 기능- 폐포내에서 분비된 lamellar body가 tubular myelin으로 구조적 변형을 일으키는데 중요한 역할

surfactant의 endocytosis 및 recycling에도 관여

→ RDS를 예방 혹은 치료하기 위해 surfactant를 투여 할 때 apoprotein이 함유된 natural surfactant가 더 효과적이다.

→ 당뇨병 임신부에서 태아의 과인슐린 혈증으로 apoprotein의 합성 방해

3) Fetal Lung maturation에 영향을 주는 인자

• 임신부가 당뇨병인 경우는 태아폐성숙이 지연

※ 주의 : chronic renal or cardiovascular disease, hypertensive disorders, heroin addiction, fetal growth restriction, placental infarction, chorioamnionitis, preterm ruptured membranes의 상황에서 태아 폐성숙이 촉진되지 않음.

4) Respiration

: 임신 4개월째부터 태아는 호흡기를 통해 양수를 흡입, 배출시킬 수 있을 정도로 호흡운동이 가능해짐

8. Endocrine system

1) Pituitary gland - 임신 17주경 모든 뇌하수체 호르몬 생성

(1) Anterior pituitary gland

① 성인과 같이 6종의 Hormone 분비(Prolactin, GH, ACTH, TSH, LH, FSH)

② β-Endorphin

(2) Posterior pituitary : Oxytocin, Vasopressin (ADH)

(3) Intermediate pituitary : α-MSH, β-Endorphin

2) 갑상샘(Thyroid gland)

- 1st trimester 말에 기능적으로 완료

- 태반 통과와의 관계 ★

  ① Iodine - 쉽게 통과하며, 태반은 Iodine concentration 능력이 크다.

  ∴ 임신부의 Iodine 투여는 태아에 큰 영향

  ② TSH - 통과하지 못함

  ③ Graves disease때 생기는 Long acting thyroid stimulator (LATS)는 고농도일 때 태반을 통과

  → 신생아 갑상선기능항진증을 유발

  ④ Thyroid hormone(T_3, T_4) - 약간 통과($T_3 > T_4$)

Phase of Thyroid maturation in the Human fetus and Newborn infant		
Phase	Gestational age	Event
I	2~12주	Embryogenesis of Pituitary-Thyroid axis
II	10~35주	Hypothalamic maturation
III	20주~출생 후 4주	Development of Neuroendocrine control
IV	30주~출생 후 4주	Maturation of Peripheral monodeiodination system

3) 부신(Adrenal gland)

(1) 특징

  ① 태아에서 가장 비대한 장기

  ② 성인과 달리, 태어날때 85%가 Fetal zone으로 구성된다.

  ③ E_3 (Estriol) 생성에 있어서 전구 물질을 제공한다.

    : Dehydro-epi-androsterone sulfate (DHEA-S)

(2) 기능

  ① Fetal zone에서 분비되는 Cortisol, Estrogen 합성의 precusor 생성

  ② Normal labor mechanism에 관여 : Cortisol과 Estrogen

4) 성선(Gonad)

- 임신 10주경 고환에서 Testosterone 합성

  → 성 표현형(Phenotypic sex)을 결정

•특징- hCG 반복 자극에 대한 Desensitization 현상이 없다.

9. 태아의 성

1) 성 결정

(1) Chromosomal sex - 성염색체에 따른 분류(XX or XY)(수정될 때 결정)

(2) Gonadal sex - Gonad의 형태에 따른 분류(Testis or Ovary)

•Y 염색체의 유전자가 가장 중요(i.e. SRY)

•SRY (sex determining region of the Y chromosome) gene 발현이 없으면 여성 생식기로 분화

•간혹 Y 염색체의 일부가 X 염색체와 전위된 경우 46,XX Male 발생가능

(즉, Chromosomal sex와 Gonadal sex가 항상 일치하지는 않는다)

(3) Phenotypic sex - 내·외부 생식기의 형태에 따른 분류

•태아 Testis에서 Müllerian inhibitory substance 분비

→ Müllerian duct의 퇴행(임신 9~10주에 완성) : internal genitalia

cf) Wolffian duct → Male / Müllerian duct → Female

- external genitalia :

→ 수정 후 4~7주까지 indifferent stage

→ 7주 이후 testosterone-5α-dihydrotestosterone에 의해 penis, scrotum

2) Hermaphroditism

(1) True hermaphroditism

: Ovary와 Testis가 동시에 각각 존재하거나 Ovotestis 형태로 되어 있는 경우에 발생

(2) Pseudohermaphroditism

① 정의 - Genotype과 Phenotype이 일치하지 않는 경우

② 명명법 - Genotype에 따라 Female or Male pseudohermaphroditism으로 명명

③ 특징

a. Female pseudohermaphroditism은 정상 가임여성으로 될 수 있다.

b. Male pseudohermaphroditism은 불임

(3) Female pseudohermaphroditism의 치료 ★

① 외성기를 외관상으로나 기능적으로 여성으로 성형수술(80%의 남성 반음양이 여성쪽에

가까운 외성기를 갖는다)

② 모든것을 18개월 이전에 끝냄으로써 기억에 남지 않게 해주는 것이 좋다.

③ 고환 특히 잠복고환인 경우는 악성화되기 전에 제거해 주어야 함은 물론 남성기나 미분화된 남성기 부분은 모두 제거하여 후에 증가된 Testosterone에 의해 남성화 될 부분들을 없애준다.

④ 사춘기가 되면 estrogen의 투여로 이차성징의 발현을 노모

⑤ 자궁을 가진 경우에는 주기적인 출혈을 유도 → 이 때는 주기적인 자궁내막 검사 실시

Classification of Hermaphroditism			
	Pseudohermaphroditism		True hermaphroditism
	Female	Male	
Cause	1. Congenital adrenal hyperplasia 2. Nonadrenal female pseudohermaphroditism 3. Developmental disorders of Müllerian ducts	1. Abnormalities in Androgen synthesis 2. Abnormalities in Androgen action 3. Persistent Müllerian duct syndrome 4. Development defects of Male genitalia	Chromosomal sex disorder
Genotype	46,XX	46,XY	46,XX (35%) / 46,XY (10%) / Mosaicism (55%)
Gonad	Ovary	Testis, or Absence of gonad	Both Ovary and Testis, or Ovotestis
MIF	Produced	Not produced	Not produced
Androgen production	Excess	Variable	Variable

07 임신 중 모성의 생리학

Power Obstetrics

I. 임신 중 변화 양상

Physiologic Maternal change during pregnancy		
증가	감소	변화 없음
Total body weight, Basal metabolism Postprandial glucose, Fat	Serum Osmolarity Fasting glucose	
Ca, Mg, Cu, Ceruloplasmin pH (Respiratory alkalosis) Total Na, K ALP, Globulin, TBG	Fe Serum Na, K conc Albumin	Phosphate AST, ALT

RBC mass, Plasma volume
Factor 1, 2, 7, 8, 9, 10
  Plasminogen
	Hb, Hematocrit
	Factor 11, 12
	Platelet, Free Protein S
		Clotting time
		Antithrombin Ⅲ
		  Protein C, Total Protein S

Heart rate, Stroke volume
  LV wall mass, end-diastolic dimension
Tidal volume
Kidney size, GFR
	Blood pressure,
	  Vascular resistance
	Residual volume
	BUN, Creatinine
		CVP, PCWP

GH, Prolactin, Thyroid hormone, PTH Total cortisol, Aldosterone, DOC, Androgen	DHAS	TSH, TRH Free cortisol
	Intraocular pressure	

Progesterone과 Estrogen에 의한 모체의 변화	
Progesterone	Estrogen
1. 자궁수축 방지 2. 탈락막 반응 3. 복벽 & 피부 색소침착 4. Breast : acinal hypertrophy 5. 호흡중추 자극 6. GI tract 운동성 감소 7. urinary tract의 peristalsis 감소 8. GB motility 감소 9. 관절 이완	1. 임신 초기 자궁의 비대, 확장 2. vascular spider, palmar erythema 3. Breast : 유선의 성장 4. 수분 저류 5. TBG 증가

1. 자궁의 변화

1) 비대와 확장(Hypertrophy & Dilatation)

(1) 부피 : 10 mL 이하 → 5 L

무게 : 70 g 이하 → 1,100 g으로 증가

(2) 기전

Stretching & Marked hypertrophy of existing muscle cell

● 영향인자

① 임신 초기 자궁비대 : ① 주로 estrogen ② progesterone

② 임신 12주 이후 : conception products 확장 → pressure effect

2) Fundal height의 위치

- 20~32주 사이에 Symphysis pubis~Fundus 까지의 높이(cm)는 Gestational age와 거의 일치 ☆

① 3개월 : Pelvis 밖으로 나오기 시작

② 4개월 : Pubis와 Umbilicus 사이

③ 5개월(20주) : Umbilicus level = 20 cm

④ 8개월 : Xiphoid process level

⑤ 10개월 : 9개월때보다 조금 낮아짐(Lightening)

3) 자궁 크기, 모양, 위치의 변화

① 배 모양 → 구형(임신 12주 말) → 난형

② 임신 12주 말 골반 밖으로 나온다.

③ pelvis inlet의 축과 같은 모양

④ dextrototation

4) 임신 수축력의 변화

① 임신초기 : 불규칙하고 무통성의 수축

② 임신 중기 : Braxton Hicks 수축(예고없이, 불규칙하고, 강도는 5~25 mmHg), 수축이 촉지

③ 임신 마지막 1~2주 : 가진통 시작(10~20분 간격, 규칙적, 불편감 유발)

④ dextrototation

5) 자궁 태반 혈류(uteroplacental blood flow)

(1) 임신말기 - 450~650 mL/min

(2) 자궁 정맥의 확장, 자궁 수축 → 혈류 감소

(3) 조절에 관여하는 물질

① estrogen, progesterone : vasodilation, vascular reistance ↓

② NO : 강력한 혈관 이완제, 혈소판 응집과 혈관부착 방해, NO 생성이상은 전자간증 발생과 관련

③ angiotensin II : angiotensin II에 대한 자궁 혈관계의 민감도 저하 ☆

　　cf) 임신성 고혈압의 경우는 AT II에 대한 민감도 증가

④ Nicotin, catecholamine → 자궁태반 혈류량 감소

(4) supine position, 자궁수축 시, vasoconstriction 투여 시 감소

6) 자궁 경부의 변화

① 가장 초기에 나타나는 징후 - Softening & Cyanosis

② 자궁 경부 eversion

③ mucus plug : 많은 양의 끈끈한 점액이 자궁경관을 막음, 배출 시 bloody show

④ basal cell : S-C junction에서 prominent

⑤ mucus : 자궁 경부 점액의 Beaded pattern (Progesterone effect), ferning (PROM)

2. 난소의 변화

1) Ovulation 중단, 새로운 난포 성숙도 정지

2) Corpus luteum 존재(1개)

① 임신 6~7주까지 Progesterone 분비하여 임신유지(Luteo-placental shift 7~12주 → 이후 태반에서 분비)

② Relaxin의 분비 - 자궁근육의 수축에 영향 → 조산과 관련

③ 임신 말까지 Corpus luteum은 존재

3. 질과 회음부의 변화

1) Perineum, Vulva- Hyperemia, Connective tissue softening

2) Vaginal wall

• Chadwick's sign(혈관의 증가 → 보라색 색조)

: 임신하는 동안 질점막이 짙푸른색 또는 보라빛 적색으로 나타나고 울혈되는 현상(임신의

가정징후(Presumptive sign)의 하나)

3) Cervico-vaginal secretion

• 성상 - 농도가 짙고 흰색의 점액성 분비물

cf) 감염을 시사하는 소견 ┌─ *Trichomonas* - 기포성의 황색 분비물

└─ *Candida* - 굳어진 우유같은 분비물

• pH - 3.5~6(Secreion이 있을 때, 양수와의 감별에 중요) ☆

→ 양수의 pH는 7~7.5 (Nitrazine test 상 양수는 청색으로 염색)

• Maturation index - 0/100/0 (Parabasal / Intermediate / Superficial) → Progesterone의 effect

4. 복벽과 피부의 변화

1) 임신선(Striae gravidarum)

: 임신 후반기에 나타나는 복부, 유방, 대퇴의 피부의 붉은 약간 함몰된 선, 다분만부에서는

이전 임신 시에 생긴 임신선의 반흔이 은색의 선으로 남아있음

2) 복직근 분리(Diastasis recti)

: 복벽의 근육이 장력을 이기지 못해 복직근이 중심선에서 갈라짐

3) 색소 침착

• 종류 - 복부 중앙의 흑색선(Linea nigra), 안면·목의 갈색반(Chloasma), Melasma gravidarum

• 대개 분만 후 소실

• 기전 - estrogen, progesterone이 뇌하수체의 intermediate lobe의 비대

촉진 → β-endorphin과 α-MSH의 분비를 증가

4) 피부 혈관의 변화

• Spider angioma, Palmar erythema - Estrogen의 혈관 증식 작용에 의함

• 분만 후 모두 소실

5. 유방의 변화

① 임신초기에 가끔 유방의 압통과 tingling 경험

② 임신 2개월 : 유방이 더 커지고 vein 발달, 유두 커지고 erectile, 검게되며 mammary alveoli의

비대로 결절성이 됨

③ colostrum 나올 수 있음

④ Montgomery gland의 존재(다수의 작은 융기가 유륜 근처에 산재, 피지선이 비대해져서 형성된 것)

⑤ gigantomastia

⑥ 임신 중 유방의 크기와 모유량은 비례하지 않음

6. Metabolic change

1) 체중 증가

- 평균 체중 증가 - 12.5 kg

- 9 kg - 태아, 태반, 양수, 자궁 비후, 모성 혈액량 증가, 유방 발육, 세포외액

  3.5 kg - 모체 체지방 축적

2) 수분 대사

(1) 수분 저류 - 삼투압 감소(10 mOsm/kg)와 RAAS system 활성 때문

(2) 임신말기 때 늘어난 수분량(6.5 L)

(3) 부종

3) 단백질 대사

- 임신 동안 일일 단백질 섭취 요구량 증가

- 임신 후반기 6개월 동안 1 kg의 단백질 보충이 필요

Analysis of Weight gain based on Physiological events during Pregnancy				
Tissue and Fluids	**Cumulative increase in Weight (g) up to:**			
	10 weeks	**20 weeks**	**30 weeks**	**40 weeks (Total)**
1. Fetus	5	300	1,500	3,400
2. Placenta	20	170	430	650
3. Amnionic fluid	30	350	750	800
4. Uterus	140	320	600	970
5. Breast	45	180	360	405
6. Blood	100	600	1,300	1,450
7. Extravascular fluid	0	30	80	1,480
8. Maternal stores (Fat)	310	2,050	3,480	3,345
Total	650	4,000	8,500	12,500

• plasma protein composition 변화 : albumin 감소, globulin 증가로 A/G ratio 감소

4) 탄수화물 대사 ☆

(1) 혈중 Insulin 농도의 증가 및 조직의 Insulin resistance

: 공복 시 mild hypoglycemia, 식후 hyperglycemia, hyperinsulinemia

(2) 경구로 당 섭취 시 인슐린 저항성 증가, 고혈당 기간 지속 → 지속적으로 태아에게 glucose 공급하기 위한 기전

(3) 인슐린에 의한 말초조직 저항이 일어나는 기전

① progestrone, estrogen - 직·간접적 매개

② hPL - lipolysis에 의해 FFA 증가로 인슐린에 대한 말초조직 저항 촉진

(4) Accelerated starvation : 임신 중 금식에 의해 유발되는 당에서 지방으로의 빠른 에너지원 변화, 금식상태가 지속되면 이러한 변화가 심해지고 ketonemia가 빠르게 발생

(5) Glucosuria - GFR 증가와 Renal tubular reabsorption 감소로 나타날 수 있다.

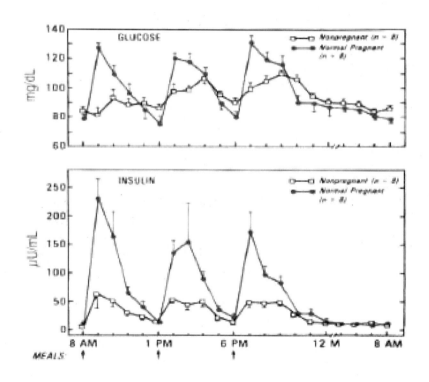

5) 지방 대사

(1) 혈중 지질 농도가 점진적으로 증가

(2) Lipoprotein, Apolipoprotein의 증가

 ① 임신부가 기아 상태가 되면 Ketoacidosis가 훨씬 심하게 온다.

  : hPL에 의한 Free fatty acid와 Glucose 이용의 장애가 원인

 ② Glucose → Used for Fetus

  Free fatty acid → Used as Maternal energy source

 ③ 지방 분해(Lipolysis)를 활성화시키는 호르몬

  a. Human placental lactogen (hPL)

  b. Glucagon

  c. Norepinephrine

  d. Glucocorticoid

  e. Thyroid hormone

6) 무기질 대사

① 철 요구량만 증가(Total 1 g) - 임신 4개월 이후 복용시작 필요(비임신 시, 여성 ; 총 2~2.5 g

 : 남성의 절반)

② Calcium, Magnesium 농도 저하

③ 임신 후반기 Free Calcium 농도는 증가

④ 혈중 Phosphate는 변화 없음

⑤ Copper & Ceruloplasmin - 임신 초 증가하였다가 점차 감소

7) Acid-Base balance

• Respiratory Alkalosis

 : Progesterone에 의한 CNS respiratory center 자극($PaCO_2\downarrow$)

• Minimal alkalosis가 태아에 유리한 점

 ① 태아의 CO_2가 모체로 이동하는 것을 촉진

 ② Alkalosis시 2, 3-DPG가 증가하여 Oxygen-hemoglobin dissociation curve가 Shift to Right

8) Electrolyte

• Na^+, K^+가 다량 축적되지만, 혈중 농도는 감소

7. 혈액학적 변화(Hematologic change)

1) 혈액량

- 모체의 혈액량은 임신 1기부터 증가하기 시작하여, <u>임신 2기에 가장 빨리 증가하고</u>, 임신 3 기에는 서서히 증가하여, 임신 말기에는 거의 평형을 이룬다(임신 32주 : 혈액량 최고치).

- <u>임신 말기에는 임신 전 Blood volume보다 40~45% 증가</u>

  ① 적혈구(RBC mass) 증가(33%) - 특히 임신 2기

  ② 혈장량 증가

- atrial natriuretic peptide (ANP)

  plasma level은 임신 3기에 비임신 시보다 40% 이상 증가하며 분만 후 첫 주에는 150%까지 증가 → 분만 후 이뇨와 관련

2) Hemoglobin concentration & Hematocrit

- <u>Hemoglobin concentration 및 Hematocrit의 감소</u>

- 철의 결핍이 궁극적으로 없어도 Plasma volume 증가가 RBC 증가보다 많으므로 Hemodilution → 즉, Physiologic anemia

- 그러나, Hb 11 g/dL 미만인 경우는 비정상적이며, 이때는 <u>철분 결핍</u>에 의한 것이다.

3) 철요구량

(1) 임신 중 총 필요량 - 1,000 mg (1 g)

  ① Fetal & Placenta : 300 mg

  ② <u>모체 RBC production : 500 mg</u> (Maternal RBC expansion이 주요인)

  ③ Excretion : 200 mg

  ④ 저장철 : 300 mg

(2) 특징 ★

  ① 임신 후반기에 철분 요구량이 급증 : IDA의 원인이 됨.

  ② 위장관에서의 철 흡수는 증가(But, 요구량에는 부족)

  ③ 임신초기에는 혈청 철과 Ferritin 농도 증가(임신 초기에는 철 요구량이 적고 무월경에 의해 철분의 균형이 양성으로 되기 때문)

  ④ 임신 말기에 혈청 철과 Ferritin 농도 감소(저장철 감소소견)

  ⑤ 임신부가 심한 Iron deficiency anemia 일지라도, 태반이 모체로부터 충분한 철을 얻어서

태아는 정상 Hb 유지

(3) 투여 방법 ⭐

① 1st trimester : 투여하지 않음(철 투여 시 임신성 구토 악화)

② 임신 4개월부터 투여(요구량 7~8 mg/day → 1일 30 mg 복용)

(4) 분만중 혈액 손실량

- Normal Vaginal delivery : 500~600 mL loss

- C-sec, 쌍태아 질식분만 : 약 1 L

임신 중 빈혈의 원인
1) RBC volume 증가보다 Plasma volume이 증가하기 때문 2) Iron deficiency 3) Folate, Vitamins, Mineral의 요구량 증가

4) Immunological and Leukocyte function

- Leukocytosis, CRP, Leukocyte alkaline phosphatase activity 증가

→ 임신 중 감염 진단 시 Leukocytosis는 의의가 적다. ⭐

5) 혈액 응고

(1) 증가하는 물질

① Factor I (Fibrinogen) → ESR 증가의 원인

② Factor II (Prothrombin), VII, VIII, IX, X

③ Plasminogen (Plasmin activity 증가)

(2) 감소하는 물질

① Factor XI, XII

② Platelet count(반감기 감소, MPV 증가)

③ Free Protein S

(3) 변화없는 물질

① Antithrombin III

② Protein C

③ Total Protein S

- Clotting time은 큰 변화 없다.

• PT, PTT - 약간 단축

8. 심혈관계의 변화(Cardiovascular system)

1) Heart ☆

① Heart rate 증가(+10~15 bpm)

② Cardiac silhouette의 변화 - 심장 위치 변화 및 Mild pericardial effusion (Left, upward displacement)

③ Functional systolic murmur (90%)

④ LV wall mass, End-diastolic dimension 증가

⑤ Stroke volume, Cardiac output 증가(+43%)

⑥ 3rd Heart sound

⑦ EKG 변화 - Electrical axis가 약간 좌측 편향되는 것 외에는 특별한 변화없다.

2) Cardiac output - 증가

(1) Blood pressure 감소, Vascular resistance 감소

(2) Blood volume, Maternal weight, Basal metabolic rate 증가

• Labor 중의 Cardiac output - 2nd stage에 가장 많이 증가

3) 임신 후반기의 혈역학적 변화

4) 혈관 반응의 조절 물질

(1) Renin-Angiotensin-Aldosterone system

임신 후반기 Hemodynamic change(Postpartum 시와의 비교)	
1. Mean arterial pressure	No change
2. Pulmonary capillary wedge pressure (PCWP)	No change
3. Central venous pressure	No change
4. LV stroke work index	No change
5. Cardiac output	+43%
6. Heart rate	±17%
7 .Systemic vascular resistance	−21%
8. Pulmonary vascular resistance	−34%
9. Serum colloid osmotic pressure (COP)	−14%
10. COP−PCWP gradient	−28%

① 임신 중 Angiotensin II에 대한 승압 반응의 저하 ★

　　cf) Preeclampsia의 경우 Angiotensin II에 대한 민감도 증가

② Renin, Angiotensin II, Aldosterone 농도는 증가

(2) Prostaglandin

(3) cAMP

(4) Ca^{++}

(5) Progesterone

(6) Endothelin

5) 혈압

(1) 임신 시의 혈압변화

① Blood pressure의 감소(Diastolic pressure의 감소가 크다)

　　: 임신 중기에 가장 낮으며, 이후 다시 상승

② Antecubital venous pressure는 변화 없다.

③ Femoral venous pressure는 증가($8\sim24$ mmHg)

(2) Supine hypotension syndrome

　　: 임신부를 Supine position으로 눕히게 되면 Uterus가 IVC를 압박하여 Hypotension이 발생하는 것(임신부의 약 10%에서 발생)

　　→ Left Lateral Decubitus position으로 임신부를 눕히는 것이 좋다.

(3) 앙와위 승압검사(Supine pressor test)

　　: 임신부를 Lateral recumbent position에서 Supine position으로 체위를 바꾸었을 때, Diastolic pressure가 20 mmHg 이상 상승한 경우 이들 중 상당수가 후에 임신성 고혈압으로 된다.

9. 호흡기계의 변화(Respiratory system)

1) 해부학적 변화

- Diaphragm의 상승(4 cm), 흉곽의 횡단면이 2 cm 증가, thoracic circumference 6 cm 증가

2) 폐기능의 변화

3) 임신 중 폐기능 변화의 원인

- 임신 중 호흡능력의 증가와 혈중 $PaCO_2$ 감소는 주로 progesterone에 의해 좌우

Ventilatory function in Pregnant woman		
Increase	**Decrease**	**No change**
1. Tidal volume 2. Minute ventilation 3. Minute O_2 uptake 4. Vital capacity 5. Inspiratory capacity 6. Air conduction 7. pH (Respiratory alkalosis)	1. Maximal breathing capacity 2. Residual volume 3. Expiratory reserve capacity 4. Total pulmonary resistance 5. $PaCO_2$	1. Respiratory rate 2. Compliance

10. 비뇨기계의 변화(Urinary system)

1) Kidney

(1) Renal size 약간 증가

(2) GFR : 임신 초기 증가하여 term까지 지속

RPF (Renal plasma flow) : 임신 초기에 증가하여 임신 3기에 정상화

(3) serum creatine과 urea 감소

(4) urinalysis

- 임신 시 glycosuria는 반드시 비정상을 의미 하지는 않음

- proteinuria나 hematuria는 비정상 소견

- 임신 시 신기능 검사에 가장 좋은 방법: serum creatine의 측정

2) Ureters

(1) hydroureter

- 자궁이 확장되면서 Dextrorotation하여 요관 압박하여 발생

- placental progesterone의 ureteral dilatation & peristalsis 감소 effect

- Rt. ureter에 호발

  - 이유 ① sigmoid colon의 left ureter에 대한 cushion effect

      ② uretus의 dextrorotation으로 right ureter compression 증가

      ③ dilatation된 Rt. ovarian vein complex가 Rt. ureter를 압박

(2) ureter의 elongation, lateral displacement

3) Bladder

(1) bladder trigone elevation and post. margin thickening

(2) bladder capacity 감소

(3) bladder surface가 concave하게 됨

11. 소화기계의 변화(Gastointestinal tract)

1) Gastric emptying time, Intestinal transit time 연장

① 임신자궁의 장관 압박과 같은 기계적인 요인

② 임신시 progesterone의 현저한 증가나, 평활근을 수축시키는 motilin의 감소와 같은 호르몬적 요인

③ 분만진통 중 진통제를 투여한 경우

2) Heart burn (Pyrosis)

: 식도하부 괄약근의 긴장도 감소, 낮은 식도 내 압력과 높은 위내압력, 동시에 식도의 연동운동 감소로 고산도의 위 내용물이 식도 하부로 쉽게 역류

12. Liver & Gall bladder

1) Liver ☆

- LFT의 변화 : Hepatic disease와 D/Dx 필요

① Serum Alkaline phosphatase 증가(ALP)

② Leucine amino peptidase 증가

③ Plasma Albumin 감소, Globulin 증가(A/G ratio의 저하)

④ Serum Cholinesterase activity 감소

● AST, ALT : 큰 변화 없다

2) Gall bladder

• Progesterone 영향으로 수축력 감소 → bile juice stasis → Gall bladder stone 형성위험 증가

• intrahepatic cholestasis → pruritus gravidarum

13. Endocrine system

1) 뇌하수체

●임신 중 뇌하수체의 크기 증가(임신 전보다 35% 증가)

(1) Growth hormone 증가

- 출산 후 hPL, GH 감소 → 당뇨병 임신부에서 산욕기 Insulin 요구량 감소, 저혈당 쇼크를 방지하기 위해 산욕기 초기에 insulin 투여량 감소시켜야 함.

(2) Prolactin 증가

(3) β-endorphin

- Stress에 의해 분비되는 Endogenous opioid

2) 갑상선 ★

(1) 임신 중 갑상선 기능에 변화가 오는 이유

① estrogen의 영향으로 TBG의 농도가 현저히 증가

② 태반에서 여러 가지 thyroid stimulatory factor가 다량 분비

③ 요오드의 renal clearance가 증가하고, 임신 후반기에 태아 태반계로 요오드를 빼앗기는 결과로 모체는 상대적으로 요오드 결핍상태

(2) 임신 시 생리적 & 병적 상태 감별 위한 검사법

: TBG, absolute iodine uptake

● 임신 시 갑상선 기능 검사상의 변화

① TBG↑- Estrogen 증가에 기인

② Total T_3, T_4↑

③ Free T_3, T_4 - 정상(임신 초반기에 약간 증가 후 정상으로 회복)

④ T_3 resin uptake↓: 임신과 갑상선기능항진증과 감별(항진증 시에는 증가)

⑤ RAIU↑

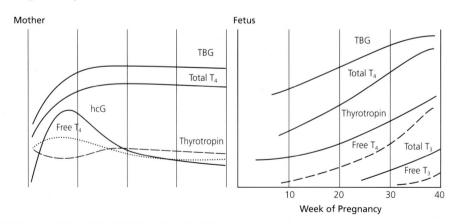

▶ 임신기간 동안의 모체와 태아의 갑상선 기능변화

⑥ TSH, TRH - 정상(변화없음)

3) 부갑상선

(1) Hyperparathyroidism-like condition

: 모체의 Calcium 저하 때문(Plasma volume 및 GFR 증가, 태아로 이동)

(2) Calcitonin 증가

: 골격계 보호

4) Adrenal gland

(1) Total cortisol level 증가(반감기가 길어짐)

Free cortisol : Not increase

(2) Aldosterone 증가

(3) Deoxycorticosterone (DOC) 증가

(4) Dehydroepiandrosterone sulfate (DHAS) 감소

(5) Androstenedione, Testosterone 증가

14. Musculoskeletal system

1) Lumbar lordosis

2) Sacroiliac, Sacrococcygeal, Symphysis pubis의 relaxation

3) 상지의 동통, 무감각, Weakness − Ulnar, Median nerve의 traction

15. Eye change

1) 안압 감소

2) 각막의 민감도 감소, 각막의 혼탁(Krukenberg spindle)

※ Mammary gland의 milk secreting apparatus의 성장 발달의 자극하는 호르몬

→ progesterone, estrogen, prolactin, cortisol, hPL, insulin

08 임신부의 산전 관리

Power Obstetrics

※ 국가고시에는 '다분만부'와
'미분만부'라는 용어만 나옵니다.

✚ 용어의 정의

1. primipara(초산부) : 생존 또는 사망태아를 임신 20주 이후에 분만한 횟수가 1번인 여자
2. multipara(다분만부) : 생존 또는 사망태아를 임신 20주 이후에 분만한 횟수가 2번 이상인 여자상
3. nulligravida(미임신부) : 현재도 임신 상태가 아니며 한번도 임신한 적이 없었던 여자
4. gravida(임산부) : 임신을 하거나 했던 여자(초임부 primigravida : 처음 임신한 경우, 다임신부 multigravida : 성공적인 임신 후 반복해서 임신한 경우)
5. nullipara(미분만부) : 한번도 완전한 임신(임신 20주 0일 이상)을 한 적이 없는 여자
6. parturient(분만부) : 분만 중인 여자
7. puerpara(산후부) : 금방 출산한 여자

※ 산모 : 아기를 갓 낳은 여자.
※ 임(신)부 : 아이를 밴 여자
※ 임산부 : 임부와 산부를 아울러 이르는 말. 산부 = 산모.
따라서 임신한 여자를 '산모'라고 하면 안 됩니다.

I. 서론

1. 출산력(Parity)과 임신력(gravity)

1) 정의

⑴ 출산력(Parity)

: 출생 후 생존 능력이 있는 시기 이후의 태아를 분만한 횟수

⑵ 임신력(Gravity)

: 임신의 결과나 동시에 태어난 숫자와 관계없이 현재의 임신을 포함하여 이미 완료된 모든 임신의 횟수

● 기술 방법 : Nulli- / Primi- / Multi-

2) 산과력 기술 방법

Fullterm(만기분만) - Preterm(조산) - Abortion(유산) - Living child(생존아)

  cf) Gravida = Fullterm + Preterm + Abortion

    Para = Fullterm + Preterm

    e.g.) 1-1-3-2

        만삭아 1명, 조산아 1명, 유산 3회, 생존 자녀 2명(Gravida 5, Para 2)

2. 임신 기간 및 분만 예정일

1) 임신기간

- 임신기간 : LMP의 첫날~만기 날짜 또는 만기주수로 표현

- 평균임신기간 : 278±15일 (280±14일) (배란~분만까지는 265±12일)

- 다태임신은 출산경력이나 임신에서 하나로 계산

2) 분만 예정일

- Naegle's rule (LMP로부터 280일째가 분만일임에 근거를 두고 계산)

  → LMP의 날짜에 +7 / LMP의 달에 +9 or −3

- 예

  ① LMP 1998년 8월 15일 → 1999년 5월 22일

  ② LMP 1998년 3월 26일 → 1999년 1월 3일

II. 기초 산전관리

1. 산전 관리를 위한 초진의 목적

1) 모성 및 태아의 건강상태 평가

2) 태아의 임신주령 판정

3) 지속적인 산전관리의 계획수립 및 시행

2. 산전 초진시 실시사항

1) 병력 기록

(1) 일반적 사항

- 연령, 직업, 월경력의 양상, 임신전 피임제 또는 IUD 사용유무, 흡연 및 음주 여부 등

(2) 내·외과적 기왕력

(3) 산과적 기왕력 분만 또는 유산 날짜

- 산전, 분만 중, 산후 합병증
- 분만방법, 기간
- 신생아 체중과 건강

(4) 가족력

2) Physical examination

(1) 전신 진찰

① 신장, 체중, 혈압측정

② 폐, 심장, 림프선, 갑상선, 유방(종괴, 함몰유두) 진찰

③ 하지부종, 정맥류 등의 확인

(2) 산과적 진찰

① 외부생식기 및 회음부

- 바르톨린선염, 콘딜로마, 음부포진 등의 확인

② 질

- 방광탈, 직장탈 등의 이상소견 확인
- 적당한 양의 백색의 점액성 분비물은 정상적
- 트리코모나스 감염을 시사하는 기포성의 황색분비물 또는 칸디다 감염 시 보이는 응유(curd)같은 분비물이 있을 때는 도말 검사를 시행

③ 자궁

- 자궁경부의 청색색의 울혈이 특징적
- 자궁경부세포진검사, 임질균배양검사
- 내진으로 자궁경관 개대 및 소실 정도, 자궁크기와 기형 및 종괴 유무, 자궁부속기 종괴 유무를 파악

3) 기본 검사 ☆

(1) 혈액검사

① 혈색소, 헤마토크리트, 혈소판, 적혈구

② 혈액형(ABO, Rh) 검사, 이상 적혈구항체검사

③ 매독혈청검사

④ 풍진항체검사

⑤ B형 간염 선별검사

(2) 요검사

① 당, 단백질

② 현미경검사

③ 요배양검사

4) 부가적 검사

(1) 초음파검사

- 정규검사로 시행할 때 지연 임신에서 유도분만의 빈도를 줄이며, 태아발육지연과 일부 태아기형을 확인할 수 있는 장점이 있다.

  → 14주 이전 : CR length, 14주 이후 : BPD

Preferred fetal dimension for Estimation of Gestational age at Various times of Pregnancy			
7~10 (weeks)	10~14 (weeks)	15~28 (weeks)	29~ (weeks)
Crown-Rump length	Crown-Rump length Biparietal diameter Femur length Humerus length	Biparietal diameter Femur length Humerus length Head circumference Biocular distance	Femur length Humerus length Biocular distance Biparietal diameter Other long bones Head circumference

- 임신 초기 C-R length의 측정이 가장 정확 ☆

(2) 병력청취, 진찰, 기본 검사 등에서 이상소견이 발견될 때 검사 시행

- 선천성 기형의 위험성이 있는 임신부에게는 유전상담

  임신 1-~13주에 융모막융모생검, 15~20주에 양수천자를 적응증에 따라 시행할 수 있다.

5) 건강 교육과 지도

- Danger signal ⭐

  → 즉각적인 진찰과 원인 규명을 필요로 하는 위험한 증상

  환자도 이러한 증상이 나타나면 즉시 의사에게 보고하도록 한다.

  ① 질출혈 - 태반조기박리, 전치 태반 등을 의심 ┐

  ② 질로부터의 액체유출 - PROM 의심

  ③ 심하거나 지속적인 두통

  ④ 계속되는 구토   Preeclampsia의 징후

  ⑤ 복통

  ⑥ 안면 또는 손가락의 부종(하지부종은 아님)

  ⑦ 희미해지는 시력 ┘

  ⑧ 오한 또는 발열 ┐
                      Infection or Pyelonephritis
  ⑨ 배뇨 곤란 ┘

  ⑩ 태동의 강도 또는 빈도의 현저한 변화 등 - Fetal distress

3. 고위험 임신

1) 내과적 질환이 있는 경우

2) 이전 임신의 좋지 않은 결과들

  ① 주산기 사망

  ② 태아발육지연

  ③ 조산

  ④ 기형

  ⑤ 태반조기박리

  ⑥ 전치태반

  ⑦ 모성출혈

3) 임신부의 영양결핍

III. 정기적 산전관리

주(week)	평가
Initial(가능한 조기에 실시)	• Hb, Hct • 요검사, 요배양 • 혈액형, Rh type • 항체검사 • 풍진, 매독, B형 간염 검사 • 자궁경부 세포진 검사
8~18주	• 초음파(8주~) • 융모막 생검(9~11주) • 양수검사(16~18주)
16~18주	• MSAFP, triple marker
26~28주	• DM 선별검사(50g OGTT) • Hb (Hct) 반복
28주	• Rh(−)임신부에서 Ab검사 반복 • 예방적 Rho (D) Ig 투여
32~36주	• 초음파(serial) • 성매개질환 검사 • Hb (Hct)반복

Typical Components of Routine Prenatal Care Weeks	First Visit	15-20	24-28	29-41
History				
Complete	●			
Updated		●	●	●
Physical examination				
Complete	●			
Blood pressure	●	●	●	●
Maternal weight	●	●	●	●
Pelvic/cervical examination	●			
Fundal height	●	●	●	●
Fetal heart rate and position	●	●	●	●
Laboratory tests				
Hematocrit or hemoglobin	●		●	
Blood type and Rh factor	●			
Antibody screen	●		A	
Pap smear	●			
Glucose tolerance test			●	
Maternal serum AFP screening		B		
Cystic fibrosis screening	B	B		
Urine protein	●			
Urine culture	●			
Rubella titer	●			
Syphilis test	●			C
Gonococcal culture	D			D
Chlamydia culture	D			D
Hepatitis B surface antigen	●			
Human immunodeficiency virus(HIV)	B			
Group B streptococcus culture				E
Rhogam if D-negative			A	

A. Performed at 28 weeks, if indicated.
B. Test should be offered.
C. High-risk women should be retested at the beginning of the third trimester
D. High-risk women should be screened at the first prenatal visit and again in the third trimester.
E. Rectovaginal culture should be obtained between 35 and 37 weeks.

1. 정기 진찰일

1) 28주까지(7개월) - 4주에 한 번

2) 36주까지(8~9개월) - 2주에 한 번

3) 36주 이후(10개월) - 매주 한 번

2. 정기 진찰의 목적

- 태아의 성장과 모성의 건강상태를 평가하기 위함

3. 정기 진찰 시 검사항목

1) 태아측 검사 항목

(1) 태아 심음 청진

① 임신 16~19주 사이에 DeLee의 태아심음청진기로 청취 가능(분당 120~160회)

② 임신기간의 판단에도 유용하게 이용

(2) 태아의 크기 및 성장도

(3) 양수의 양

(4) 태동(Fetal activity)

(5) 선진부 및 그 높이(station) : 임신 말기에 시행

2) 모체측 검사 항목

(1) 혈압

(2) 체중

(3) 이상 증상의 유무

(4) 자궁저(Uterine fundus)의 높이 ⭐

- 임신 20~31주에 자궁저의 높이(HOF)는 임신주수(GA)와 거의 일치한다(임신기간의 판단에 유용).

- 배뇨 후 방광이 비워진 상태에서 치골결합(symphysis pubis)에서 자궁저까지의 거리를 cm로 표시된 줄자를 이용하여 측정하여 임신주수와 비교
  → 임신 기간의 판단에 유용

- 신체 진찰로 Gestational age를 정확하게 알 수 없을 경우, 특히 분만 시기 결정이 필요한 경우에는 초음파를 시행

(5) 내진(Vaginal examination)

① 선진부의 확인

② 선진부의 높이(station)

③ 골반의 크기 및 형태

④ 자궁경부의 Consistency, Effacement, 확장 정도

(6) 추가검사(subsequent laboratory test)

① 반복 검사가 필요한 항목

    a. Hematocrit

    b. 매독혈청검사(유행 시)

    c. 자궁경부 분비물의 임균배양검사(유행 시)

    • 시기 - 임신 28~32주

② 요검사 ☆

    • 정기진찰 때마다 시행할 필요는 없음

    • 전자간증이 발생할 경우 시행(혈압상승 및 체중증가가 단백뇨에 선행)

③ Group B streptococcus에 대한 대책

    • 선별배양없이 고위험군인 경우 예방목적으로 항생제를 투여

    • 임신 35~37주에 선별배양을 하여 양성인 경우에는 분만과정중 항생제 투여

④ 임신 16~18주에 Maternal serum AFP 측정 또는 Triple test

⑤ 임신 24~28주에 50 g 경구 당부하검사(식사와 관계없이 시행)

    - 임신성 당뇨병의 고위험군에서 선별검사로 시행

    • 50 g OGTT를 시행하여 1시간후 140 mg/dL 이상이면 Positive

        → 이 때 100 g OGTT 시행(overnight fasting 후)

Criteria for Diagnosis of Gestational diabetes Using 100g of glucose taken orally		
Timing of Glucose measurement	Whole venous blood (mg/dL)	Plasma ☆ (mg/dL)
Fasting	90	105
1-hour	165	190
2-hour	145	165
3-hour	125	145
2개 이상이 기준 이상 수치인 경우 진단		

IV. 임신 중 영양

● 임신 중 체중증가가 지나치게 적거나 과다한 경우 태아 및 산과적 예후에 영향을 미친다.

1. 임신 중 체중증가

1) 임신 중 체중증가량

- 평균 12.5 kg 증가(태아, 태반, 양수, 자궁의 증대, 모성 혈액량의 증가, 유방의 발육, 세포외액 등의 증가)

  - 1st trimester 1~2 kg, 2nd trimester 5~6 kg, 3rd trimester 5~6 kg

- 비만 임신부도 최소 6 kg 이상의 체중증가가 있어야 한다.

2. 임신 중의 영양 섭취방법

● 고려 사항

① 임신 중 식사로 해결되지 않는 유일한 영양분 - 철분

② 일반적으로 종합 Vitamin제는 권장되지 않는다(적절한 식사가 어려운 임신부에게만 권장).

③ 철분 이외의 무기질이나 Vitamin은 필요 없다.

　cf) Folic acid의 보충이 필요한 경우

　a. 이전에 신경관 결손증의 태아를 분만한 경우

　b. 장기간의 임신성 구토

　c. 태아 용혈성빈혈

　d. 다태 임신

1) Daily calorie requirement

- 300 kcal/day 추가

2) Protein

- 임신 후반기 6개월 동안 1 kg의 단백질 보충이 필요(하루 평균 5~6 g)

3) 철분

- Total iron requirement : 1,000 mg

  ① Fetal & Placenta : 300 mg

② 모체 RBC production : 500 mg

③ Excretion : 200 mg → 1일 7 mg이 추가 보충(30 mg/day의 철분 함유 식품)

- 임신 4개월까지는 철분의 소요가 적으므로 별도로 보충할 필요없다. ★

  (임신성 구토가 악화될 수 있다)

3. 임신 중의 영양 관리에 대한 치침

① 임신 전의 체중, BMI, Hct, 영양 상태, 식습관 등을 기록.

② 산전 진찰 때마다 체중의 변화, 식사 섭취 상황을 조사한다.

③ 임신 중 체중의 증가가 최소한 10~12 kg은 되도록 교육한다.

④ 임신 중 하루 300 kcal가 추가로 섭취되도록 하고, 단백질의 섭취는 우유 등 동물성 단백질을 권유한다.

⑤ 임신 후반부 이후에는 철분을 1일 30~60 mg씩 복용케 한다.

⑥ 혈색소 농도와 Hct 치를 28~32주 사이에 다시 검사하여 재평가한다.

⑦ 임신 중 염분 섭취는 제한할 필요가 없다.

⑧ 임신성 고혈압의 경우 칼로리 제한은 필요없고, 염분 섭취의 엄격한 제한은 논란의 대상이다.

⑨ 임신성 당뇨병 및 당뇨병의 기왕력이 있는 경우 엄격한 당 조절이 필수적이다.

⑩ Spina bifida, Anencephaly, Encephalocele 등의 신경관 결손증 임신의 기왕력이 있는 경우 Folic acid 4 mg/day를 복용할 것을 권장하고 있다. ★

V. 임신 중 위생 관리

1. 직장 생활과 운동

: 임신부가 몹시 피로하거나 임신에 영향을 줄 정도가 아니면 제한할 필요없다.

Absolute and Relative Contraindications to Aerobic Exercise During Pregnancy
Absolute Contraindications
Hemodynamically significant heart disease
Restrictive lung disease
Incompetent cervix or cerclase
Multifetal gestation at risk for preterm labor
Persistent second-or third-trimester bleeding
Placenta previa after 26 weeks of gestation
Preterm labor during the current pregnancy
Ruptured membrance
Preeclampsia or gestational hypertension

Absolute and Relative Contraindications to Aerobic Exercise During Pregnancy
Relative Contraindications
Servere anemia
Unevaluated maternal cardiac arrhythmia
Chronic bronchitis
Poorly controlled type 1 diabetes mellitus
Extreme morbid obesity
Extreme underweight (BMI<12)
History of extremely sedentary lifestyle
Fetal growth restriction in current pregnancy
Poorly controlled hypertension
Orthopedic limitations
Poorly controlled seizure disorder
Poorly controlled hyperthyroidism
Heavy smoker

2. 임신 중 Bowel habit의 변화

- 원인 - 태아의 선진부에 의한 직장 압박

  Progesterone에 의한 평활근 이완 때문

- 예방법 - 적절한 식이와 운동(변비가 생기더라도 laxative사용이나 enema는 피한다)

3. Coitus

- 분만 4주 전까지는 무해(그 이후에는 금욕하는 것이 바람직하다)

- 분만 후 2주 후부터 시작 가능

4. 예방 접종

- 절대 금기해야 할 것 : Measles/Mumps/Rubella (MMR)/varicella zoster virus ⭐

5. 음주, 흡연, 습관성 마약(절대 금기)

1) Alcohol

: Fetal alcohol syndrome 유발

2) Drug

: Systemic effect를 일으키는 거의 모든 약은 태반을 통과할 수 있으므로 약을 처방할때는 이런 영향을 고려

3) Smoking

(1) 임신에의 영향

① Maternal weight gain을 감소시킴

② CO, Nicotine 등의 영향으로 placental perfusion을 감소시킴

③ 식욕감퇴로서 칼로리 섭취량이 감소

④ 모체의 혈장량이 감소

(2) 흡연과 관련있는 질환

① 태아 발육 부전(FGR)

② 저출생체중아(Low birthweight), 부당경량아(SGA)

③ Subfertility

④ 자연 유산(Spontaneous abortion)

⑤ 태반 조기박리(Placental abruption)

⑥ 전치 태반(Placenta previa)

⑦ 조산(Preterm delivery)

⑧ 조기양막파수(PROM)

cf) 임신성 고혈압은 Non smoker에 더 많이 발생, teratogenic effect와는 관련 없음

청소년기 및 고령임신

P o w e r   O b s t e t r i c s

✚ 위험성

10대 임신과 고령 임신의 합병증 ☆	
10대 임신	**35세 이상의 임신**
1. 임신성 고혈압 2. 빈혈 3. 자궁기능부전 4. 협골반 5. 저체중아 출산 6. 선천성 기형, 신생아 사망 증가	**A. 모성 합병증** ① 고령에 따른 내과적 질환 증가의 영향 　 (만성 고혈압, 당뇨병, 기타 질환) ② 임신 후반기 출혈 　 (태반 조기 박리, 전치 태반의 발생 증가) ③ 제왕 절개술의 빈도 증가 ④ 모성 사망률의 증가 **B. 태아 및 신생아 합병증** ① 유산 ② 조산 및 태아성장 지연 ③ 거대아 ④ 선천성 기형 ⑤ 주산기 사망률의 증가 　 (주로 사산아 출산 증가가 원인)

● 고령 임신과 염색체 이상

　① 40세 이상 여성　난소에서 휴면 상태에 있는 난자의 연색체 비분리 현상이 증가(Nondis-
　　junction)

　　(Down syndrome의 증가)

　② 40세 이상 남성 - 태어나는 자손에게는 새로운 상염색체 우성 변성의 위험이 증가

　　(achondroplasia)

- 10대 임신의 위험인자

  ① 경제적 빈곤

  ② 부적절한 영양 섭취

  ③ 임신전의 불량한 영양 상태

  ④ 음주, 흡연, STD

  ⑤ 신체적 미성숙

유전성 질환의 산전 진단

✚ 산전 진단 방법

1) Noninvasive method

① 임신 제1삼분기 목덜미 투명대 측정과 임신부 혈청검사

② 임신 제2삼분기 임신부 혈청검사(사중검사)

　: 이론상 임신 4주경 발견가능 → Trophoblast, Nucleated RBC 발견 가능

③ Ultrasonogram

④ MRI

2) Invasive method

① Choriovillous sampling - 임신 10~13주

② Amniocentesis - 14~20주

③ Cordocentesis

I. Screening program

1. Alpha-Fetoprotein (AFP)

1) 특성

- Source　태아의 소변

- 태아 혈청 농도 > 양수 내 농도(1/103) > 임신부 혈청 농도(1/106)

- 임신부의 출산력(Parity)에는 영향을 받지 않는다.

- Peak concentration 시기

　① 태아 혈청과 양수 내의 농도 - 임신 13주경

② 임신부 혈청 내 농도 - 임신 32~33주

• 임신 13주 이후에는 태아 혈청과 양수 내 농도는 모두 급격히 감소

임신부 혈청에서의 농도는 임신 후반기까지 계속 증가

2) Maternal serum AFP (MSAFP)

• 검사 시기 - 15~20주

• Maternal serum AFP는 통상적으로 해당 임신 주수 중앙치의 몇 배인가로 표시한다(MoM : Multiples of the Median).

• 2.0 또는 2.5 MoM 이상을 비정상적 상승의 기준으로 한다.

• 영향을 주는 요소 : gestational age, number of fetus, maternal weight, race, diabetic status

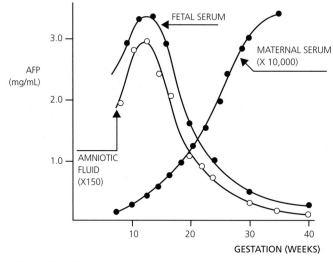

▶ 임신 주수에 따른 AFP 수치

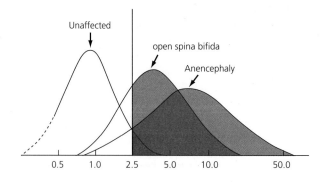

▶ 모체의 혈청 AFP

3) 비정상적인 MSAFP 농도를 보이는 경우

비정상적인 모체 AFP 농도와 연관된 상황

Elevated Levels
    저평가된 임신 주수
    다태임신
    태아 사망
    신경관 결손(NTD)
    배벽갈림증(Gastroschisis)
    배꼽내장탈장(Omphalocele)
    Cystic hygroma
    Esophageal or intestinal obstruction
    Liver necrosis
    Renal anomalies
      - polycystic kidneys, renal agenesis, congenital nephrosis, urinary tract obstruction
    Cloacal exstrophy
    Osteogenesis imperfecta
    Sacrococcygeal teratoma
    Congenital skin abnormality
    Pilonidal cyst
    Chorioangioma of placenta
    Placenta intervillous thrombosis
    태반조기박리(Placental abruption)
    양수과소증
    선사간승
    태아발육지연(FGR)
    Maternal hepatoma or teratoma

Low Levels
    비만[a]
    당뇨병[a]
    Trisomies 21 or 18
    임신영양막병(Gestational trophoblastic disease)
    태아 사망
    과평가된 임신 주수

[a] Alpha-fetoprotein is adjusted for these factors when multiples of the median are calculated.

(1) MSAFP가 상승한 경우

- Neural tube defect : m/c

- Evaluation of an elevated MSAFP

① 14주 이전일 경우 → 재검

② 2.0 MoM 이상 → standard sonographic : GA, twins, fetal demise 확인, MASAFP 재측정

③ 2.5 초과 → specialized sonography 시행

(태아 기형을 확인) → 양수천자(양수 내 AFP & Acetylcholinesterase 평가)

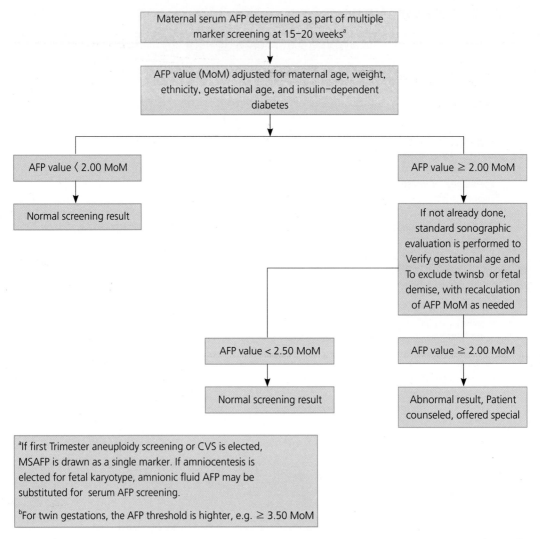

▶ Example of an algorithm for evaluating maternal serum alpha-fetoprotein screening values (MSAFP). CVS=chorionic villus sampling MoM = multiples of the median

(2) MSAFP가 감소한 경우

• Down syndrome 진단(AFP↓ hCG↑ unconjugated estriol (E₃)↓, inhibin A↑)에 도움

2. Amnionic fluid Acetylcholinesterase activity

• 증가된 경우 Neural tube defect 발생과 연관성이 높다.

3. hCG

- 모체의 체중과 Parity에 영향을 받는다.
- Median hCG치는 Down syndrome 시 크게 상승하므로 Down syndrome의 선별에 가장 좋은 표지 물질이다.

4. Estriol (E$_3$)

Abnormal Estriol치를 보이는 경우	
증가하는 경우	감소하는 경우
Multiple pregnancy Erythroblastosis fetalis Congenital adrenal hyperplasia	Down syndrome Edward syndrome Poor placental function Anencephaly Congenital adrenal hypoplasia Maternal renal function의 감소 Antibiotics, Aspirin, Ampicillin 　　　Phenobarbital, Laxatives Glucocorticoid Gestation trophoblastic disease Fetal death Placental sulfatase deficiency

II. 산전 유전 상담과 산전 진단

✚ 산전 유전 상담의 적응증

(1) 임산부의 연령이 35세 이상

(2) 과거 염색체 이상의 태아를 분만했을 때

(3) 부모 중 한 사람이 균형 전위 보인자이거나, 염색체 구조의 이상, Aneuploidy, Mosaicism 등의 염색체 이상이 있을 때

(4) 가까운 친척 중에 Down syndrome 또는 다른 염색체 이상이 있을 때

(5) Cystic fibrosis, Tay-Sachs disease, 구순열, 구개열 등의 Mendel성 또는 다인자성 유전 질환의 위험이 있을 때

(6) 과거 자식이나 부모 중에 신경관 결손증이 있거나, 산전 MSAFP치나 Triple test 결과가 비정상 일때

(7) 초음파 검사상 비정상 태아일 때

(8) 과거 다발성 주기형을 분만했으나 세포 유전학적 검사를 시행하지 않았을 때

(9) 심각한 반성(X-linked) 유전 질환의 발생 위험이 있는 임신에서 태아 성감별이 필요할 때

(10) 유전학적 설문지에 의미있는 답변을 얻었을 때

1. 초음파

- 초음파를 이용히여 임신 초기에 관찰이 가능한 것

  ① 4~5주 : Normal intrauterine pregnancy

  ② 6주 : Small white gestational sac or Blighted ovum

  ③ 7~8주 : Fetal heart action

  (주의! 질식 초음파의 경우 복부초음파보다 1주일 빠른 6주 경에 관찰 가능)

  ④ 8주 : Trunk movement

  ⑤ 9주 : Limb movement

  ⑥ 11~14주 : Fetal nuchal translucency

- 고해상도 초음파를 이용하면 임신 18주 이후부터 대부분의 태아 기형을 산전에 진단할 수 있다.

- Transvaginal US을 사용하면 임신 13주부터 관찰 가능

High-resolution Ultrasonography for Detect of Fetal anomalies ☆	

A. Head anomalies
  Anencephaly
  Ventriculomegaly / Hydrocephaly
  Encephalocele
  Intracranial lesion
B. Neck anomalies
  Cystic hygroma
  Branchial cleft cyst
  Teratoma
C. Spinal anomalies
  Myelomeningocele
  Sacrococcygeal teratoma
D. Chest anomalies
  Diaphragmatic hernia
  Pleural effusion
	E. Gastrointestinal anomalies
	  Duodenal atresia : double bubble sign
	  Omphalocele
	  Gastroschisis
	F. Urinary tract anomalies
	  Bilateral renal agenesis
	  Polycystic kidney
	  Multicystic kidney
	G. Skeletal anomalies
	  Achondroplasia
	  Agenesis or Hypogenesis of Bone
	  Osteogenesis imperfecta
	  Campomelic dysplasia
	H. Cardiac anomalies

Components of Ultrasound examination according to Trimester of pregnancy	
First trimester	**Second trimester**
1. Gestational sac location 2. Embryo identification 3. Crown-Rump length 4. Fetal heart motion 5. Fetal number 6. Uterus and Adnexal evaluation	1. Fetal number 2. Presentation 3. Fetal heart motion 4. Placental location 5. Amnionic fluid volume 6. Gestational age 7. Survey of Fetal anomaly 8. Evaluation for Maternal pelvic mass

2. 양수천자(Amniocentesis)

- 임신 중 유전 질환 진단에 가장 많이 이용되며 태아 폐성숙 여부결정할 때도 사용
- 시기 : 임신 15~20주에 시행

1) 알 수 있는 정보 ☆

① 세포 유전학 검사(Cytogenetic analysis) - 양수세포 배양을 통해 가능

② Enzyme, DNA analysis

③ α-Fetoprotein, Acetylcholinesterase 측정

2) 양수천자 등의 침습적인 방법을 고려할 수 있는 경우(절대적응증은 아니며, 상담 등을 통해 결정)

① 35세 이상의 임신부

② chromosomally abnormal offspring 분만의 History

③ chromosomally abnormal in either parents

④ Down syndrome of other chromosomal abnormality in a close family member

⑤ 3번 이상의 자연유산 기왕력

⑥ serious X-linked recessive disorder의 risk가 있는 임신에서 fetal sex determination

⑦ biochemical studies in pregnancies at risk of a serious disorder

⑧ routine screening maternal serum AFP level is abnormally high

3) Complication ☆

① Fetal trauma

② Infection

③ Abortion

④ Preterm labor

⑤ Perforation of placenta(Fetomaternal hemorrhage → 동종면역 유발)

- Amniocentesis 시에 Nonsensitized D-negative Woman에게 Anti-D immunoglobulin을 주사해야 한다. ☆

4) 기타 사항

- 소량의 Fetal blood가 양수 내에 있을 때 양수 내 AFP 치가 증가할 수 있고, 이 때는 Acetyl-cholinesterase 측정이 감별에 도움이 된다.

•양수 천자는 쌍태 임신에서도 시행할 수 있으며, 이 때 Indigocarmine dye를 이용하면 임신낭을 구별할 수 있다(Methylene blue는 용혈성 빈혈, Methemoglobinemia, 장폐쇄를 유발할 수 있으므로 금기).

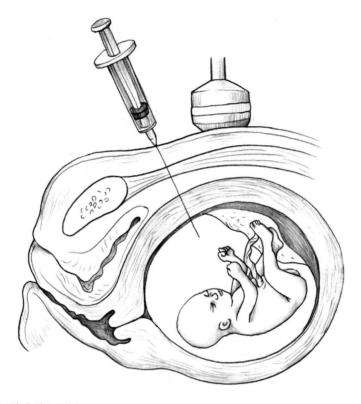

▶ 초음파 유도하의 양수 천자

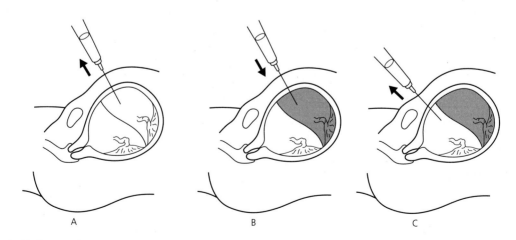

▶ Technique for Amniocentesis in Twin gestation

3. 융모막융모생검(Chorionic villus sampling)

1) 시행 시기

- 10~12주(1st trimester), 거친융모막(chorion frondosum)에서 시행

2) 방법

- US-guided transcervical needle aspiration

3) 알 수 있는 정보

① Biochemical & Molecular diagnosis

② Gene level의 inherited diseases를 진단 ⭐

4) 장점

① 임신 초기에 시행 가능

② 모든 태아에서 산전 진단이 가능

③ 치료적 유산을 쉽고 안전하게 시행가능

5) 단점

① AFP 측정은 불가능

② Amniocentesis에 비해 임신 손실이 약간 높다(약 2.5배). ⭐

③ 사지 기형과의 관련성이 의심되므로 시술 전 이를 임신부에게 알려주는 것이 좋다.

　- 단, neural tube defect는 알 수 없다.

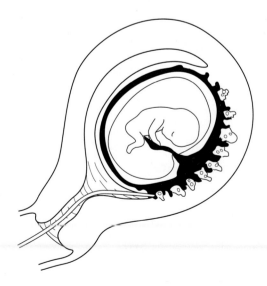

▶ Transcervical chorionic villus sampling

4. 제대천자(Cordocentesis)

1) 시행 시기

: 임신 20주 이후

2) 적응증

① 혈액질환의 산전진단 : 혈색소병증, 혈우병 A와 B, 자가면역 혈소판 감소증, von Willebrand disease

② Isoimmunization : CDE병, Kell 및 기타 적혈구 항체, 자가면역 혈소판 감소증

③ 대사질환

④ 태아 감염 : 톡소플라스모증, 풍진, Cytomegalovirus, 수두, Parvovirus B19

⑤ 태아 핵형 : 태반 mosaicism, 신속한 핵형검사, 초음파상 태아기형, 태아발육 지연

⑥ 태아 저산소증

⑦ 태아치료 : 적혈구 및 혈소판 수혈, 태아 약물 치료 감시

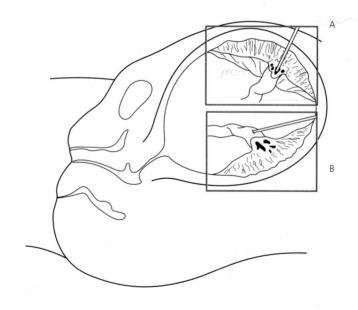

▶ Umbilical cord blood sampling

•A. Placenta가 앞쪽에 있을 때 - Needle이 Placenta를 통과

•B. Placenta가 뒤쪽에 있을 때 - Amnionic fluid를 통과

11 태아 건강 평가를 위한 방법

P o w e r   O b s t e t r i c s

태아 건강 평가를 위한 방법	
Antepartum assessment(산전태아평가법)	**Intrapartum assessment(분만 중 태아평가법)**
1. Contraction stress test (CST) 2. Nonstress test (NST) 3. Acoustic stress test (AST) 4. Biophysical profile	1. Electrical fetal cardiotocography 2. Fetal scalp blood gas analysis

I. 산전 태아 평가법(Antepartum assessment)

태아 운동과 호흡의 특징

1) 태아 운동의 특징

① 임신 7주부터 Fetal movement 시작

② 임신 20~30주에는 점차 조직화되고, 휴식기와 활동기가 반복되는 주기성을 나타낸다.

③ 임신부는 대개 임신 18-20주부터 태동을 감지한다.

→ 대부분의 태아는 휴식기 또는 REM (Active sleep) state

• 측정방법 : tocodynamometer, US, maternal perception

• 태아의 수면 주기 - 20~75분

• 정상 : 하루에 1시간 이상 측정시에, 시간당 평균 4회 이상 느낄 경우

비정상 : 시간당 3회 이하의 태동이 2일 이상 연속으로 나타나는 경우

2) 태아 호흡의 특징

① Paradoxical chest wall movement를 보인다(Inspiration 시 흉곽의 collapse와 복부의 돌출).

② 외부 요인에 영향을 받는다(임박한 조기진통, 임신주수, 저산소증, 진통, 저혈당, 소리, 흡연 등).

③ 일내 변동(Diurnal variation)을 보인다(19~24시에 최저가 되고 4~7시 사이에 증가).

- 이러한 태아 운동과 태아 호흡은 Biophysical profile 중의 한 가지 검사 항목으로써 사용된다.

1. Contraction stress test

- Oxytocin이나 Nipple stimulation으로 자궁 수축을 유발하여 태아 심박수의 변화를 보는 검사

1) 원리

- 자궁수축 시 자궁 내 압력이 증가

  → 자궁근 속의 혈류 차단, 융모간공간 내에 혈류 고립

  → 산소 교환에 장애

  → 만일 자궁태반 기능저하가 있으면 Late deceleration 유발.

  만일 Oligohydramnios가 있어서 Cord compression 되면 Variable deceleration 유발

2) 방법

① 임신부를 누인 뒤 태아 심박수를 조사하여 기록

② 자궁 수축은 외부에서 Tocographic transducer로 확인

③ 임신부 혈압을 검사시작부터 매 10분마다 측정

④ 우선 기초 수축력과 심박수를 15~30분 동안 기록

⑤ 우연히 40~60초 지속하는 자연적인 자궁수축 10분에 3회 반복되면 그 결과를 바로 판독하고, 자연수축이 없으면 Oxytocin을 정맥주사

3) 금기증

① Threatened preterm labor
② Placenta previa

③ Hydramnios
④ Multifetal pregnancy

⑤ PROM
⑥ Preterm labor의 기왕력

⑦ Classic C-sec의 기왕력

수축자극 검사의 해석	
판정	결과
Negative	Late deceleration 혹은 의미 있는 significant variable deceleration이 없음
Positive	반복적인(자궁수축의 50% 이상) late deceleration이 있음(수축빈도가 10분에 3회 미만이라도) : 지속적이고 일관된 late deceleration
Equivocal-Suspicious	Intermittent late deceleration 또는 의미 있는 significant variable deceleration : late deceleration이 일관되게 나타나지 않음
Equivocal-Hyperstimulation	자궁 수축 사이의 간격이 2분 미만이거나 수축이 90초 이상 지속되며 발생한 태아 심박수 감속 (deceleration)
Unsatisfactory	자궁 수축의 빈도가 10분에 3회 미만이거나 해석 불가능한 기록

4) 판정

5) 문제점

- 위음성률 0.07~1%, 위양성률 25~75% ☆

  : 위양성이 높으므로 'Positive' 결과가 나왔을 때, 의미를 해석하기 어렵다.

  즉, 'Positive'인 경우는 Biophysical profile을 평가하거나 초음파로 양수의 양을 평가하여, 태아 곤란을 의심할만한 다른 요인이 없는지 확인 후 위양성 여부를 결정하는 것이 좋다.

2. Nonstress test

1) 정의

: Fetal movement 시 발생하는 transient acceleration of fetal heart late를 관찰

2) 방법

: 초음파 탐촉자를 임신부의 복부에 부착하고, 매번 태동이 느껴질 때마다 임신부로 하여금 버튼을 누르게 하면서, 기록 장치로 태아 심박수와 태동을 동시에 기록(임신 주수가 진행될수록 태동이 있을 때, 심박수가 상승되는 태아의 비율이 증가하고, 상승의 정도도 증가한다)

3) 결과 해석

(1) Reactive (Normal)

① 20분 검사 동안, 태동과 동반되어 나타나는 최소한 15초 이상 지속되는 분당 15회 이상의 태아 심박수 상승이 2회 이상

② ①번에서 (-)이면, 20~40분간 더 NST 시행

(2) Nonreactive

: 40분 이상 관찰하여도 태동이 동반되는 태아 심박수 상승이 없는 경우(fetal movement가

있어도 40분 이상 no fetal heart rate acceleration)

→ 태아가 수면 상태에 있을 수 있으므로 40분 이상 검사를 시행한 후 반응성이 없는 경우에 Nonreactive 판정을 내린다.

- 태아의 저산소증이나 산혈증과도 연관 있을 수 있으나, 태아의 미성숙, 수면주기, 산보의 흡연, 중추신경억제제와도 관련이 있을 수 있음.
- Nonreactive라고 해서 태아 곤란이라고 진단할 필요는 없다.

(위양성이 높고, 건강한 태아라 하더라도 오랜기간 움직이지 않을 수 있으므로, 비반응성으로 나오면 검사를 80분 or 120분으로 연장하여 검사해도 비반응성이 지속되면 심한 병적 상태로 판단)

(3) Unsatisfactory

: 태동이 없는 경우

cf) 불량한 예후를 의미하는 NST 결과(Terminal cardiotocogram) ☆

① Silent Oscillatory pattern : 기초 심박수 진동(Baseline oscillation)이 5 beat/min 이하

② Absent Acceleration

③ Late Deceleration with Spontaneous uterine contractions

cf) NST 중 나타나는 태아 심박수 감소

: Nonstress test 도중, 태동과 관련되어 'Prolonged deceleration'이 나타나면, '양수 감소증'과 관련된 진통 중 태아 곤란증이 나타날 가능성이 높다. ☆

4) 검사 시기 & 간격

- 검사는 높은 위 음성도를 띔. 가장 흔한 적응증은 과숙 임신
- 고위험 임신군의 경우 더 자주 시행

① Type 1 DM   ④ 동종 면역성 질환

② 임신성 고혈압   ⑤ 과숙 임신

③ 태아발육지연

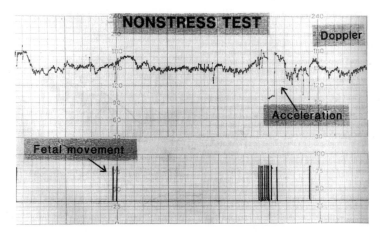

▶ Reactive Nonstress test

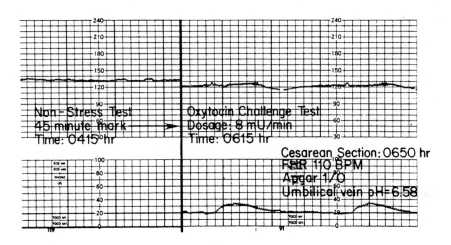

▶ Nonreactive NST, followed by CST showing late deceleration

3. Acoustic stimulation test

- 임신부의 복벽에서 20 cm 이상 떨어져 100~105 dB 이상의 음향으로 자극한 후 심박수 상승 유무를 보는 것
- Nonreactive NST 결과가 의심스러울 때 이용하면 위양성률을 줄일 수 있다.

4. Biophysical profile

- 측정 변수

  ① 초음파 검사를 통해 얻은 4가지 정보(태아호흡운동, 태동, 태아긴장력, 양수량의 측정)

② Nonstress test의 결과(Reactive/Nonreactive)

• 각각 정상은 2점, 비정상은 0점으로 하고 합산하여 결과를 판정(총 10점)

Components and Their scores of Biophysical profile		
	Variable Score 2	**Score 0**
1. 태아 호흡운동	30분 관찰 중 30초 이상 지속되는 호흡이 1회 이상	30초 미만
2. 태동	30분 관찰 중 사지나 몸통의 움직임이 3회 이상	2회 이하
3. 태아 긴장력	사지가 Extension 되었다가 즉시 Flexion 되는 운동이나 손을 쥐거나 펴는 운동이 1회 이상	움직임이 없거나 extension/flexion 이 없음
4. 심박동 반응성(NST)	20~40분 관찰에서 분당 15회 이상의 심박수 상승이 15초 이상 지속되는 반응이 2회 이상	20~40분 관찰 중 심박수 상승이 1회 이하
5. 양수량의 측정	Single vertical pocket > 2 cm	Largest single vertical pocket ≤ 2 cm

Modified Biophysical profile score : Interpretation & Management ☆		
Biophysical Profile Score	**Interpretation**	**Management**
10	정상, 비가사상태	추가적인 치료 필요 없고, 1주 후 재검 (당뇨병과 지연 임신 시 2회/주)
8/10 Normal fluid	정상, 비가사상태	추가적인 치료 필요 없음 ; 계획대로 검사 반복
8/10 Oligohydramnios	만성 태아가사상태 의심	분만
6	태아가사상태 가능 (Possible fetal asphyxia)	1. 양수량 비정상시 : 분만 2. 36주 초과, 정상 양수량, 자궁 경부 양호 : 분만 3. 재검에서 6점 이하면 분만 4. 재검에서 6점보다 높으면 관찰 & 재검
4	태아가사상태 의심(Probable)	같은 날 재검하여 6점 이하면 분만
0 to 2	확실한 태아 가사 상태	분만

● Biophysical score의 해석

• 생물학적 계수는 Umbilical venous pH와 밀접한 관계가 있다. ☆

(1) 8점 이상 - 정상 pH

 : 양수의 양이 정상이라면 계속 Follow-up만 함(1주마다 재검)

(2) 6점 - 태아 가사가 가능하나 정확한 결과 예측이 어렵다.

  즉, 임신부 및 태아 상태를 고려해야 함

→ 양수량, 자궁 경부의 상태, 태아 폐성숙도를 고려하여 처치

① 분만 가능한 상태이면 분만이 바람직

② 분만이 부적절하면 재검하여 결정

(3) 4점 혹은 그 미만 - 태아가사를 의심할 수 있으며 분만 심각하게 고려

(4) 양수량 감소 - 합산 점수와 상관없이 추가검사 필요

● 분만해야 할 경우

① Amnionic fluid volume이 비정상인 모든 경우

② 0 or 2점인 경우

③ 6점이면서 태아 상태 및 자궁 경부가 분만에 좋은 조건인 경우

④ 첫 검사에서 6점이고 태아 상태 또는 자궁 경부가 분만에 부적합하지만, 다음날 재검하여 다시 6점 이하일 때

⑤ 첫 검사에서 4점이고, 당일 재검하여 6점 이하인 경우

+ POINT!

① 양수감소 혹은 2점 이하 ⇒ 즉시 분만!

② 6점 이하(양수량 정상)

 ㉠ 분만해도 되는 상태(〉36주, 폐성숙) ⇒ 분만!

 ㉡ 아직 분만상태 아닐경우라도 재검사시 점수 〈 6점 ⇒ 분만

---

5. 도플러 초음파 검사

S/D ratio : 임신부의 자궁동맥 또는 태아의 탯줄 동맥에서 측정하며 임신 주 수가 진행될수록 점차 감소

① 탯줄 동맥 : 임신 말 S/D ratio = 2.3 ± 0.3, 제대-태반 혈관계의 저항과 관계, 임신 초기에는 확장기혈류가 나타나지 않으나 13주 후부터 혈관 내 저항이 감소하면서 확장기 혈류 나타나고 RI(저항지수 : (수축기-이완기)속도/수축기 혈류속도)가 감소하여 병변 조기 예측 가능

② 자궁동맥, 궁상 동맥 : 만삭으로 갈수록 이완기 혈류 속도 증가(착상 시 50 mL/min → 500~700 mL/min)

③ 탯줄 정맥 : 정상적으로 파동직보단 지속적으로 흐른다.

④ 태아중뇌동맥 : 탯줄-태반의 상태에 따른 태아의 반응

⑤ 태아 대동맥 : 관찰자간의 차이가 크고 측정이 어려우며, 이완기 혈류가 없어서 파형 지수들을

구하기 어려움, 임상적으로 사용하지 않는다.

II. 분만 중 태아 평가법(Intrapartum assessment)

1. 분만 중 자궁 수축의 평가 방법

1) 자궁 수축의 근원과 파급

(1) 분만 진통 중 자궁 수축의 Pacemaker

: 좌·우 난관 기시부의 자궁각(우측이 우세)

(2) 수축의 강도

- Uterine fundus(저부) - 최대

- 자궁 하분절로 가면서 강도 감소

(3) 정상적인 분만 진통

: 평균 25 mmHg 이상의 수축력으로, 10분당 최소 3회의 수축이 4분 이하의 간격으로 일어난다.

(4) 몬테 비디오 단위(Montevideo unit)

: Baseline tone 위로 증가된 자궁압 × 10분당 나타난 자궁 수축 횟수

e.g.) 50 mmHg 강도로 10분에 3회 수축 = 150 Montevideo units

- 효과적 진통진행을 위한 자궁수축력 : 200 Montevideo units/10분 이상

- 대부분 200~250 M.U에서 분만이 이루어지며, 40%는 300 M.U 이상에서 이루어짐

→ 만출력 이상에 의한 난산 시 이러한 수준을 고려하여 C-sec을 결정하는 것이 좋다.

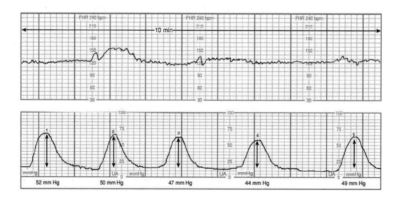

▶ 52+50+47+44 49 = 242 Montevideo unit

2) 분만 중 자궁 수축의 기록 방법

(1) 자궁 내 기록(Internal Uterine pressure monitoring)

- 측정 도관의 끝을 태아의 Presenting part보다 상방의 양수에 위치시켜, 자궁 내압 즉, Amnionic fluid pressure를 직접 재는 방법
- 자궁경부가 유도관 삽입이 가능할 정도로 개대되어 있고, 양막이 파막된 경우에 가능

(2) 자궁 외 기록(External Uterine pressure monitoring)

- 방법 : 임산부 복벽의 자궁저부 근처에 Transducer 밀착시켜 전기적 신호를 기록
- 자궁 수축의 시기와 수축 횟수는 알 수 있지만, 정확한 자궁내압은 알기 어렵다.
- 자궁경부가 확장되지 않고 양막이 파열되지 않은 상태에서 조기 분만이 의심스러울 경우와 분만의 초기 단계에 자궁수축의 상대적 강도와 빈도 측정할 때 이용 가능

2. 분만 중 태아 심박수의 평가 방법

- 측정 방법

(1) Internal electronic Fetal heart rate monitoring

: 태아의 Scalp에 직접 Electrode를 꽂아 심박수를 측정하는 것

(2) External (Indirect) electronic Fetal heart rate monitoring

: 초음파 등을 이용하여 심박수를 측정하는 것

3. 기초 태아심장 활동도(Baseline fetal heart activity)

- Fetal heart rate

(1) 태아 심박동수는 태아가 성장함에 따라 감소(Vagus nerve의 성숙)

- 28주 이후부터는 1주일에 분당 1회 감소
- 임신 40주 - 분당 140회

(2) Fetal heart rate에 영향을 주는 요인 ★

① 임신 주수(점차 감소)

② 임신부의 체위(Erect position 때 심박동수 증가)

③ Autonomic system의 regulation(교감신경 : 증가, 부교감신경 : 감소)

④ Arterial chemoreceptor of Fetus (Hypoxia → 심박수 감소)

(3) Third trimester 동안의 정상 심박수

: 120~160회/분

1) 태아 서맥(Fetal Bradycardia)

(1) 정의

- 분당 110회 미만의 기초 태아 심박동이 나타날때

① Mild Fetal Bradycardia - 100~119회/분

② Moderate Fetal Bradycardia - 80~100회/분, 3분 이상

③ Severe Fetal Bradycardia - 80회/분 이하로 3분 이상 지속

cf) 경도의 서맥만이 나타나면 태아 상태가 나쁘다고는 할 수 없다.

(2) 원인

① 선천성 심차단

② 심각한 태아 손상

③ 태반조기박리

④ 모체 저체온

⑤ 자궁의 과다 수축

⑥ Paracervical anesthesia

⑦ 전도 마취

⑧ 저산소증

2) 태아 빈맥(Fetal Tachycardia)

(1) 정의

① Mild Fetal Tachycardia - 161~180회/분

② Severe Fetal Tachycardia - 181회/분 이상

(2) 원인 ★

① Amnionitis에 의한 모체의 발열(m/c)

② 부교감신경 차단제(atropine, scopolamine, phenothiazines, hydrozyzine), 교감신경 유사
제(terbutaline, ritodrine, epinephrine)

③ 다른 원인들 : 태아 갑상선 항진증, 태아 빈혈, 태아 심부전, 빈맥선 부정맥

(3) 의의 ⭐

① 모체의 발열에 의한 경우, 주기적인 태아 심박동률의 변화나 태아 패혈증이 없다면 태아 상태는 괜찮은 것으로 본다.

② 약제 투여에 의한 경우 Fetal heart rate deceleration과 함께 나타나지 않으면 태아는 위험하지 않다.

→ 즉, 유발 요인을 즉각 교정해 주면 바로 회복된다.

3) 변동성(Beat-to-Beat Variability)

•기초 태아 심박동률의 변동성은 태아 심혈관 기능의 주요 지표가 되며, 자율 신경계에 의해 조절된다.

→ 변동성의 감소나 소실은 심각한 태아 손상을 나타내는 징후

•종류

① 단기 변동(Short-term variability) : 태아 심박동수에서 하나의 박동으로부터 다음 박동으로의 즉각적인 변화

② 장기 변동(Long-term variability) : 1분 동안 나타나는 주기적인 변화(정상 : 3~5 cycle/min)

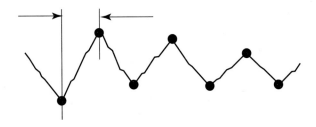

▶ Short-term Beat-to-beat variability

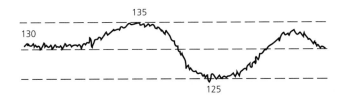

▶ Logn-term Beat-to-beat variability

(1) Variability를 증가시키는 인자 ⭐

① Fetal breathing(∴ Asphyxia 때는 감소)

② Fetal body movement

③ Advancing Gestation age

(2) Decreased or Loss of variability ☆

　① 정의 : 기초 태아심박동률의 Short-term Variability가 사라지고, Long-term Variability가

　　분당 2회 이하일 때

　② 원인 ☆

　　a. Fetal Hypoxia, Acidemia

　　b. Severe Maternal Acidemia (예: diabetic ketoacidosis)

　　c. 분만 중 진통제, 중추신경억제제의 투여

　　　(Narcotics, Phenothiazine, Tranquilizer, General anesthetics, $MgSO_4$)

　　d. Sleeping fetus

　　e. normal premature fetus

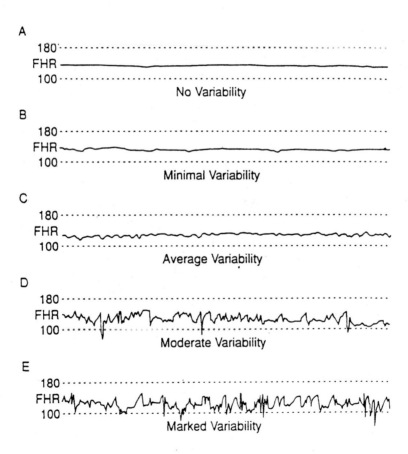

▶ Baseline Fetal heart rate variability (A & B indicate decreased variability (≤ 5회/분))

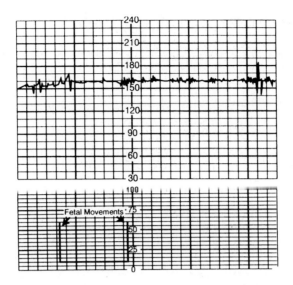

▶ Loss of Beat-to-beat variability; No response to infrequent fetal movements is observed

4) Fetal cardiac arrhythmia

① 대부분의 심실상부 부정맥(SVT)는 Hydrops에 의한 심부전이 없는 한 분만 중 태아에 큰 영향이 없다.

→ 양수가 깨끗하면 그대로 분만을 지속시킨다.

② atrial extrasystole > atrial tachycardia > AV block > sinus bradycardia > ventricular extrasystole

③ hydrops 발생 시 예후 나쁨

④ 초음파를 이용한 태아의 해부학적인 면밀한 관찰이 도움이 된다.

⑤ abrupt baseline spiking : due to erratic extrasystole

5) 굴모양곡선 태아심박동률(Sinusoidal fetal heart rate)

(1) 원인 ☆

• Serious Fetal anemia를 의미 ☆

① RhD-isoimmunization

② Vasa Previa의 파열

③ Feto-maternal Hemorrhage

④ Twin-to-twin Transfusion

⑤ 기타 : Meperidine, Morphine, Alphaprodine, Butorphanol 투여 Amnionitis, Fetal distress, Umbilical cord occlusion

(2) 정의

① 규칙적인 진동주기를 갖고, 기초 태아심박동률이 분당 120~160회

② 진동폭은 분당 5~15회 사이

③ 진동주기는 장기변동이 분당 2~5주기 사이에 있을 것

④ 밋밋하고 고정된 단기변동을 보일 것

⑤ 정현곡선의 진동이 기초 태아심박동 기준선의 위·아래에 있을 것

⑥ 태아심박동증가(Acceleration) 없을 것

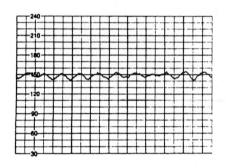 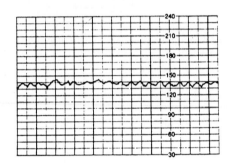

▶ Sinusoidal fetal heart pattern in Fetus with Severely anemic due to Fetal-Maternal hemorrhage

4. 주기적 태아심박동률(Periodic fetal heart rate)

1) 태아 심박동 증가(Fetal heart rate Acceleration)

(1) 정의 : 태아심박동률이 Baseline보다 분당 15회 이상으로 15초 이상 최대 2분 정도 지속될 때

(32주 미만 : 최소 10초 이상 지속, 10회 이상 증가)

2) 이른 태아심박동 감소(Early deceleration)

(1) 정의 : 자궁수축보다 먼저 혹은 동시에 deceleration이 나타나는 경우

(2) 원인 : 태아 두부압박(Head compression) ★

(→ 두개강 내 압력 증가 → Vagus nerve → 심박수 감소)

•지속적이지 않다면 임상적 의의는 없다(즉, 대증적 치료로 충분).

: Fetal Hypoxia와는 무관 ★

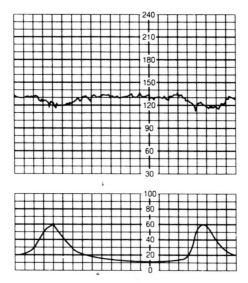

▶ Early Fetal heart rate deceleration

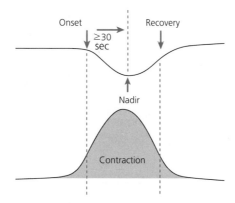

▶ Feature of Early Fetal heart rate deceleration

3) 늦은 태아심박동 감소(Late deceleration) ⭐

(1) 정의

: 자궁수축이 최고정점에 달했을 때 Deceleration이 시작하여 수축 후에도 회복이 즉시 되지 않는 경우(태아심장박동수의 감소의 시작과 최저치, 회복이 모두 자궁 수축의 시작, 최고치, 종결보다 더 늦으며 일반적으로 분당 30~40회 이상 감소하지 않음)

(2) 원인

: <u>Uteroplacental insufficiency로 인한 hypoxia & associated metabolic acidosis</u> ⭐

① 자궁 태반 혈류부족

② 심근의 활동저하

③ 과도한 자궁수축의 발생(옥시토신 투여)

④ 태반 미세혈관질환, 국소적 혈관 수축

⑤ 과숙아, 모성고혈압, 교원성질환, 당뇨병, 심한 모성빈혈, 만성 태아빈혈

(3) Lag period

• 자궁수축의 시작에서 만기 태아심박동감소 시작까지의 시간 간격

• 기초 태아 산소 섭취기능과 관련

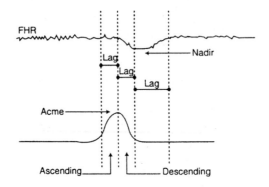

: 태아심박동 감소를 조절하는 Arterial chemoreceptor를 자극시킬 수 있는 임계점 이하로 태
아의 산소분압을 떨어뜨리는데 필요한 시간

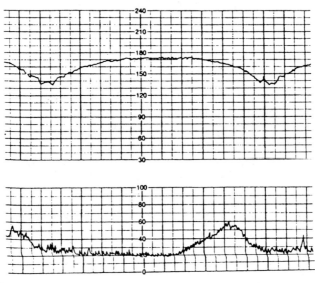

▶ Late deceleration

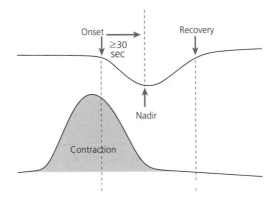

▶ Feature of late fetal heart rate deceleration

4) 다양성 태아심박동 감소(Variable deceleration) ☆

  • m/c Deceleration pattern during Labor

(1) 정의

  : Decerleration이 급격하게 일어나고(최대와 최저간의 시간차가 30초 이하), 이것이 분당 15

    회 이상, 최소 15초 이상 지속하면서 2분 이상 지속되지 않음

(2) 원인 : Cord compression(occlusion) → 양수가 심하게 감소되었을 때

(3) 호발 인자

  ① 제대압박이나 제대내의 혈류를 억제하는 요인이 있을 경우

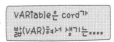

VARIable은 cord가
밖(VAR)해서 생기는••••

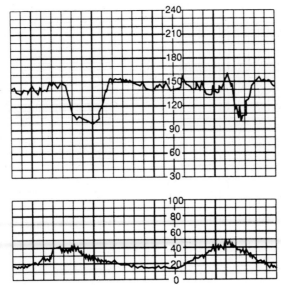

• A: complete occlusion
• B: partial occlusion

▶ Variable deceleration

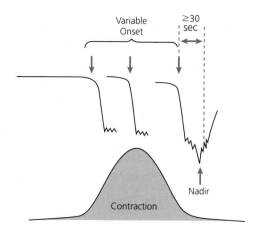

▶ Feature of Variable fetal heart rate deceleration

cf) 기타 Cord 상태의 이상과 관계있는 Pattern

② Saltatory baseline heart rate : Cord compression과 관련

③ Mixed cord compression pattern (λ pattern)

: 분만 시 제대 위치의 이상이나 태동에 따라 나타나고, 태아 상태가 나쁜 것을 의미하지는
않는다. 60초 이상 지속되는 분당 70회 이하의 다양성 태아심박동수 감속이 임상적으로
의미있는 감속이다

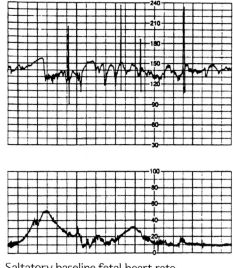

▶ Saltatory baseline fetal heart rate

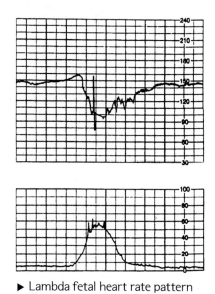

▶ Lambda fetal heart rate pattern

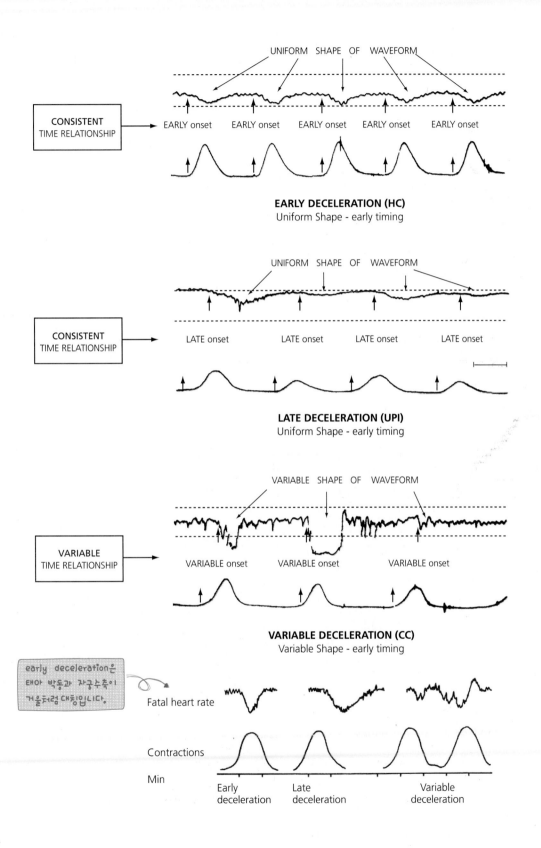

UNIFORM SHAPE OF WAVEFORM

CONSISTENT TIME RELATIONSHIP

EARLY onset   EARLY onset   EARLY onset   EARLY onset   EARLY onset

EARLY DECELERATION (HC)
Uniform Shape - early timing

UNIFORM SHAPE OF WAVEFORM

CONSISTENT TIME RELATIONSHIP

LATE onset   LATE onset   LATE onset   LATE onset

LATE DECELERATION (UPI)
Uniform Shape - early timing

VARIABLE SHAPE OF WAVEFORM

VARIABLE TIME RELATIONSHIP

VARIABLE onset   VARIABLE onset   VARIABLE onset

VARIABLE DECELERATION (CC)
Variable Shape - early timing

early deceleration은 태아 박동과 자궁수축이 거울처럼 대칭입니다.

Fatal heart rate

Contractions

Min

Early deceleration   Late deceleration   Variable deceleration

5) 지속성 태아 심박동감소(Prolonged deceleration) ☆

(1) 정의

: 태아심박동수의 감소가 최소 분당 15회 이상 감소하며 2분 이상 10분 이하 동안 지속할 경우

(2) 원인 ☆

① 지속되는 제대압박

② 태아의 두부압박

③ 심각한 태반기능 부전

④ 자궁의 과도한 수축

⑤ 기타 제대탈출, 경막외, 척추, 자궁경부 마취, 모체의 supine position에 의한 hypotension, 모체의 Hypoperfusion and hypoxia, Placenta Abruptio, 제대염전, 매듭(Knot)이나 탈출(Prolapse), 자간증이나 간질발작, 태아두피 전극의 삽입, 분만이 임박한 경우, 모체의 Valsalva Maneuver

(3) 치료 : 집중관리

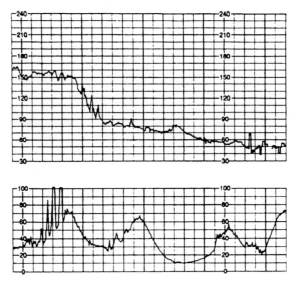

▶ Prolonged Fetal heart rate deceleration due to Uterine hyperactivity

6) 양수주입(Amnioinfusion)

(1) Transvaginal Amnioinfusion의 Indication ☆

① Variable or Prolonged Deceleration의 치료

② 양막파열과 같은 이미 진단된 양수과소증의 예방

③ Thick Meconium의 희석이나 세척

(2) Complication ☆

① Uterine Hypertonus

② 태아 심장박동 감소의 지속

③ Chorioamnionitis

④ Cord Prolapse

⑤ Uterine Rupture

⑥ Placental Abruption

⑦ 모성사망

Fetal heart rate pattern		
Baseline fetal heart activity	deceleration동반한 beat to beat variability 소실	Fetal compression
	Sinusoidal pattern (esp, severe fetal anemia)	Fetal acidemia
Periodic fetal heart rate	Early deceleration	Fetal head compression
	Late deceleration	Uteroplacental insufficiency
	Variable deceleration	Umbilical cord compression

5. 태아 곤란증과 태아 손상

1) 태아 곤란증의 진단

Fetal distress sign

1. Fetal heart rate의 변화
 ① Bradycardia (110회 이하), Tachycardia (160회 이상)
 ② Early deceleration   → Fetal head compression
 ③ Late deceleration   → Uteroplacental insufficiency
 ④ Variable deceleration   → Cord compression
 ⑤ Sinusoidal pattern   → Serious fetal anemia
 ⑥ Beat-to-beat variability의 소실 → Fetal compromise(응급 C-sec)
2. 양수의 태변 착색
3. Overactivity of Fetus
4. Fetal scalp blood sampling상 pH 7.2 이하 : C-sec
5. NST 시행 시 Nonreactive가 지속

태아 심박동 양상에 따른 태아곤란증의 진단(reassuring or nonreassuring)	
심박동 양상	**해석**
normal	baseline 110~160 beats/min baseline FHR variability: moderate late 또는 variable deceleration : 없음. early는 있거나 없음. acceleration : 있거나 없음.
intermediate	no consensus prolonged deceleration ≥ 2분, but 〈 10 분
severely abnormal	1. recurrent late or variable decelerations or bradycardia with zero variability 2. sinusoidal pattern

2) 태아 곤란증의 관리 ☆

① 분만 중 옥시토신 투여하던 경우 중단

② 측와위로 체위변경

③ 수액공급 증가

④ 산소 공급(8~10 L/min)

⑤ 진통제에 의한 저혈압인 경우 이를 교정

⑥ 위의 조치에도 불구하고 효과 없을때는 즉각적 분만시도

6. 전자 태아심박동-자궁수축 감시장치의 합병증 ☆

① 제대탈출

② 감염

③ 진통 중 양수에 의한 완충작용의 감소로 태아에게 더 심한 Stress

④ 전극 부착 시 Trauma

⑤ Catheter에 의한 태반, 자궁손상, 제대압박

7. Fetal scalp blood sampling

1) Indication

① prenatal diagnosis of blood disorder

② isoimmunization

③ metabolic disorder

④ fetal infection

⑤ fetal karyotyping

⑥ evaluation of fetal hypoxia

⑦ fetal therapy

2) pH에 따른 management

① pH 7.25 이상 : observe labor, 원인에 따른 처치

② pH 7.20-7.25 : repeat pH within 30 min

③ pH 7.20 이하 : 즉시 반복해서 혈액채취하면서 C-sec 준비

• 태변의 의의

태아 혈액의 산소 부족으로 말미암아 태아 항문 괄약근이 이완되어 나타나는 태아 질식의 특징적인 징후

12 임신 중 약물복용 및 방사선 조사

Power Obstetrics

I. 임신 중 약물 복용

1. 기형 유발 약물의 영향

1) 수정 2주까지

- 유산의 형태로 나타남

- 형태 발생에는 거의 영향이 없다(All-or-None effect).

  → 이 시기에 발생난이 손상을 받으면, 죽거나 완전히 재생

2) 수정 3~8주(Period of Organogenesis)

- 중요 장기의 기형이 유발되는 결정적 시기 ☆

3) 수정 9주 이후(Period of Fetogenesis)

- 성장 지연이나 기능 부전의 형태로 나타남

- 기형 발생은 드물지만, 생식기 및 신경계와 같이 이 시기에도 분화가 계속되는 장기의 경우 기형 발생은 가능

Drugs or Substances Suspected or Proven to Be Human Teratogens	
ACE inhibitors	Etretinate
Aminopterin	Isotretinoin
Alcohol	Lithium
Androgens	Methimazole
Busulfan	Methotrexate
Carbamazepine	Penicillamine
Chlorbiphenyl	Phenytoin
Coumarins	Radioactive iodine
Cyclophosphamide	Tetracycline
Danazol	Thalidomide
Diethylstilbestrol(DES)	Trimethadione
	Valproic acid

2. 약물의 분류

1) FDA classificaton

(1) Category A : 사람을 대상으로 한 연구에서 태아에 위험이 없는 약물

(2) Category B : 동물이나 사람을 대상으로 한 연구에서 유의한 위험이 없는 약물

(3) Category C : 동물이나 사람에서 적절한 연구가 되지 않은 약물

(4) Category D : 태아 위험의 증거는 있으나, 약물로 얻을 수 있는 이득이 태아의 위험보다 큰 약물

(5) Category X : 태아에 대한 위험이 있고, 약물로 얻을 수 있는 이득보다 위험이 더 큰 약물
(isotretinoid, oral pill, ethanol)

• Category A, B, C : 대개 임신부에게 사용 가능

2) 기형유발 예측 위험도에 따른 분류

기형 유발 예측 위험도에 따른 약물들의 순위					
Class 0 : No risk					
Acetaminophen	B	Aspirin	C	Caffeine	B
Cephalosporin	B	Erythromycin	C	Insulin	B
Levothyroxine	A	Penicillin	B	Ritodrine	B
Class 1 : Minimal risk					
Aminoglycoside	C	Antihistamine	C	Atenolol	C
Bromocryptine	C	Codeine	C	Corticosteroid	B
Diazepam	D	Digoxine	C	Dipheniramine	C
Furosemide	C	Haloperidol	C	Hydralazine	C
Heparin	C	Ibuprofen	B	Indomethacin	B
MgSO$_4$	B	Meperidine	B	Methyldopa	C
Miconazol	B	Morphine	B	Oral pills	X
Progesterone	D	Propranolol	C	Propylthiouracil	D
Reserpine	D	Sulfasalazine	B	Sulfonylurea	D
Sulfonamide	B	Tetracyclin	D	Theophylline	C
Trimethoprim	C	Vancomycin	C		
Class 2 : Small risk					
Acyclovir	C	Captopril	C	Ethosuximide	C
Metronidazole	B	Nifedipine	C	Phenobarbital	D
Class 3 : Moderate risk					
Carbamazepine	C	Ethanol	X	Lithium	D
Methimazole	D	Phenytoin	D	Valproic acid	D
Class 4 : Potent risk					
Coumarin	D	Cyclophosphamide	D		
Isotretinoin	X	Methotrexate	D		

3. 질환별 약물 투여

1) Antimicrobials

Classification of some Antimicrobial agents commonly used in Pregnancy							
Acyclovir	C	Erythromycin	B	Mebendazole	C	Sulfonamide	B
Aminoglycoside	C/D	Fluconazole	C	Metronidazole	B	Tetracyclin	D
Amphotericin	B	Fluoroquinoone	C	Nitrofurantoin	B	Trimethoprim	C
Aztreonam	C	Gancyclovir	C	Nystatin	B	Vancomycin	C
Cephalosporin	B	Imipenam	C	Penicillin	B	Zalcitabine	C
Chloroquine	C	Itraconazole	C	Pyrantel	C	Zidovudine	C
Didanosine	B	Lindane	B	Quinine	D	Rifabutin	B
						Stavudine (d4T)	C

(1) Penicillin - 임신 중 가장 안전한 항생제

(2) Cephalosporin - 사용 가능

(3) Aminoglycoside

: 태아에 이독성이 있으므로 꼭 필요하지 않으면 금기

(4) Tetracycline - 금기(치아 변색, Enamel hypoplasia, 뼈의 성장장애)

(5) Vancomycin - maternal nephrotoxicity & ototoxicity

- congenital defect 와는 관계 없음

(6) Chloramphenicol

: Gray baby syndrome이 생길 수 있으므로 가급적 피해야 함

(7) 항결핵제

① Isoniazid, Rifampin, Ethambutol - 사용 가능

② PAS, Cycloserine, Ethionamide - 사용 금기

(8) 항진균제 - 사용 가능

(9) 기타

① Clindamycin - 혐기성 균 이외에는 제한(심한 설사)

② Trimethoprim-Sulfamethoxazole - 금기

③ Metronidazole - 임신 중 사용 가능

④ Podophylline - 금기

2) 심혈관계 약물

Classification of some commonly used Cardiovascular drugs in Pregnancy							
ACE inhibitor	C/D	Calcium blocker	C	Furosemide	C	Quinidine	C
Adenosine	C	Coumarins	D	Heparin	C	Streptokinase	C
Amiodarone	D	Coumarins	D	Local anesthetic	B/C	Thiazides	D
Beta-blocker	C	Digoxin	C	antiarrhythmics		Urokinase	B
Bretylium	C	Disopiramide	C	Methyldopa	C		

(1) Digitalis, Hydralazine, Methyldopa - 사용 가능

(2) Thiazide - 임신 초기 사용 금기

(3) ACE inhibitor, enalapril (captopril) - 금기

(4) β-blocker - 사용제한(FGR, 저혈당, 서맥, 호흡장애)

(5) Heparin - 사용 가능

(6) Streptokinase, Urokinase - 금기

(7) Warfarin - 1st trimester에만 금기

① 사용방법

a. 1st trimester 시에는 heparin 사용

b. 그 후에는 warfarin으로 full anti-coagulation

c. 36주부터 heparin으로 교체(warfarin은 태반을 통과해서, 분만 시 태아 출혈경향)

d. delivery 직전 heparin 중지

e. vaginal delivery 6시간 후 anticoagulation 시작(C-sec은 24시간 후 시작)

② Warfarin의 태아에 대한 부작용

a. Nasal hypoplasia

b. Stippled vertebral and femoral epiphysis

c. Hydrocephaly

d. Microcephaly, Ophthalmological abnormality

e. Fetal growth restriction

f. Developmental delay

3) 천식 약물

• 대부분 안전

- ergot(자궁수축제)는 천식에 위험

4) 항경련제

- 항경련제의 대부분은 기형 유발의 위험이 있지만, <u>임신 중 치료를 위해 투여하던 약제는 계속 복용하여야 한다.</u>

(1) Phenytoin (D) - Fetal hydantoin syndrome
- 두개 안면 이상, 사지 이상, 지능 저하, 심장 기형, 구개열, 종양 발생
- 기형 발생이 확실하므로, 혈중 농도를 자주 확인하여 최소 억제 용량으로 사용

(2) Phenobarbital (D)
- 심장기형, 요로계 기형, clefts
- 최소 용량으로 사용

(3) Benzodiazepine (C)
- Floppy infant syndrome, 금단 증상, 과민성, 과도 긴장
  임신 1기에 사용시 구개열, 토순의 발생 위험

(4) Valproic acid - neural tube defect

5) 정신과 약물

(1) Lithium (D) - 임신 초기 사용 금기(심장 기형 ; Ebstein anomaly)

(2) Chlordiazepoxide - 선천성 기형의 빈도 증가

6) 비타민

(1) 비타민 A, C, D의 과량 섭취는 금한다.

(2) <u>비타민 A의 합성이성체인 Isotretinoin은 강력한 기형 유발물질</u>

7) 진통제

(1) Aspirin (C/임신 3분기에는 D)
  : 임신 중 필요할 경우, 고용량의 지속적 투약은 피해야 하며, 진통 해열작용을 위해 사용할 경우, Acetaminophen 사용

(2) Acetaminophen (B) - 비교적 안전

8) 감기약

(1) Antihistamine - 임신 말기에 지속적으로 사용하거나, 구토 방지를 위해 사용하는 것은 금지

(2) Decongestant - 자궁 혈류량을 감소시킬 수 있으므로, 자궁 태반 부전이 의심되는 경우에는

금지

9) 위궤양 약물

: 제산제(Al, Mg)와 Antihistamine(Cimetidine, Ranitidine)은 임신 중 안전

10) 항암제

- 임신 초기에 사용하면 기형을 유발시킬 수 있으나, 항암제의 적응증이 되는 임신부에서 사용을 보류해서는 안된다.

11) 자궁수축제(조기진통 시)

- β-agonist : ritodrine(Yutopar®), terbutaline, fenoterol, salbutamol
- S/E : 고혈당(DM 임신부 금기), 저혈압, 폐부종, 저칼륨혈증, cardiac insufficiency, 부정맥, 심근허혈 ★

12) 항 histamine제

: 임신 중 비교적 안전, chlorpheniramine 등 대부분의 약제는 기형과 연관이 없다. 그러나 brompheniramine 및 terfenadine은 임신 중 사용을 자제하는 것이 좋다.

4. 약물 남용

1) Alcohol

(1) Fetal alcohol syndrome

Features of Fetal Alcohol Syndrome
Behavior disturbances
Brain defects
Cardiac defects
Spinal defects
Craniofacial anomalies
Absent or hypoplastic philtrum
Broad upper lip
Flattened nasal bridge
Hypoplastic upper lip vermilion
Micrognatthia
Microphthalmia
Short nose
Short palpebral tissues

- 알콜 중독에 빠진 여성은 완전히 치료될 때까지 임신을 피해야 한다.

(2) Alcohol의 기타 영향

① 자연 유산 및 사산의 빈도 증가

② 저체중아, 기형아의 출산

③ 신생아의 지능 저하

④ 신생아의 신경학적 이상(감각, 반사의 이상)

2) 흡연

• 출생체중의 감소, 자연유산, 영아 돌연사 증후군, 한정 태반 모자이크증, 태아 성장 감소

3) 마약

• 마약 중독 임신부는 임신 초기에 임신 중절을 고려해야 한다.

II. 임신 중 방사선 조사

1) 시기에 따른 방사선 조사의 위험성

(1) <u>위험성이 높은 시기 - 임신 8~25주 사이</u>

• <u>임신 8~15주 - 가장 위험성이 높다.</u>

(2) 임신 8주 미만이거나 임신 25주 이후

: 위험성이 증가된다는 보고는 없다.

2) 방사선 조사량

• 5 rad 이하의 조사량으로 태아에게 위험이 증가한다는 증거는 없다.

① Chest PA & Lateral X-ray - 0.07 mrad

② Abdomen X-ray - 100 mrad

③ IVP - 1 rad를 초과할 수 있다.

④ Hip joint X-ray - 200 mrad

3) Management

• 단 한번의 진단 목적의 X-선 검사에 태아가 노출되었다고 해서, 치료적 유산의 적응증이 되지는 않는다.

※ 임신 중 영상진단의 가이드 라인

임신 중 영상진단의 가이드 라인

1. 진단 목적으로 시행한 X-선에 한번 노출된 임신부의 태아는 해롭지 않으며, 특히 전체 5 rad 이하인 경우 태아기형이나 유산, 사산이 발생하지 않는다.
2. 모체의 적응증에 의한 검사는 고용량 방사선 노출이 염려되더라도 시행한다.
   가능하다면 임신기간 동안에는 이온화 방사선이 아닌 초음파나 자기공명 단층촬영 등으로 영상진단을 시행한다.
3. 초음파검사나 자기공명 단층촬영법(MRI)은 태아에 부작용을 초래하지 않는다.
4. 임신부에게 여러 장의 진단 방사선 검사를 한 경우 전문가로부터 정확한 조사 용량을 알기 위한 자문을 구한다.
5. 임신 중 요오드(iodine-131) 방사성 동위원소로 갑상선질환을 치료하는 것은 금한다.
6. CT나 MRI 촬영 시 조영제를 사용하는 것은 태아에 해롭지 않는 것으로 보이나 임신 중에는 그 이점이 태아에 대한 미지의 위험을 상회하는 경우에만 사용한다.

- CT : Computed Tomogram

- MRI : Magnetic Resonance Imaging

정상 골반

I. 골반의 해부학

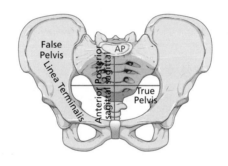

- 거짓골반(False pelvis)과 참골반(True pelvis)으로 구분
  - Linea terminalis에 의해 나눠짐

1. False pelvis

- 경계

  ① Posterior : 요추(Lumbar vertebra)

  ② Lateral : 장골와(Iliac fossae)

  ③ Anterior : 하부 복벽(Lower portion of anterior abdominal wall)

2. True pelvis

- Child bearing, 출산에 중요한 역할

① 윗쪽의 입구에 해당하는 곳 : Pelvic inlet

② 아랫쪽의 출구에 해당하는 곳 : pelvic outlet

1) Pelvic inlet

- True pelvis의 윗쪽 입구에 해당하는 곳

- 경계 ① Sacral promontory

② Sacrum의 alae

③ Linea terminalis

④ Pubic bone의 Upper margin

2) Pelvic outlet

- True pelvis의 아랫쪽 입구에 해당하는 곳

- 경계 a. Pubic bone

b. Ischial tuberosity

c. Coccyx

3) Ischial spine의 산과적 중요성 ☆

(1) 양쪽 Ischial spine을 있는 선(Interspinous diameter)은 골반강 내에서 가장 짧은 직경이 된다 (10 cm).

(2) 내진 및 직장진찰로 쉽게 촉진이 가능하여 태아선진부가 골반을 통과하여 내려올 때 태아 선진부의 하강 정도를 알 수 있는 지표가 된다.

- Station

a. -2 : 태아 선진부가 Pelvic inlet에 닿을 때

b. 0 : 태아 선진부가 Ischial spine에 닿을 때

c. +2 : 태아 선진부가 Pelvic outlet spine에 닿을 때

4) Sacrum의 산과적 중요성

① Sacral promontory는 내진으로 촉진이 가능하므로 임상적으로 골반계측법(Clinical pelvimetry)의 지표가 된다.

② Sacrum의 골반강 내면의 오목함이 개인마다 차이가 나므로 분만시 산과적 차이를 일으킨다.

II. 골반의 평면과 직경

1. 골반입구(Pelvic inlet)

1) A-P diameter

(1) True conjugate(진결합선)

- Sacral promontory에서 Symphysis pubis 상단까지의 거리

(2) Obstetric conjugate(산과결합선)

① 정의 : Symphysis pubis inner surface로부터 Sacral promontory의 중앙까지의 거리

② 정상치 : 10 cm 이상(∵ 태아의 Biparietal diameter = 9.5 cm)

③ 임상적 의의 : Fetal head가 지나는 Pelvic inlet의 가장 짧은 A-P diameter로서 산과적 중요성을 갖는다.

④ 측정방법 : Diagonal conjugate에서 1.5~2 cm를 뺀다.

(3) Diagonal conjugate(대각 결합선)

① 정의 : Pubic symphysis의 Lower margin에서 sacral promontory 까지의 거리로 임상적으로 잴 수 있다.

② 측정방법 : Vaginal examination

③ 정상치 : 11.5 cm

④ 임상적 의의 : Diagonal conjugate를 측정하여 Obstetric conjugate를 간접적으로 알 수 있다.

$$O.C = D.C - 1.5\text{~}2 \text{ cm}$$

• Diagonal conjugate가 11.5 cm 이상이면 Pelvic inlet이 출산에 적절한 크기라고 할 수 있다(즉, Obstetric > 10 cm).

• Obstetric conjugate와 Diagonal conjugate의 차이가 생기는 이유

a. symphysis pubis의 두께

b. 경사진 각도

2) Transverse diameter

• 정상치 : 13.5 cm

• 산과 결합선과 직각으로 만나는 것 중 가장 길다.

3) 2개의 Oblique diameter : 13 cm

- 한쪽 Sacroiliac synchondrosis과 반대편 iliopectineal eminence를 잇는 선

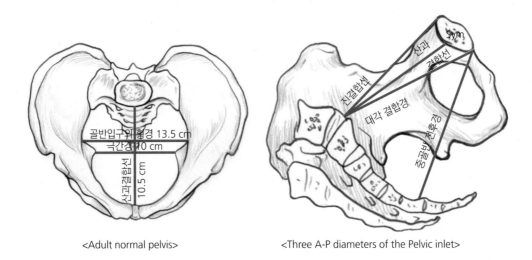

<Adult normal pelvis>   <Three A-P diameters of the Pelvic inlet>

▶The bstetrical conjugate is normally greater than 10 cm.

2. 중골반(Mid pelvis)

1) 해부학적 위치

- Pelvic inlet과 Pelvic outlet의 중간부위에 해당하는 부분
- 양측 좌골극(ischial spine)이 지표가 된다.
- 폐쇄분만(Obstructed labor)의 경우 Fetal head가 Engagement 된 후 중요한 산과적 의미를 갖는 부위이다.

2) 직경

① Transverse diameter (Interspinous diameter)

- 정상: 10 cm 이상 → pelvis 내 직경 중 가장 짧다.

② A-P diameter

- Pubic symphysis의 하단에서부터 Interspinous diameter를 수직으로 통과하는 연장선이 Sacrum과 만나는 점까지의 거리(11.5 cm 이상)

③ Posterior sagittal diameter

- A-P diameter의 뒷부분인 sacrum에서부터 interspinous diameter와 수직으로 만나는 점까지의 거리(4.5 cm 이상)

3) Midpelvic contraction을 의심할 수 있는 소견 ☆

① Ischial spine이 돌출된 경우(예 : 남성형 골반)

② Pelvic side wall이 converge (Narrow sacrosciatic notch)

③ Sacrum의 concavity가 Flat and Shallow

④ Interspinous diameter가 8 cm 이하→ 분만이 잘 진행되지 않을 거라 의심하고 주의

3. Pelvic outlet

1) 해부학적 위치

- Ischial tuberosity 사이를 잇는 선을 밑변으로 공유하는 2개의 삼각형으로 이루어진다.

2) 직경

① A-P diameter

- Symphysis pubis 하단에서 Sacral tip까지의 거리(9.5~11.5 cm)

② Transverse diameter

- 양측 Ischial tuberosity inner edges 사이의 거리(11 cm)

③ Posterior sagittal diameter

- Sacral tip에서 양측 ischial tuberosity를 잇는 선과 수직으로 만나는 점까지의 거리(7.5 cm)

III. 골반의 형태

Caldwell-Moloy의 여성골반 분류법

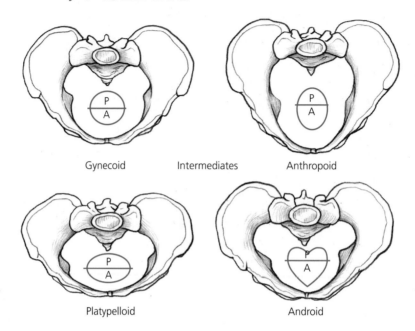

| Gynecoid | Intermediates | Anthropoid |

Platypelloid   Android

▶Four parent pelvic types of the Caldwell-Moloy classification

1. 여성형 골반(Gynecoid pelvis)

- 순수형 골반 중 가장 흔하다(m/c type of Pure pelvis) (1/2 차지). ☆
- Vaginal delivery 시 가장 좋다.
- 특징
  ① 골반 입구에 있어서 transverse diameter가 A-P diameter보다 약간 길거나 비슷하기 때문에 골반 입구의 윤곽은 대체적으로 난원형이다.
  ② Pelvic side wall이 straight
  ③ Spine은 not prominent
  ④ Pubic arch의 각이 넓다.
  ⑤ Interspinous diameter > 10 cm 이상

2. 남성형 골반(Android type)

- 골반입구의 posterior sagittal diameter가 anterior sagittal diameter보다 짧으므로 Fetal head가 posterior space을 이용하여 통과하는데 어려움이 있다.
- 질식분만에 대한 예후가 대단히 나쁘다 - 분만 중 internal rotation이 안된다. ★
- ●특징

    ① Side walls은 일반적으로 convergent(수렴)

    ② Ischial spines이 prominent

    ③ Subpubic arch는 Narrow

    ④ 골반 전체는 거칠고 무겁다.

    ⑤ Sacrosciatic notch은 Narrow & Highly arched

    ⑥ Sacrum은 골반 내에서 앞으로 향하여 경사를 이루고 있다.

3. 유인성 골반(Anthropoid type)

- 특징 : Pelvic inlet의 A-P diameter가 Transverse diameter보다 길다.
- 다른 형태의 골반보다 골반강이 훨씬 깊다.

4. 편평골반(Platypelloid type)

- A-P diameter가 짧고 Transverse diameter가 길다(편평한 여성형 골반).
- 순수형 골반중에서 가장 드물다 : 3% 이내

5. 중간형 · 혼합형(Intermediate type)

- 순수형에 비해서 빈도가 훨씬 높다(m/c type of Pelvis). ★

IV. 임상적 골반 계측법

1. 골반입구(Pelvic inlet)의 측정

● 대각 결합선(diagonal conjugate)을 측정

  • Sacral promontory~Symphysis pubis의 Lower margin

  • 11.5 cm 이상이면 질식분만 가능

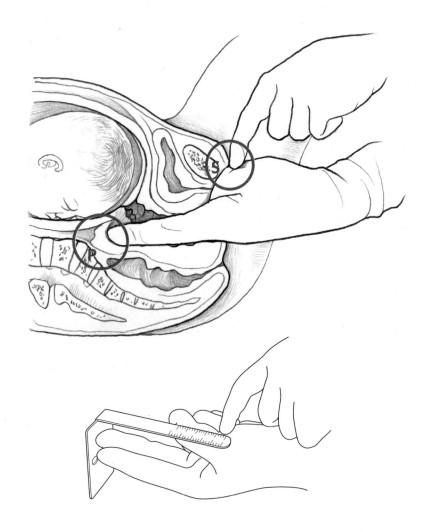

▶ Diagonal conjugate(대각 결합선)을 측정하는 내진방법

2. 진입(Engagement) ☆

1) 정의

: Fetal head의 Biparietal diameter가 Pelvic inlet 보다 아래로 내려왔을 때

2) 좌골극의 위치와 관련한 하강정도의 측정

(1) 고려 사항

① Pelvic inlet에서 Ischial spine level까지 5 cm

② Unmolded Fetal head의 Biparietal plane에서 Vertex까지 3~4 cm

(2) 평가

- 일반적으로 Fetal occiput의 최하단부가 Ischial spine level 또는 그 아래에 있으면 진입된 것이다.

- Molding 또는 Caput succedaneum 시에는 평가에 주의하여야 한다.

3) 아두의 고정(Fixation)

● 정의

- Fetal head가 진입(Engage)하여 임신부의 하복부에 두손으로 압력을 가했을 때, Fetal head가 어느 방향으로도 움직이지 않을 정도로 하강된 상태

- But, Molding이 심한 경우는 진입하지 않고도 Fixation 되기도 한다.

(즉, Fixation이 반드시 Engagement를 의미하지는 않는다.)

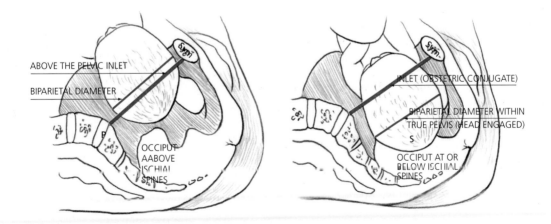

▶ Not Engaged   ▶ Engaged

3. 골반출구(Pelvic outlet)의 임상적 평가

• 중골반이 적다고 의심할 수 있는 소견

① 좌골극이 매우 돌출 되었거나

② 측벽(side wall)이 내측으로 지나치게 수렴(converge)되게 측정되거나

③ 천골의 가운데가 옴폭한 요면(concavity)이 얕거나,

④ 출구의 양측 좌골극을 잇는 직경이 8 cm 이하인 경우

V. 영상골반계측법

1. X-선 골반계측법

1) X-선 골반계측법의 의의

(1) 분만 예후에 영향을 미치는 5가지 인자 - Mengert

① 골반골의 크기와 모양(Size & Shape of Bony pelvis)

② 태아 머리의 크기(Size of Fetal head)

③ 자궁의 수축정도(Force of Uterine contraction)

④ 태아머리의 주법능력(Moldability of Fetal head)

⑤ 태위와 태향(Presentation & Position of Fetus)

(2) X-선 골반 계측이 내진에 비해 좋은 점

① 어느 정도 정확한 측정을 할 수 있다.

② 다른 방법으로는 측정할 수 없는 2개의 중요한 직경의 측정이 가능하다.

    a. Transverse diameter of inlet

    b. Interischial spinous diameter (Transverse diameter of Midpelvis)

2) 적응증

① bony pelvis를 침범할 것 같은 disease or previous injury

② 태위가 둔위인 상황에서 질식 분만을 시도하는 경우

  • X-ray pelvimetry를 시행해서 얻은 정보가 분만의 Management에 도움을 줄 수 있을 때만 시행한다. 즉, 결과에 관계없이 C-sec이 확실한 경우는 타당성이 없다. ★

3) 진단적 방사선의 위해

- 진단적 방사선 조사 시 태아에 대한 인지된 위험

  - 사망, 정신박약, 소뇌증, 생식세포의 돌연변이(mutation), 소아악성종양의 발생가능성

- 위험성이 증가하는 기간 : 임신 8~25주(임신 8~15주 사이에 가장 위험성이 높다)

2. 컴퓨터 단층촬영

- 장점 : X-선 계측보다 방사선 조사량이 적고, 정확하며, 시행이 용이하고, 비용은 비슷하다.

3. 초음파

4. 자기공명단층촬영

태아의 태축, 태위, 태세, 태향

I. 용어

1. 태축(Lie of Fetus)

1) 정의

: 모성의 긴 축에 대한 태아의 긴 축의 상관관계

2) 종류

: Longitudinal / Transverse / Oblique

3) 임신 말기가 되면서 99% 이상이 Longitudinal lie를 이룸

: 드물게 45도의 Oblique lie를 취하는 경우가 있으나, 이런 경우에도 결국 진통 중에 Longitudinal or Transverse lie로 바뀌는 경우가 많다

4) Transverse lie를 유발하는 인자

① 다산에 의한 복벽이완   ② 조산아

③ 전치태반   ④ 자궁기형

⑤ 양수과다증   ⑥ 협골반

2. 태위 및 선진부(Presentation & Presenting part)

• 선진부 : Birth canal 내에 가장 먼저 진입하는 태아의 몸부분

즉, 내진 시 자궁경부를 통하여 촉지되는 태아의 부분

Fetal Presentation in 68,097 Singleton Pregnancies at Parkland Hospital, 1995-1999		
Presentation	Percent	Incidence
Cephalic	96.8	
Breech	2.7	1:36
Transverse	0.3	1:335
Compound	0.1	1:1000
Face	0.5	1:2000
Brow	0.01	1:10,000

1) 두부 태위(Cephalic presentation)

● Fetus의 Body와 Head와의 관계에 따라 아래와 같이 분류

(1) Vertex or Occiput presentation(두정 또는 후두 태위)

• 가장 흔함

• 태아의 두부는 앞으로 숙여지고 턱이 앞가슴에 밀착되어 Occipital fontanelle이 선진부 가 되는 경우

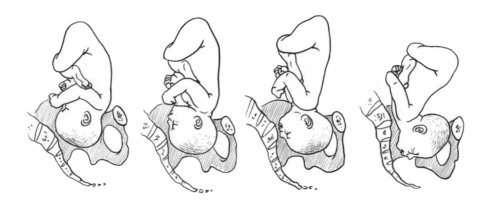

▶ Variation of Cephalic presentation: Vertex-sinciput-brow-face

(2) Face presentation(안면 태위)

: 태아의 목이 뒤로 젖혀져서 태아의 등에 후두부가 접촉하여 안면이 선진부가 되는 경우

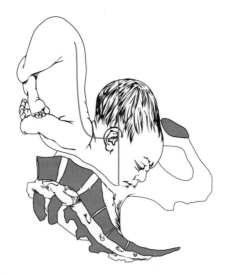

▶ Face presentation in Dystocia

(3) Sinciput presentation(두정부 태위)

　: 두부가 약간 굽혀져 Anterior fontanelle 또는 bregma가 선진부가 되는 경우

(4) Brow presentation(전액 태위)

　: 이마가 선진부가 되는 경우

▶ Brow posterior position

2) 둔위 태위(Breech presentation)

(1) Frank breech presentation(진둔위) : 태아의 대퇴부는 굽혀지고 다리가 몸의 전면에서 펴져

　있는 경우

▶ Frank breech presentation

(2) <u>Complete breech presentation(완전 둔위)</u>

: 대퇴부가 배위로 굴곡되고 무릎이 굽혀져 발이 대퇴부위에 놓이는 경우

▶ Complete breech presentation

(3) Incomplete breech presentation(Footling, 불완전 둔위 또는 족위)

: 한쪽 혹은 양쪽 발이나 무릎이 선진부가 될 때

▶ Incomplete or Footling breech presentation

둔위의 형태 및 합병증					
	빈도 (%)	Hip joint	Knee joint	Foot/Knee 위치	제대 탈출	조기 양막파수(%)
1. Frank	48~73	Both Flexed	Both extended	Foot이 머리부분	0.5	38
2. Complete	4.6~11.5	Both Flexed	One or Both Flexed	Foot이 대퇴부위	4~6	12
3. Incomplete	12~38	One or Both Extended	One or Both below breech	Foot 또는 Knee의 선진상태	15~18	50

3. 태아의 자세(태세, Fetal posture)

- 임신 후반기에 태아가 자궁강내의 모양에 따라 취하는 특징적인 자세
- 태아의 성장 방식 및 자궁강 내에서의 적응 과정에 의해 결정

4. 태향(Position)

1) 정의

: 태아 선진부의 특정 부위(기준점)가 산도의 좌 측면인지 우 측면인지를 나타내는 것

2) 기준점

① Vertex or Occiput presentation - Occiput

② Face presentation - Chin (Mento-)

③ Breech presentation - Sacrum

④ Shoulder presentation - Acromion (Acromiodoso-)

(모든 Transverse lie는 Shoulder presentation으로 표시)

5. 명명법

- 태향(Position) — 태위(Presentation) — 기준점의 방향(Ant/Post/Transverse)

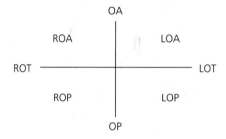

예) Left - Occiput - Transverse (LOT)

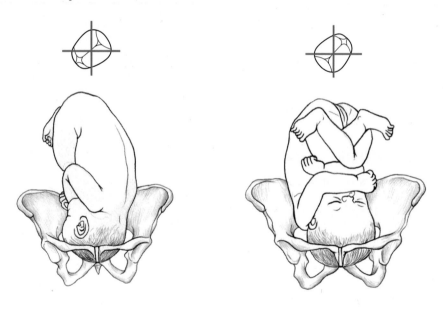

▶ Longitudinal lie. Vertex presentation
A. Left occiput anterior (LOA) B. Right occiput posterior (ROP)
Anterior fontanelle is Diamond-shaped & Posterior fontanelle is Triangular-shaped

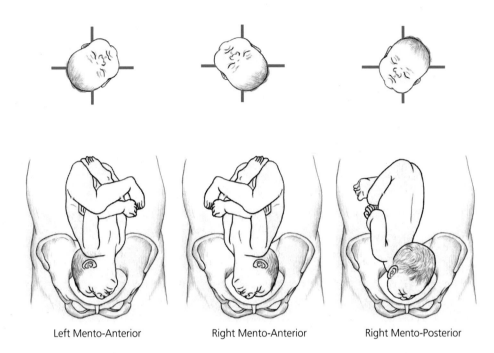

| Left Mento-Anterior | Right Mento-Anterior | Right Mento-Posterior |

▶ **Longitudinal lie. Face presentation**

6. 빈도

1) 임신 말기 여러 태위의 빈도

① Vertex presentation (95~96%)

- Left Occiput (2/3) > Right Occiput (1/3)

- 대부분 Occiput transverse 또는 Occiput Anterior

- LOT > ROT(만삭에서 LOT가 가장 흔하다)

- LOA > ROA

- LOP < ROP

② Breech presentation (3.5%)

- 임신 29~32주 사이에는 둔위의 빈도가 14% 가량이지만, 임신 말기에 접근할수록 저질로 두정위로 바뀌는 빈도가 높아진다.

③ Shoulder presentation (0.4%)

④ Face presentation (0.3%)

⑤ Compound presentation (0.08%)

⑥ Brow presentation (0.03%)

2) 두부 태위(Cephalic presentation)가 많은 이유

- 자궁이 Piriform shape 이므로 이에 적응하기 위해

① 전체 미극부(Podalic pole)가 두극부(Cephalic pole)보다 더 크고 운동성이 있다.

② 양수의 감소와 태아의 성장에 따라 자궁 내부는 태아로 거의 채워지게 되며, 따라서 자궁의 형태에 따라 태축이 결정된다.

II. 태위 및 태향의 진단

- 진단방법

① Abdominal palpation

② Vaginal palpation

③ Auscultation

④ US, CT, MRI

1. 복부 촉진 – Leopold Maneuver

1) 임신 후반부 복부 촉진으로 알 수 있는 상황 ☆

① 태아의 태위나 태향(Presentation & Position)

② 선진부의 하강 정도(fetal descent)

③ 아두 골반 불균형의 정도

④ 태아의 크기

⑤ 쌍태에서 태위

⑥ 병적 수축윤(Pathologic retraction ring)

2) 방법

- 환자의 오른쪽에서 서서 시행하며 First three maneuver는 환자의 얼굴을 마주하면서 시행하고, 4th maneuver는 환자의 발쪽을 보면서 시행한다.

(1) 1st maneuver

: 자궁 외형의 윤곽을 잡고 Uterine fundus가 어디까지 와 있는지를 관찰한 후 Fundus 쪽
에 태아의 어느 극이 존재하는지를 알기위해 양손의 손가락 끝으로 Fundus를 촉지한다.

(2) 2nd maneuver

: (양 손바닥을 임신부의 양측 복부에 얹고 조심스럽게 힘을 주어 촉지한다.) 이 때 한쪽에
서는 단단하고 저항감이 있는 태아의 등이 느껴지고 다른 쪽에서는 여러 개의 불규칙하
고 움직이는 태아의 사지가 느껴진다.

(3) 3rd maneuver (Fetal head 진입 여부 및 아두의 상태 파악)

: 한 손의 엄지와 다른 손가락을 이용하여 Symphysis pubis 바로 위 복부를 만진다. 만일 선
진부가 진입(Engagement)되지 않았다면 움직이는 아두를 촉지할 수 있다. Cephalic
prominence가 사지 쪽에 있으면 아두는 굽혀져 있음을 의미하고, 등쪽에 있으면 신전되
어 있음을 의미한다.

(4) 4th maneuver

: 임신부의 발쪽을 보도록 돌아서서, 양손의 처음 세 손가락 끝을 이용하여 Pelvic inlet을
향하는 축의 방향으로 깊이 압력을 가하여 본다.

Cephalic prominence는 vertex presentation이면 사지가 존재하는 쪽에 존재하고, Face pre-
sentation이면 등쪽에 존재한다.

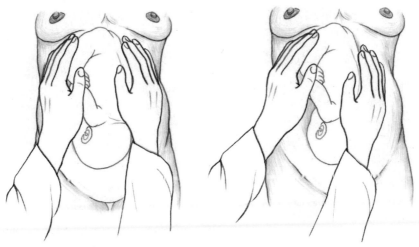

First maneuver   Second maneuver

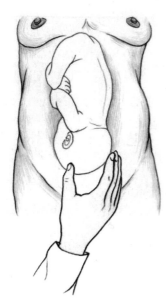
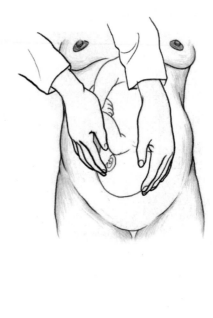

Third maneuver   Fourth maneuver

▶ Leopold's maneuver in LOA position

2. 내진(Vaginal examination)

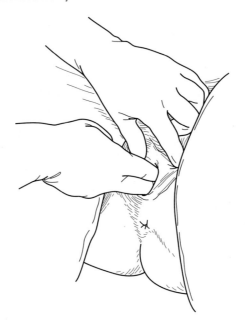

▶ Vaginal examination

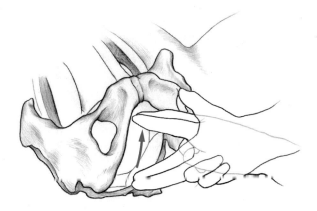

▶ Vaginal examination을 통한 Sagittal suture의 확인

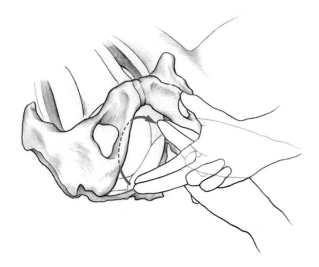

▶ Anterior & Posterior Fontanelle의 확인
(Anterior fontanelle – Diamond shape / Posterior fontanelle – Triangular shape)

1) Vertex presentation

: Suture 및 Fontanelle을 촉지함으로써 태향(position)과 여러 변종을 파악

2) Face presentation

: 안면의 여러 기관을 촉지

3) Breech presentation

: Sacrum과 Ischial tuberosity를 만짐으로써 태향을 정확히 판단

3. 청진

1) 태위에 따른 태아 심음 청진 부위

- Vertex breech presentation : Fetal back을 통하여 가장 잘 들린다.

- Face presentation : Fetal thorax를 통하여 가장 잘 들린다.

(1) Cephalic presentation

: 통상 임부의 배꼽과 Anterior superior iliac spine(ASIS)과의 중간지점

(2) Breech presentation

: Umbilicus level

(3) Occipito-Anterior position

: Midline 정중선 근처

(4) Transverse varieties

: 보다 측방에서 잘 청취

(5) Posterior varieties

: 임신부의 옆구리

4. 초음파

- 복벽이 딱딱하거나 비만의 임부에서 초음파는 진단에 어려운 문제들을 해결하고 Breech or Shoulder presentation을 조기에 발견가능

15 정상 진통과 분만

P o w e r   O b s t e t r i c s

I. 분만(Parturition)

: 출생에 관여되는 모든 생리학적 과정(분만의 준비, 분만 과정, 임신부의 분만 후 회복까지를
포함)

1. Uterine phase of Paturition

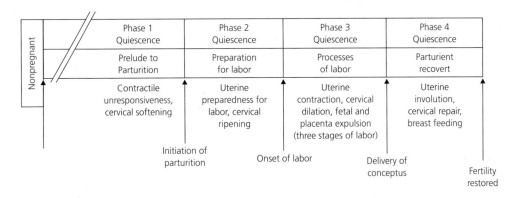

1) 분만의 제1단계 : 휴지기

- 자궁근육이 수축성이 없고 자궁 경부의 구조유지, 평활근이 자연적인 자극에 반응하지 않게
  하는 시기

2) 분만의 제2단계 : 분만진통준비기(자궁이 깨어나는 시기로 임신 마지막 6~8주)

(1) 자궁목 변화(cervical ripening : soften and dilatable)

① 염증세포의 침윤

② collagen breakdown & rearrangement of collagen fiber

③ glycosaminoglycan amount의 변화

: hyaluronic acid 급격히 증가하면서 수분 함량이 많아지고 dermatan sulfate가 감소

④ cytokines의 생산 : prostaglandin E_2, $F_2\alpha$ → cervical maturation 유도

(2) 자궁근육의 변화(무통성 자궁수축에서 잦은 수축으로)

① contraction-associated proteins (CAPs) 표현의 변화

② oxytocin 수용체의 현격한 증가

③ myometrial cell gap junction protein 수와 표면적 증가(예 : connexin-43)

Gap junction 형성의 조절 인자	
촉진 인자	억제 인자
1. Prostaglandin E_2 2. Thromboxane 3. Endoperoxane 4. Estrogen	1. Prostacycline 2. Progesterone

④ 자궁의 불안정성과 자궁수축제에 대한 반응성 증가

⑤ lower uterine segment 형성

→ fetal head가 Pelvic inlet으로 하강(lightening)

3) 분만의 제3단계 : 분만진통기

• 진통(labor) : 인간 임신의 최종 수 시간동안 자궁경관을 소실, 태아가 분만 되도록 하는 강한 자궁수축

• 분만진통의 3단계(3 stages of labor)

① 분만진통 제1기 : 경관확장기 - 완전 확장(10 cm)까지의 기간(latent + active phase)
자궁 수축의 빈도, 강도, 지속 시간이 충분히 이루어져, 자궁 경관의 소실(Effacement)과 점진적인 자궁경관이 확장되는 시기

② 분만진통 제2기 : 태아만출기 - 자궁 경관이 완전 확장된 이후부터 태아 분만까지의 시기

③ 분만진통 제3기 : 태반만출기 - 태아 분만 직후부터 태반과 태아막의 분만까지의 시기

cf) 분만진통 제4기 : 태반 만출 후 1시간까지의 시기

4) 분만의 제4단계 : 산욕기

• 임신부의 분만 후 회복과 유아의 생존을 위한 역할과 분만 후 수태력의 회복기(분만 후 6주)

•자궁 퇴축 : 4∼6주

•수유 시에는 Prolactin 분비에 의해 무배란과 무월경으로 임신이 되지 않는다.

2. 분만의 생리학적 및 생화학적 과정

1) 자궁 근육 수축과 이완의 조절

① 자궁근육 gap junction (connexin 단백질로 구성된 2개의 connexons으로 구성)

- metabolite, electrical, or ionic coupling 교류

② 세포표면 수용체 : 자궁 근육의 조절자

- G-protein-linked

- ion channel-linked

- enzyme-linked

• quiescence : adenylyl cyclase 활성

• contraction : phospholipase C 활성 & Ca^{2+} 증가

2) 자궁의 이완을 위한 보완계(a fail-safe system to maintain uterine quiescence)

• 분만 제1단계에서 자궁의 무활동성에 관여하는 요소들

a. 세포 내 수용체를 통한 estrogen과 progesterone의 작용

b. cAMP의 증가(세포 수용체 경유), cGMP의 생성

c. modification of cell ion channels

(1) 분만 1단계에서 estrogen과 progesterone의 작용

① Progesterone

- 임신의 유지에 있어서 황체호르몬의 역할은 입증할 수 없음

- gap junction protein 표현 방해

- 항황체호르몬(RU-486) 투여 시 : 세포간극의 조기 형성, 조기 진통유도

② estrogen

- progesterone 반응성 증진

- gap junction 형성

(2) 자궁을 이완시키는 heptahelical receptors

: β-adrenoreceptors, LH & hCG, Relaxin, CRH, PTH-rP, Prostaglandins, ANP & BNP &

cGMP

(3) 분만 1단계에서 자궁수축제의 파괴

- 생체 내에서 발생하는 자궁수축물질들이 progesterone에 의한 효소의 활성화로 파괴

예 : PG (PGDH), endothelins (enkephalinase), oxytocin (oxytocinase) in chorion

3) 분만 제2단계 자궁 활성도를 위한 보완계

(fail-safe system for uterine activation in phase 2 of parturition)

- 자궁수축제의 민감도 증가

- gap junction 통한 세포간 소통 향상

- 세포질 내 칼슘 농도를 조절하는 자궁근 세포의 능력변화

(1) 단지 혈중 내 classical progesterone withdrawl이 인간 분만을 유도하지 않고, progesterone의 antagonist인 RU 486이나 합성 효소인 3βHSD의 차단에 의해 분만이 유도된다는 증거는 있어, 기능적인 progesterone의 withdrawl이나 antagonism이 자궁의 quiescence 상태를 종결할 것으로 추정

(2) oxytocin 수용체

① estrogen : oxytocin 수용체 증가

② progesterone : oxytocin 수용체 감소

(3) relaxin : remodeling of extracellular matrix

(4) 분만시작에 대한 태아의 역할

① 자궁의 신장(예 : 쌍태아, 양수과다증에서 조기진통)

② H-P-O axis, placental CRH(예 : 무뇌아, 부신저형성증, 태반 sulfatase 부족에서 진통 지연)

4) 분만 제3단계 분만 진통을 이끌기 위한 보완계

(fail-safe system for ensure success of phase 3 of parturition)

(1) 분만진통에 대한 옥시토신의 주요 역할

① G-protein-coupled receptor를 경유함

② 분만의 개시보다 진통 제2기, 분만 직후, 수유기에 더 큰 역할을 함

③ 자궁퇴축을 조장하는 단백질(collagenase, MCP-1, IL-8, UPA) 수용체 mRNA 증가

(2) 분만진통에 대한 프로스타글란딘의 역할

① 분만과정에 PG가 관여한다는 증거

- 분만 중에 양수나 임신부의 혈청, 요에서 PG이나 그 대사산물이 증가
- PG을 투여하면 임신의 어느 기간이던 유산이나 분만진통을 유발
- PGE$_2$ 합성(PGHS-2) 억제제를 투여하면 분만을 지연시키고 때때로 조기진통을 억제
- 평활근의 수축을 유발

② PG 합성을 위한 자궁의 준비

③ 분만 진통에 관여하는 기타물질 : PAF, Endothelin-1, Angiotensin II, CRH

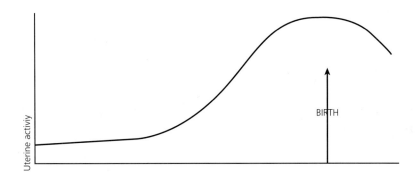

Phase 1 (Quiescence)	Phase 2 (Activation)	Phase 3 (Stimulation)	Phase 4 (Involution)

• Progesterone
• Prostacyclin
• Relaxin
• PGDH
• Nitric oxide
• hCG?
• CRH?
	• Estrogen
	• Progesterone
	  (nonclassic withdrawal)
	• Uterine stretch
	• Gap junction receptors
	• Relaxin
	• Hyaluronan↑
	• Changes in proteoglycan composition
	• Fetal signals (SPA, CRH)
	• Prostaglandins?
	• Cortisol?
		• Prostaglandins
		• Oxytocin
		• Relaxin
		• CRH?
		• Inflammatory cell
		  activation?
			• Oxytocin
			• Inflammatory cell
			  activation

3. 조기 진통(Preterm labor)

1) 조기분만의 원인

① 양막의 파수가 없이 자연적인 조기 진통이 있는 경우(50%)

자연적인 조기 진통이 일어나는 경우	
1. 자궁경부 이상(자궁경부 무력증)	8. 임신성 고혈압
2. 자궁(자궁 저부의 기형)	9. 임신부의 전신적 소모성 질환
3. 태아의 기형	10. 저체중 출생아의 분만기왕력
4. 다태 임신	11. 임신초기유산
5. 임신부의 심한 질병	12. 초임신부
6. 임신부의 화상	13. 흡연
7. 자가면역성 질환	14. 흑인

② 임신의 합병증으로 인하여 태아 및 임신부에 치명적인 손상이 예상되어 인위적으로 조기

분만을 해야하는 경우(25%)

③ Preterm Premature Rupture of Membrane (PPROM) (25%)

2) 자연 조기 진통의 3가지 원인

(1) 자궁 확장(예, ① 다태임신, ② 양수과다증)

- CAPs gene expression

- 태반-태아 내분비 cascade의 조기 활성화 → CRH와 E 증가

(2) 모성-태아 stress

- 모성-태아 stress 상황 : feed-forward endocrine cascade

stress → ACTH, cortisol (maternal & fetal) 증가 → CRH (placenta) 증가

→ fetal DHEA-S, cortisol 증가 → maternal E_3 증가 → 조기 진통

(3) 감염

• Bacteria에 의해 생성된 LPS (or 다른 toxin)가 탈락막의 탐식세포 등에서 Cytokine, 특히

IL-1β를 형성하여 PG분비를 촉진함으로써 조기 진통을 유발

II. Clinical course of Labor

1. 자궁 근육 및 자궁 경관의 변화

1) 자궁 근육의 변화

(1) 자궁 평활근의 특징

① 평활근육 세포의 수축정도가 골격근에 비하여 훨씬 크다.

② 평활근 세포의 수축시 생기는 힘은 어느 방향으로든지 전달되는 반면, 골격근 수축력은

근섬유 축으로만 전달된다.

③ 평활근은 골격근과 같이 기질화되어 있지않아 평활근은 더 짧아지고 강한 수축력을 낸다.

④ 자궁평활근에서 생기는 힘은 어느 방향으로든지 작용하여 태아의 위치나 선진부에 관계 없이 태아를 만출시킬 수 있다.

(2) 평활근 수축의 생화학적 변화

- Myosin, Actin, Ca^{2+}의 상호작용 → ATP hydrolysis → 근수축

- cAMP, cGMP는 Ca^{2+}을 감소시키고 자궁을 이완시킨다.

- 자궁 수축의 강도 = 20~60 mmHg(평균 40 mmHg) - 수축의 빈도, 지속시간, 강도 : 10분 → 1분, 30~90초(평균 1분), 20~60 mmHg(평균 40 mmHg)

(3) 자궁 수축 기전(myometium의 수축이 pain 유발하는 이유)

① 수축된 자궁 근육의 저산소증(협심증과 비슷한 기전)

② Muscle bundle에 의한 자궁 하부와 자궁 경부의 신경절 압박

③ Cervix의 Stretch (Furguson reflex) - 자궁 경관 확대 시 자궁수축 증가

④ Fundus를 덮고 있는 peritoneum의 Stretch

(4) 진통 시 자궁의 기능적 구분

- 진통 중 기능상 2부분으로 구분(Upper와 Lower의 경계 : isthmus)

① Upper uterine segment (Active segment)

: 진통이 진행됨에 따라 능동적으로 활발히 수축이 일어나는 부위로, 점차 두꺼워 진다.

② Lower uterine segment (Passive segment) = thinned-out isthmus

: 태아만출이 용이하도록 점차 수동적으로 확장되며 얇아짐

- 이 두 Segment 사이에 Retraction ring이 형성

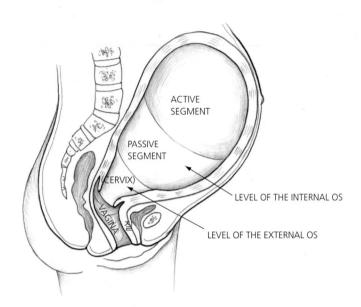

▶ the uterus at the time of vaginal delivery

● Retraction ring ☆

① Physiologic retraction ring

: Lower uterine segment는 점차 얇아지고, Upper uterine segment는 점차 두꺼워지면서, 두 segment의 경계부의 자궁 내 표면에 형성되는 함몰된 선

② Pathologic retraction ring (Ring of Bandl) ☆

• Lower uterine segment가 심하게 얇아져, Retraction ring이 비정상적으로 치골 상방으로 이동하면서 매우 뚜렷이 나타나는 것(골반 협착에 의한 난산이나 정상 횡위 태아의 진통 시 발생)

• 복부의 외견상 치골 상연과 배꼽 사이에 함몰된 수축륜(Abdominal indentation)을 관찰할 수 있다.

• Uterine Rupture가 임박했음을 시사하는 위험징후로서 즉시 C-sec delivery를 시행하여야 한다. ☆

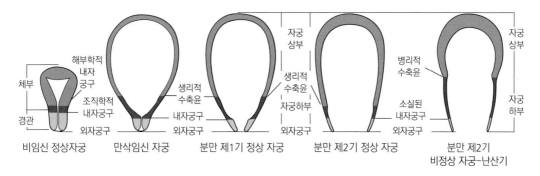

▶ Segment and Rings in the Uterus

(5) 자궁형태의 변화

- 자궁 수축 시마다 자궁의 직경은 감소되면서 자궁이 길쭉해져 원래 길이보다 5~10 cm 길어짐(Elongation of Uterus).

- 자궁의 Elongation이 분만에 미치는 영향

① Fetal axis pressure 형성

② 팽팽해진 Longitudinal fiber에 의해 자궁하부와 자궁경관이 위로 당겨 올라가게 되어 자궁경관 확장

2) 자궁 경관의 변화

(1) 진통 시 자궁 경관의 변화

① 자궁 경관의 소실(Effacement) : 임신 중 2 cm 두께에서 종이장같이 얇아지는 과정(%)

- 막의 정수압이나 태아 선진부의 압력을 받음

② 자궁 경관의 확장(Dilatation) : 자궁 경관이 10 cm 정도 열려야 완전 확장이라고 함

- 경관확장의 기전

a. Amniotic sac의 Hydrostatic pressure

b. Membrane rupture 후 Presenting part의 압력

c. Fetal axis pressure

- 자궁수축 동안에 자궁 경관에 원심성으로 당기는 힘 : 자궁체부에 비해 자궁하부와 경관은 저항이 적은 곳이므로 자궁 경관이 팽창(cm or finger)

- 막의 정수압이나 또는 태아 선진부의 압력이 경관을 확장시킴

→ 소실과 확장의 결과 양막의 forebag 형성(임상적으로 의미가 있음)

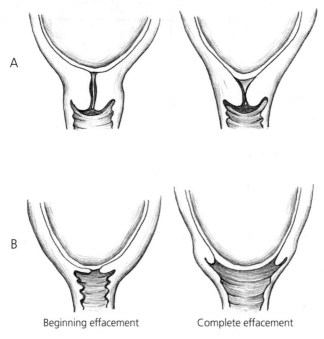

Beginning effacement   Complete effacement

▶ **Effacement of Cervix**

- A - Primigravid(초임부) : Effacement된 후 Cervical dilatation
- B - Multipara(경산부) : Cervical dilatation 후 Effacement

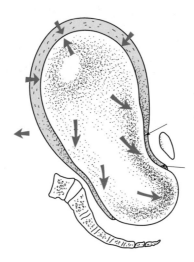

▶ **Hydrostatic action of membranes at full cervical dilatation**
(E.O = external os; I.O = internal os)

2. Three Stage of Labor

- 분만 중 Uterine phase 2는 다음과 같이 3기로 나눈다.

1) 1기(First stage of Labor)

- 자궁 경부가 완전 확장(10 cm) 될 때까지의 기간

  즉, 자궁 수축의 빈도, 강도, 지속 시간이 충분히 이루어져 자궁 경관의 소실(Effacement)과 점진적인 자궁 경관이 확장되는 시기

2) 2기(Second stage of Labor)

- 태아 만출기 : 자궁 경관이 완전 확장된 이후부터 태아 분만까지의 시기

3) 3기(Third stage of Labor)

- 태반 만출기 : 태반 분만 직후부터 태반과 태아막의 분만까지의 시기

  cf) 4기(Fourth stage of Labor)

- 태반 만출 후 1시간까지의 시기

  - 태반만출 후 자궁은 저절로 수축되고 자궁체부는 배꼽 바로 아래까지 내려옴

분만 과정의 평균 시간				
	1st stage	2nd stage	3rd stage	Total
초임부 경산부	8 hrs 5 hrs	50 min 20 min	5 min 5 min	9~14 hrs 5.5 hrs

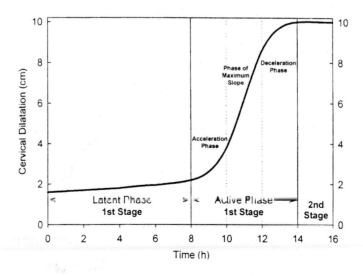

▶ Friedman curve

3. 1st & 2nd stage of Labor

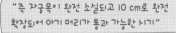
"즉 자궁목이 완전 소실되고 10 cm로 완전 확장되어 아기 머리가 통과 가능한 시기"

1) 경관 확장의 양상에 따른 분만 1기의 분류

(1) Latent phase(잠복기)

① 자궁 경관 확장은 미미하다.

② Duration - 개인차가 많고, 외인적 요인에 영향을 받는다.

(진정제 투여 시 기간이 길어지고 옥시토신같은 자궁수축제 투여 시 짧아진다.)

즉, Latent phase의 기간은 분만 진행에 큰 영향이 없다.

(2) Active phase(활성기)

• 자궁 경관 확장이 본격적으로 시작되는 시기 : 최소 4 cm 경관 확장 시 active labor라 확실히 진단할 수 있음

• 활성기의 진행 양상은 전체 분만 진행의 결과를 예측할 수 있는 지표가 된다.

● 3 phase

① Acceleration phase(가속기) : 경관 확장이 활발히 시작되어 4 cm 정도 확장될 때까지

② Phase of Maximum slope(절정기)

③ Deceleration phase(감속기)

2) 진통의 기능적 분류(진통 1기 + 진통 2기)

(1) Preparatory division(준비기)

• Latent phase + Acceleration phase of active phase

• Sedatives, Conduction analgesia에 민감한 시기

• Collagen과 같은 Connective component의 현저한 변화

(2) Dilatational division(경관 확장기)

• Phase of Maximum slope

• Sedatives, Conduction analgesia에 영향을 받지 않는 시기

(3) Pelvic division(골반기)

• Deceleration phase + second stage

• 태아의 Cardinal movement가 나타나는 시기 ☆

- 초임부의 경우 자궁경부가 7~9 cm 열렸을 때 하강 시작임

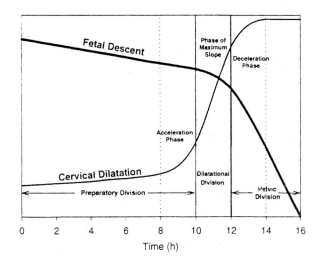

▶ Friedman c

4. 3rd stage of Labor (Phase of Placental separation) : 태반만출기

- 정상분만 후 자궁은 자연히 수축되어 자궁내강이 위축되어 거의 오므라들며 자궁은 하나의 단단한 근육덩어리로 되고, 자궁체부는 배꼽 바로 아래까지 내려옴
- 태반의 분리 부위 : Decidua층 중에서 제일 약한 부위인 Spongy layer, 수축된 자궁의 면적차 때문에 박리

  (cf. 3 layer of decidua : Compactica, Spongiosa, Basalis)

- 태반만출의 기전

태반 만출의 기전		
	Schultz's mechanism	Duncan's mechanism
1. 태반박리 2. 산도출혈 3. Bleeding 4. Membrane Detach	Central부터 Fetal sufrace부터 나옴 Sudden gush, 태반만출 후 끝에 일어남	Peripheral부터 Maternal surface부터 막과 자궁 틈에서 질쪽으로 처음에 일어남

*분만과정의 평균시간

초임부 - 1st, 2nd (9 hrs) 2nd (50 min) 3rd (5 min)

경산부 - 1st, 2nd (6 hrs) 2nd (20 min) 3rd (5 min)

III. 후두위의 정상 분만 기전

- 골반이 태아두 들어갈 때 position LOT (40%) > ROT (20%) > OA > OP (ROP > LOP)

1. 후두위 분만 시의 기본 운동

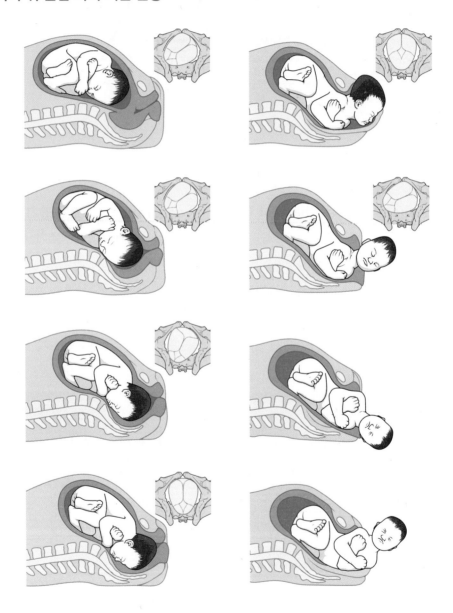

▶ 진입(Engagement) → 하강(Descent) → 굴곡(Flexion) → 내회전(Internal rotation)→ 신전(Extension) → 외회전(External rotation) → 만출(Expulsion) 진하굴 내신외만

- 대체로 태아두가 골반저에 도착할 때 내회전 완성

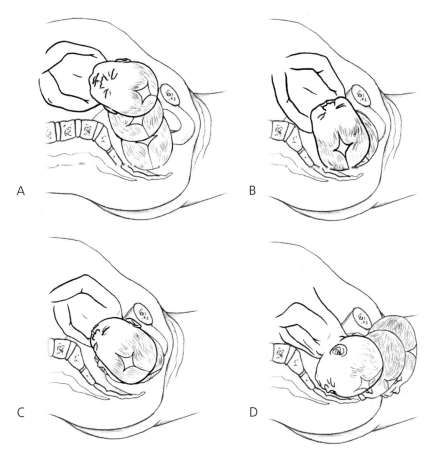

▶ Mechanism of labor for the left occiput transverse position, lateral view
A: Engagement B: posterior asynclitism at the pelvic brim followed by lateral flexion, resulting in anterior asynclitism
C: After engagement, further descent D: Rotation and extension

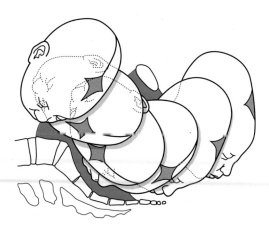

▶ Mechanism of Labor for Left occiput transverse position

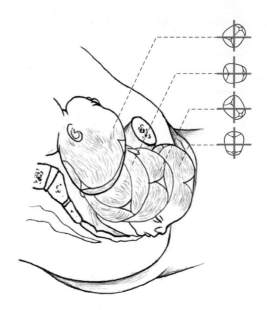

▶ Mechanism of labor for right occiput posterior position, anterior rotation

5) 신전(Extension)

- 신전을 일으키는 힘

(1) 자궁 수축력 : post 쪽으로 작용

(2) 골반저와 symphysis의 저항력 : ant. 쪽으로 작용

→ 후두위가 symphysis의 아래쪽 margin에 접하게 되고 후두위, bregma, 이마, 코, 입, 턱이 순차적으로 분만됨

6) 원상회전(Resititution)과 외회전(External rotation)

(1) 원상 회전

: 내회전이 일어나기 전 태향을 향해 좌측 또는 우측으로 저절로 외회전

(2) 외회전

: 몸통의 biacrominal diameter와 산모의 내골반 전후직경이 평행하여 태아의 한쪽 어깨가 symphysis 하방에 놓임

7) 만출(Expulsion)

: Anterior shoulder → Posterior shoulder → Body 순서

2. 아두형태의 변화 ☆

1) 산류(Caput succedaneum)

　(1) 정의

　　• Prolonged labor 때 Cervix가 완전히 이완되기 전에 Cervical os 바로 위에 놓인 Fetal Scalp 에 Swelling이 형성된 것(Head가 Cervical Canal 내에 눌려서)

　(2) 발생 부위

　　① LOP - Right Parietal Bone의 상후방

　　② ROP - Left Parietal Bone의 상후방

　(3) 경과

　　: 출생 후 점차적으로 크기가 줄어들며 대개 24~36시간 이내에 완전히 소실된다(→ 수일간 관찰 후 다른 조치 취할 것인지 결정).

2) 소형(Molding)

　(1) 정의

　　: 질식 분만 시 분만부의 골반크기와 형태에 적응하여 아두의 모양이 변화하는 것

　(2) 기전

　　• Fetal Skull Bone들이 단단하게 Union되지 않고 있기 때문에 Labor 때 Suture Line에서 Movement가 생기는 것

　　• 대개 Occipital Bone이 Parietal Bone의 Margin 밑으로 밀려들어가거나, Anterior Parietal Bone이 Posterior Parietal Bone을 Overlapping 함

　　• Molding으로 인해서 Biparietal Diameter (BPD)와 Suboccipitobregmatic diameter가 0.5~ 1.0 cm까지 줄어들 수 있으며, 자연분만에서는 그 이상까지 줄어들 수 있다.

　　※ 두정골의 겹침이 일어나는 것은 아니다.

3) 기형(malformation)

　• 정의 : 비정상적으로 발생하도록 예정된 것으로 본질적으로 유전적으로 비정상적인 경우, 대부분이 출생경험에서 나타난다.

4) 변형(deformation)

　• 정의 : 유전적으로 정상이나, 자궁환경에 의한 물리적 힘으로 인해 비정상적 모양으로 발달한다.

　　(예 : 지속된 양수 과소증에 의해 구축이 발생한 경우)

5) 파열(disruption)

- 정의 : 형태와 기능이 심한 변화를 일으키는 경우로, 유전적으로 정상조직이 특정한 손상에 의해 변형된 것이다(예 : 임신 초기의 양막의 파열로 인한 하지의 결함으로 나타난다).

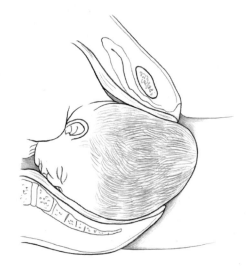

▶ Caput succedaneum

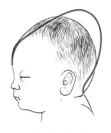 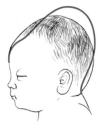 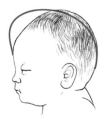 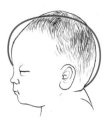

| Anterior Occiput | Posterior Occiput | Brow | Face |

▶ 태위에 따른 Molding

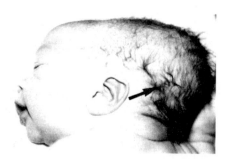

arrow: caput succedaneum

▶ Molding of the head and caput formation in a recently delivered newborn

IV. 정상진통과 분만의 관리

1. 입원 시 확인사항

1) 분만 진통의 확인

	True labor pain(진성진통)	False labor pain(가진통)
1. Interval	규칙적 점차 짧아짐	불규칙적 계속 길게 유지됨
2. Intensity	점차 증가	변화없이 같음
3. Site of discomfort	등과 복부	하복부
4. Cervix	확장 O	확장 X
5. Sedation에 대한 반응	완화되지 않음	완화됨

2) 입원 시 태아 감시의 방법 ☆

(1) 자궁수축검사(Contraction Stimulation Test, CST)

(2) 비수축검사(Non-Stress Test, NST)

3) 내진을 통하여 파악되어야 할 사항

(1) 양수

(2) 자궁 경관

• 자궁 경관의 소실 평가 : 정상 자궁 경관과 비교하여 소실된 정도를 %로 표시

e.g.) 정상 자궁 경관의 길이 : 2 cm → 1 cm로 줄어든 경우(50% 소실되었다)

(3) 태위

(4) 선진부의 하강 정도

● Station ☆

• 좌골극(ischial spine)을 기준으로 상하 3등분(-3~+3)

① 태아 선진부가 Pelvic Inlet에 닿을 때 -3

② 태아 선진부가 Ischial Spine선상일 때 0 (Engaged)

③ 태아 선진부가 Pelvic Outlet에 닿을 때 +3

• 그 사이는 상방으로 -2, -1, 하방으로 +1, +2

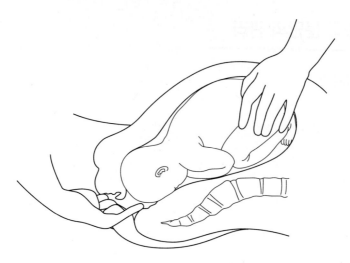

▶ 아두 진입 여부를 알기 위한 Müller-Hills maneuver

(5) 양막파열의 인지 ☆

- Membrane Rupture 시 임상적인 의의

  ① Engagement 되기 전에 Rupture는 Cord의 Prolapse, Cord Compression 위험(+)

  ② 곧 Labor가 시작된다.

  ③ Rupture 후 24시간 이상 Fetus가 자궁안에서 내려오지 않은 경우 Intrauterine Infection 위험

- 양막 파열의 검사법

  ① 질 내 산도측정

  - 정상 pH : 정상 질내 pH 4.5~5.5

    정상 양수 pH 7.0~7.5

  - 방법 - 나이트라진 검사법(nitrazine test)

  ② 자궁경관 점액의 Ferning Pattern의 확인

  ③ 양수 내 태아세포에 대한 Nile Blue Sulfate 염색법

  ④ 양수가 의심될 경우 Glucose, Fructose, Prolactin, α-Fetoprotein, Diamine oxidase 검출

  ⑤ 진단이 불분명할 경우 Evans Blue, Methylene Blue 또는 Fluorescein등의 Dye를 복부 양수천자를 통하여 양막 내 주사하여 확인

  ⑥ Direct Visualization with Speculum → pooling in post. fornix, passing fluid

● PROM 때 먼저 direct visualization with speculum을 통해

① leakage를 확인하고

② Nitrazine test를 시행

Nitrazine test의 색상 변화 ☆			
Membrane rupture		**Intact membrane**	
청-녹색	(pH : 6.5)	황색	(pH : 5.0)
청-회색	(pH : 7.0)	올리브-황색	(pH : 5.5)
짙은 청색	(pH : 7.5)	올리브-녹색	(pH : 6.0)

2. 분만 제1기의 관리

1) 분만 진통 중 태아 감시

: 태아 심박동과 자궁 내압을 정기적으로 기록하여 자궁 수축의 빈도, 강도, 기간 및 수축에 대한 태아 심박동의 반응을 평가

(1) 태아 심박동수의 감시 ☆

- 자궁수축 직후에 태아 심박동수의 변화 청진

- 정상 FHR : 120~160회/분

- 1st Stage에서 Fetal Heart Rate로 Fetal Distress측정

  ① Suggest → Contraction 후 Fetal Heart Rate가 110/min미만

  ② Diagnostic Sign of Fetal distress → Contraction 후 Fetal Heart Rate가 100회/분 미만

  : 즉, 만일 1분에 100회 미만의 심박동이 있었다면, 다음 수축 전에 120~160회로 회복되더라도 태아곤란증은 거의 확실

- 분만 제1기 동안 어떠한 이상이 없으면 적어도 30분마다 수축 직후에 태아 심음을 관찰한다. ☆

태아 심음의 관찰 간격 ☆		
	분만 1기	**분만 2기**
저위험군	30분	15분
고위험군	15분	5분

· 평가 방법
① Intermittent auscultation
② Continuous electronic monitoring

(2) 자궁 수축의 평가

- 자궁 저부에 손바닥을 놓고 수축 시작 시간 및 수축의 강도를 측정하여, 수축이 최고에 달하여 수축이 사라지는 시간을 평가

- 자궁 수축의 평가 - 단단한 정도 또는 눌렀을 때의 저항 정도를 보고 평가하는 것이 가장 좋다.

2) 진통 중 임신부 감시 및 처치

(1) 진통 중 임신부의 자세 : 침대에서는 가능한 한 편한자세 → <u>측와위가 좋다.</u>

(2) 계속적인 내진 2~3시간 간격

(3) 진통제

- 자궁경부가 최소한 2 cm 확장되었을 때, 임신부의 불편감과 자궁수축 유형에 근거하여 사용

(4) 임신부의 활력징후

- 분만실에서 1~2시간 간격으로 체온과 맥박 측정

- 양막파열이 18시간 이상이면 Group B Streptococci에 대한 예방적 항생제를 투여해야 한다.

(5) 인공 양막파열(Amniotomy)

① 이점 ☆

　　a. 진통이 빨라진다.

　　b. 태변 착색을 조기에 발견할 수 있다.

　　c. 태아감시를 위한 전극을 연결할 수 있고(Internal Monitoring), 자궁 내에 도관의 삽입 이 용이하다.

② 주의점

　　a. 반드시 Aseptic Technique을 써야 한다.

　　b. Fluid가 갑자기 많이 빠져나가 Umbilical Prolapse가 되지 않도록 Fetal Head가 Dislodge 되어선 안 된다.

(6) 식사

- 분만진통 중이나 분만 시에는 물과 음식물 제한

(7) 방광 팽만 방지

3. 분만 제2기의 관리

1) 분만 제2기의 확인

① Bearing Down Sensation

② 선진부의 하강(태아 아두가 질 입구에서 보인다.)

③ Defecation Sensation

2) 태아 심박동수의 감시(매 15분마다 감시, 단, high risk는 5분마다 감시)

- 태아 심박동수의 변화를 살피고, 감소하는 경우 그 원인을 파악해야 한다.

- 2nd Stage 동안 태아 심박동수가 감소되는 원인

① 아두의 압박(Early deceleration)

② 태반혈류의 감소(Late deceleration)

③ 제대 혈류의 폐색(Variable deceleration)

4. 분만 방법

1) Fetal Head의 분만 방법

- Crowning : Fetal head가 만출되면서 Vaginal outlet과 Vulva가 늘어나 Fetal head를 둘러싼 형태

(1) 회음 절개

- 반드시 시행해야 하는가에 대해서는 Controversy

- 고려사항

① 시행하지 않을 경우 Urethra, Labia의 파열이 더 흔하다.

② 시행할 경우 회음부 손상은 막을 수 있으나, External anal sphincter, Rectum의 파열이 더 흔하다(Midline incision의 경우).

▶ Midline episiotomy

2) 리트겐 수기(Modified Ritgen maneuver)

- 분만 시 Fetal Head의 Extension을 보조적으로 도와주는 것으로 Contraction 시 Head의 Diameter가 5 cm 보일 때 시행한다.

- 방법

  : Anus와 Perineum 쪽에 Towel을 놓고, 한 손으로는 Fetus의 Chin에 Forward Pressure를 가하고, 다른 손으로는 Suboccipital Area가 Symphysis에 닿도록 위로 힘을 가하면 Head가 Extension 된다.

- 태아 아두의 가장 작은 직경이 질 개구부를 통해 분만되도록 하는 술기

  : A-P diameter (12 → 9.5 cm)

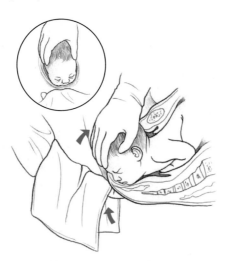

▶ Modified Ritgen maneuver

2) Fetal Shoulder의 분만 방법

(1) 분만 전 조치

　: 두정부를 임신부 대퇴의 어느 한쪽으로 즉시 돌려주어 아두를 Transverse position으로 취

　하게 한다(External rotation).

　즉, Pelvis 내에서 Bisacromial diameter가 전후로 위치하게 한다.

(2) Shoulder의 분만 방법

　• 대부분은 External rotation 후 저절로 만출

　• 즉각적 만출이 필요한 경우의 시행 방법

　　① Head의 양쪽을 두손으로 잡고, Pubic arch 하방에서 Anterior shoulder가 나올 때까지

　　영아의 장축방향으로 부드럽게 Down traction

　　② 다음 Upward movement 시켜 Posterior shoulder를 delivery

　• 손가락을 액와에 걸고 당기는 것은 피해야 한다(상지 외상) - 예. Erb palsy (C5-6).

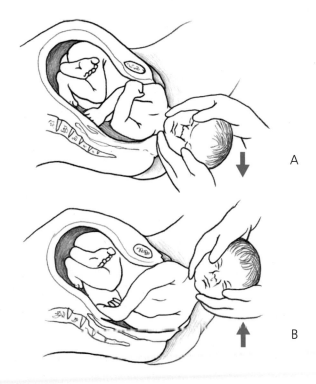

▶ Method for Delivery of Shoulder

A. Gently downward traction to bring about descent of Anterior shoulder
B. Delivery of Anterior shoulder completed; Gently upward traction to deliver the Posterior shoulder

3) Cord clamping(제대 결찰)

cf) Umbilical cord의 평균 길이 - 37 cm

(1) Cord clamping time

- 정상적인 조건에서는 제대 결찰의 시기가 중요하지는 않다.
- 대개 빠른 제대 결찰이 부작용을 줄여주지만, 약간 지연시킴으로써 다음과 같은 장점을 얻을 수 있다(태반 수혈).
  → 태아가 만출된 후, Cord를 clamping하지 않고 태아를 질의 위치보다 하방에 위치시키면, 약 100 mL의 혈액이 태아로 이동 → Iron-deficiency anemia를 줄일 수 있다.
    - 태반수혈을 피해야하는 경우 : maternal alloimmunization, 태아발육부전(volume 과잉)

(2) Cord clamping 방법

: 태아복부 6~8 cm 상방에서 Clamp로 잡아 두 Clamp 사이를 자르고, 다음에 복부에서 2~3 cm에 정식으로 제대결찰을 한다.
- 결찰 후 동맥과 정맥의 수를 확인한다(정상 A_2LV_1).

5. 분만 제 3기의 처치

- 분만 직후 Uterine fundus의 높이와 자궁 수축 정도를 확인한다.
- 자궁이 견고하게 수축되어 있고, 비정상 자궁 출혈이 없으면, 태반이 자연적으로 배출될 때까지 기다린다.
- 자궁 마사지는 하지 않는 것이 좋다.

1) 태반 분리의 징후 ☆

(1) Uterus가 Globular Form and Firmer(가장 초기 징후)

(2) 간혹 갑작스런 출혈이 있을 수 있다(Sudden Gush of Blood, 가장 중요).

(3) Uterine Fundus의 상승

(4) Umbilical Cord가 Vagina 밖으로 더욱 protrusion

2) 태반의 분만

(1) 태반이 분리되면 우선 자궁 수축이 양호한가 확인해야 한다.

(2) 산모에게 하복부에 힘을 주게 하여 복압을 증가시키면 도움이 될 수 있다.

(3) 자궁체부에 압박을 가하고, 자궁을 임신부머리 쪽으로 밀어올리면서 제대를 약간 팽팽하게
하여 견인한다(반드시 태반 분리 후 시행해야 함).

- 태반이 분리되기 전에 제대 견인으로 자궁 속의 태반을 자궁 밖으로 당겨 내는 술식은 절
대 금기 ☆

  → 자궁내번증(Uterine inversion)으로 치명적인 출혈 초래

- 태반용수제거술(Manual Removal of Placenta)

  : 태반 만출이 이루어지지 않으면서 급격한 출혈이 동반되는 경우 시도

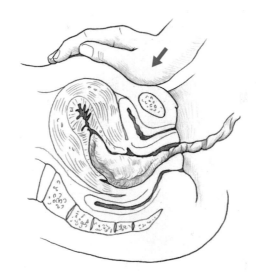

▶ Expression of Placenta

6. 분만 제4기의 처치

- Placenta Delivery 후 1 hr

(1) 태반, 양막, 제대 등의 기형 유무에 대해 철저히 조사

(2) 자궁 수축 여부 확인

  ∵ Uterine Relaxation의 결과로 Postpartum Hemorrhage가 가장 흔히 일이나는 시기

7. 분만 시 출혈의 처치(자궁수축제)

- 지혈의 기전 - 자궁근 수축에 의한 혈관수축

Oxytocic Agents
① Oxytocin ② Ergonovine maleate (Ergotrate) ③ Methylergonovine maleate (Methergine) ④ Prostaglandin F_2, E_2 ⑤ Hypertonic saline

1) Oxytocin

- 혈관 주입해야 한다(경구투여는 효과가 없다).

- 반감기 3~6분

Oxytocin 사용 시 일반적 고려사항

A. 분만 촉진을 위한 사용시 고려사항
  1. False labor가 아니어야 한다.
  2. High parity의 경우 Uterine rupture의 위험이 있으므로 가급적 투여를 피한다
  3. Dead fetus의 경우 다른 조건이 괜찮으면 사용 가능하다.
B. 분만 3기때는 지혈을 목적으로 한다.

- Oxytocin의 약리적 효과 ⭐

(1) Hypotension (bolus 주입 시)

- 주의해야 할 상태- Hypovolemia, 심박출량이 제한받는 심장병, Right-to-Left shunt

→ 이 때는 희석된 용액으로 정맥주입 or 10단위 IM

(2) 항이뇨작용(Antidiuretic effect) ⭐

: 분만 후 Oxytocin 중단에 의해 이뇨 작용이 나타나므로, 임신부의 Bladder atony 시 주의해야 함

→ 비뇨기 감염 발생 - oxytocin 용량을 높여야한다면 주입속도를 높이기보다 농도를 높일것.

2) Ergonovine & Methylergonovine

① 강직성 수축 효과는 산후 출혈의 예방 & 치료에 유효하나 분만 전 태아와 임신부에게는 위험

② Side Effect : 일시적 중증 고혈압, 심한 혈관 수축, 심장정지(해독제 : sodium nitroprusside)

  - 고혈압 환자의 산후 출혈 시 ergonovine 금기

③ 주사용, 경구용

(Midline의 경우는 통증이 감소되나, Mediolateral은 통증 시 수일간 지속)

• 또한 항상 시행해야 하는 것은 아니다.

• 조산아일수록 두개내 출혈 가능성이 높기 때문에 회음 절개가 필요하다.

※ 그러나 최근에는 이 모든 이점이 없는 것으로 여겨져 항상 시행해야 하는 것은 아님

2) 회음절개의 시기

• 자궁수축 시 질 개구부를 통해 Fetal Head의 Diameter가 3∼4 cm 보일 때

3) Median & Mediolateral Episiotomy의 비교

Midline versus Mediolateral Episiotomy ☆		
	Midline	**Mediolateral**
1. Surgical repair	Easy	More difficult
2. Faulty healing	Rare	More common
3. Postoperative pain	Minimal	Common
4. Anatomical result	Excellent	Occasionally faulty
5. Blood loss	Less	More
6. Dyspareunia	Rare	Occasional
7. Extension to anal sphinter	**Common**	**Uncommon**

cf) extension : 3∼4도 열상이 일어난 경우

4) Mediolateral Episiotomy의 Indication

① 태아가 클 경우

② 아두의 태향이 후방후두위일 때

③ 중위겸자 사용 시

④ 둔위분만

5) 회음절개의 복원 시기

• 태반만출 완료 후

6) 회음절개 후 동통의 관리

① Heat lamp 사용

② 얼음 주머니

③ 국소마취제가 함유된 Aerosol spray

④ 진통제 - Codeine

• 동통이 심하거나 지속되면 혈종, 농양 형성 유무 관찰, lidocaine 연고는 효과 없음

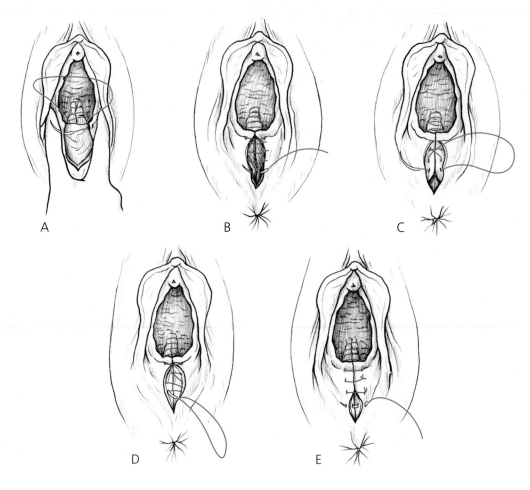

▶ Repair of midline episiotomy

A: close the vaginal mucosal and submucosa

B: close the fascia and muscle of the incised perineum

C: unite the superficial fascia

D: completion of repair (1)

E: completion of repair (2)

산욕기

Power Obstetrics

I. 산욕기의 개관

1. 정의

- 분만 후 첫 6주
  - 이 기간 동안에 생식기가 정상적인 비임신 상태로 회복

2. 비뇨 생식기의 복구

1) Uterus

① 분만 직후 : 자궁 저부는 배꼽 바로 아래

② 분만 1주 : Endometrium epithelium의 재생 시작

③ 분만 2주 : Uterus가 True pelvis로 내려감

④ 분만 3주 : Entire Endometrium regeneration(자궁 내막의 완전한 재생 ☆)

   회음 절개 부위의 치유, Ovulation도 시작됨

⑤ 분만 4주 : Uterus의 크기 회복(임신 전의 자궁 크기)

⑥ 분만 6주 : Placenta의 완전 퇴축 → 태반 착상 부위가 완전히 압출된다(extrusion).

   (태반 부착부 탈락은 경색, 괴사된 표면 조직의 벗겨짐으로 일어남)

2) Vagina

: 처녀막 흔적(Hymenal caruncle)이 남음

3) Urinary bladder

: 용량이 증가되고 방광 내 압력에 대해 상대적으로 둔감

→ 과도한 팽창, 불완전 배뇨, 과다 잔뇨가 흔하다.

- 분만한 모든 산모를 주의깊게 관찰하고, 배뇨장애 시 즉시 도뇨시키면 대부분의 방광 문제는 해결

- ●방광 무력증(Bladder hypotonia)의 예방

  : 지연 진통(Prolonged labor)을 피하고, 방광 팽창 시 즉시 도뇨

- ●요실금(Urinary incontinence)

  : 7%에서 발생, 1년 뒤에도 존재하는 경우는 50% 이하. 질식 분만 동안 요도 주위 근기능의 장애 때문

4) blood

① 진통 시, 진통 후에 백혈구와 혈소판의 현저한 증가가 나타날 수 있음

② 분만 1주 - 임신 전 혈액량으로 복귀

③ 분만 8~10주 - 심박출량의 복귀

5) 체중 감소

① 분만당시 : 5~6 kg 소실

② diuresis로 2~3 kg 소실, 그 후 일주일 약 2 L의 sodium space 감소

③ 3개월 동안 주당 0.5 kg 감소, 그러나 분만 6개월 뒤에도 임신 전보다 약 1.4 kg 더 나감

6) hCG : 분만 후 처음 반감기 – 4.75시간, 이후 32.3시간, 혈중 사라짐 – 14일(유산 37일)

3. 수유

1) 초유(Colostrum) : 진한 yellow color

- 분만 후 2일째부터 약 5일간 지속

- 함유 물질 : IgA, Complement, Macrophage, Lactoferrin, Lactoperoxidase, Lysozyme

- high protein & mineral, low fat & carbohydrate

2) 유즙(Milk) : 600 mL/day

- 함유 물질

  ① 단백질 : α-Lactalbumin, β-Lactoglobulin, Casein

  ② Interleukin-6 (contained in milk serum of whey)

  ③ prolactin

④ Epithelial growth factor - 장점막의 성장, 성숙 촉진

⑤ Lactose, fatty acid

⑥ 유즙에는 비타민 K가 부족

→ 분만 직후 신생아에게 비타민 K를 근주하여 신생아 출혈성 질환 예방

• 방사선 무기물

: 유즙으로 분비되므로 수유부에게 금기

• 경구 피임약

: 모유량을 감소시키므로 수유 여부가 결정될 때까지 중단

→ 수유로 인한 유두의 반복자극은 oxytocin 분비를 촉진시켜 자궁수축을 증가시켜서 자궁의 퇴축을 촉진시킨다.

• 모유 수유의 금기증

: street drug, alcoholics, galactosemia, HIV 감염, 치료하지 않은 활동성 폐결핵, 특정 약물 복용, 유방암 치료 중

→ HBV infection, CMV infection, Mastitis는 모유수유의 금기증은 아니다.

• 유방과 유두의 처치

① 수유 전후에 유두 주위 청결 유지(물과 약한 비누 사용이 도움)

② 유두가 과도하게 자극된 경우 24시간 이상 nipple shield

③ 유두가 내번 또는 함몰된 경우 임신 중 미리 손가락을 이용하여 가볍게 당김, 착유기

④ 젖꼭지 균열 : 세균감염의 입구로 작용, nipple shield, 코티손 연고 사용, 치료되지 않으면 완전히 낳을 때까지 수유 금지하고 유즙기로 짜냄

④ 수유를 원하지 않는 산모는 냉찜질과 진정제를 12~24시간 투여하고 유즙분비 억제약물을 사용하기보다는 유방을 탄력 붕대로 묶는다.

모유 수유시 금기인 약물	
Drug	**Effect**
1. Bromocriptine	Lactation 억제
2. Cocaine	Cocaine 중독 유발
3. Cyclophosphamide, Cyclosporine, Doxorubicin	면역 억제
4. Ergotamine	태아에게 구토, 설사, 경련 유발
5. Lithium	소량에서도 태아에 부작용 유발
6. Methotrexate	면역 억제 가능, Neutropenia
7. Phencyclidine (PCP)	Maternal hallucinogen
8. Phennidione	Anticoagulant – 태아의 PT, PTT 연장

• 모유로 분비되는 약물

① 남용 약물로서 사용 금기인 약물

: Amphetamine, Cocaine, Heroin, Marijuana, Nicotine, Phencyclidine, Lysergide (LSD)

② 방사능을 포함한 약물

: ^{67}Gallium, ^{111}Indium, ^{125}Iodine, ^{131}Iodine radioactive sodium, ^{99}Technetium

③ 확실하지는 않으나 영향을 미친다고 생각되는 약물

: Psychotropic drug, 항불안제, 항우울제, 항정신성 약물, Chloramphenicol, Metoclopramide, Trinidazole

④ 수유 중인 엄마에게 약물치료가 꼭 필요한 경우에는 같은 계통 중 가장 안전한 것을 선택하고, 수유 영아에 위험을 초래할 가능성이 있는 경우-영아에서 혈중 농도 측정

4. 산욕기의 임상적 측면

1) 체온

① Milk fever

: Breast engorgement - 유즙분비가 시작된 처음 24시간 동안 유방이 확장되고 단단하고 nodular 해지면서 일시적 체온 상승(37.8~39℃)이 있는 것(생리적 현상이며 림프절 비대가 아님!!)

• 분만 3~4일 후에 유방 종창에 의해 발생하며, 생리적인 것

• 24시간 이상 지속하지는 않는다.

② 산욕기 동안 발열이 있는 경우 대개 감염을 의미하며, 비뇨생식기 감염이 가장 많다.

2) 산후통(Afterpain)

① 자궁의 간헐적 수축에 의해 발생(다산모 > 초산모) → 분만 3일 후에는 약화

② 수유시에 oxytocin 분비에 의해 pain이 더 심화 될 수 있음

3) 오로(Lochia) ☆

• 산욕 초기에 자궁에서 배출되는 배설물(적혈구, 탈락막, 상피세포, 세균 등으로 구성)

• 분만 후 4주까지 지속되고 8주까지 될 수 있음

① 분만 후 첫 수일간 - 적색 오로(Lochia rubra)

② 분만 3~4일 후 - 장액성 오로(Lochia serosa)

③ 분만 10일 후 - 백색 오로(Lochia alba) : 백혈구를 포함

4) Urine

- 정상 임신 때 증가된 세포외액이 산후에는 이뇨 작용에 의해 회복(∵산후 1주 이내에 AVP 농도의 급증)

5) Blood

① 진통 시, 진통 후에 백혈구와 혈소판의 현저한 증가가 나타날 수 있다.

② 분만 1주 - 혈액량의 회복

③ 분만 2주 - 심박출량의 회복

6) 체중 감소

- 유발 요인 : 임신 중 체중 증가, 초산부, 직장 조기 복귀, 흡연(수유, 연령, 결혼 상태와 무관)

5. 산욕기의 모성 간호

1) 진통 후의 처치

① 분만 후 1시간 동안 15분마다 주기적으로 혈압과 맥박 측정하며 숙련자가 대기

② 출혈량 점검

③ 자궁 수축 여부

2) 조기 보행의 장점 : 분만 후 24시간 이내에 침상 밖으로 나오는것

① 방광 합병증의 감소

② 변비 감소

③ 정맥혈전증 및 폐전색증의 위험성 감소

④ 정서적 만족감

3) 회음부의 처치

① 환자에게 전방에서 후방으로(회음부에서 항문쪽으로) 세척하도록 함

② 부종과 통증 관리 - 얼음주머니를 분만 후 수시간동안 apply

③ 분만 24시간 후부터 따뜻한 물로 좌욕, 합병증 없으면 덩목욕 가능

4) 방광 기능

① 방광의 overdistension : 주입된 수액, 항이뇨 효과가 있는 oxytocin을 갑자기 중단

② 자발적 배뇨기능 저하 : anesthesia, analgesia, episiotomy, lacerations, hematoma

③ 분만 후 4시간 내에 배뇨를 하지 못하면 도뇨관을 24시간 유지 ☆

④ 도뇨관 제거 4시간 후 잔뇨량이 200 mL 이상이면 다시 도뇨관 거치

⑤ 세균뇨가 많기 때문에 도뇨관 제거 후 항생제 이용

5) 변비의 관리

① 분만 전 관장

② 조기 보행

③ 조기 식이 권장

6) 산후 불편감의 관리

① 분만 후 수일간 Codeine, Aspirin, Acetaminophen을 투여

② 회음부 부종, 동통 : 얼음주머니를 application, 부분 마취제 용액 주기적 분무

③ 회음부 지속적 통증 : 분만 후 1일(혈종), 분만 후 3~4일(감염)

7) 산후 우울증 : 분만 후 수일 이내 발생

(1) 원인

① 임신 및 분만 중에 경험한 흥분과 두려움에 따른 정서적 불안감

② 산욕기 초기의 불편감

③ 수면부족으로 인한 피로

④ 퇴원 후 양육에 대한 걱정

⑤ 매력 저하에 따른 불안감

(2) 치료 : 대부분 예견, 인지, 안심시키면 저절로 2~3일 내(길게는 10일) 자연회복, 오래 지속
되거나 우울증의 증상이 심하면 즉시 상담

(major depression에 대해 의심하고 자살이나 태아살인의 가능성에 대해서도 주의하며 다음
임신에서도 발생 가능하므로 예방적 약물 치료)

8) 복벽 이완

: 복대는 도움을 주지 못하며, girdle이 더 좋고, 운동은 가능하면 언제라도 시작 가능하다.

9) 식이

① 마취 합병증이 없으면, 질식 분만 2시간 후에 가능

② 수유부는 고칼로리(500칼로리 더 필요), 고단백 식이 필요

비수유부는 임신 전처럼 식이(2,000~2,200칼로리), 임신 중에는 300칼로리 더 필요

③ 분만 후 적어도 3달 동안은 철분 보충

10) Immunization

① D(+)태아를 분만한 D(-) 면역되지 않은 임신부에 분만 직후 Anti-D immune globulin

300μg 투여 ★

② rubella, rubeola (measles) : 면역되지 않은 경우 퇴원 전 예방 접종

③ diphtheria : tetanus toxoid booster injection 할 수도 있음

11) 퇴원 시기

① 합병증이 없는 질식분만 : 48시간 이내

② 합병증이 없는 제왕 절개술 : 4일 후

12) 성관계(Coitus)

: 분만 2주 후부터 가능, 평균 5주

13) 영아 관리

① direct Coombs test, bilirubin, Hb, Hct, 혈당 검사 시행

② 임신부의 매독검사, HBsAg 검사결과 전달

③ B형 간염 백신을 주사하고, PKU, Hypothyroidism에 대한 선별 검사

④ 영아 백신주사에 대한 교육

14) 월경 및 배란의 복구

① 수유를 하지 않는 경우 분만 후 7~9주 내(빠르면 5주)에 menstruation

② 수유를 하지 않는 경우 분만 후 3주부터 피임

→ 수유를 하지 않으면 배란은 평균 27일(빠르면 3주)에 개시

③ 수유 시에는 if, full breast feeding 시에는 3개월 후부터 피임(But, 3주 후부터 피임하는 것

이 권장됨)

(∵ 모유 수유 동안 배란이 완벽히 일어나지 않는 것은 아니므로 임신이 가능하기 때문)

if, partial breast feeding 시에는 3주 후부터 피임

④ 배란을 늦출 정도의 수유 ‥ full breast feeding(하루 7회, 15분 /회 이상)

(∵ 월경은 수유하지 않으면 6~8주 이내에, 수유하면 2~18개월 이내에 시작하게 됨(최근

에는 수유 유무에 관계없이 피임은 분만 후 2~3주부터 시작 권장))

⑤ 경구 피임약이 효과적이며, IUD는 3주 내에 삽입해도 무방

(3개월 뒤 십입한 것과 비교해서 자궁천공, 배출, 피임 실패가 높지 않음)

15) 산후 관리(Follow-up)

① 분만 2주 후에 업무 복귀

(그러나 많은 산모가 분만 후 6주 정도에 평상 시 활력 되찾음)

② 신생아 양육이 사회생활 복귀 방해

③ 분만 3주 후에 진찰

- 피임에 대한 상담

II. 산욕기 감염 ☆

정의

1) 산욕기 감염의 정의

: 분만 후 여성 생식기의 세균 감염

전통적으로 자간전증, 산과적 출혈과 더불어 모성 사망의 3대 요인 중 하나

2) 산욕열(Puerperal fever)의 정의 ☆

출산 후 첫 24시간을 제외한 10일 이내, 2일간 1일 4회 구강으로 측정한 체온이 38℃ 이상

3) 산욕기에 열이 있을 때 의심해야 할 질환 ☆

(1) 생식기 감염(Genital tract infection) (m/c)

(2) 호흡기 합병증(Atelectasis, Aspiration, Bacterial pneumonia, etc)

(3) 신우신염

(4) 심한 유방울혈, 세균성 유방염

(5) 혈전성 정맥염

(6) 개복 수술시 창상 농양

발열의 시기별 주요 원인 ☆	
1. 분만 1~2일	Respiratory tract infection
	Breast engorgement
2. 분만 3일	Urinary tract infection
3. 분만 4일	Wound infection

1. 산후 자궁 감염

: Endometritis, endomyometritis, endoparametritis

• 분만 경로(Route of delivery) - 산욕기 자궁감염의 가장 중요한 위험 요인

∴ C-sec 후 빈번하게 발생(13~50% 비율로 발생. 정상 질식 분만의 경우는 드물다)

1) 원인균

① Anaerobe bacteria: *Peptococcus species*(m/c), *Peptostreptococcus*

② Aerobic bacteria: Group A, B, and D streptococci, *E. coli*

• 대부분은 장관, 회음부, 질, 자궁 경부에 정상적으로 서식하는 병원성이 낮은 균에 의한다.

• Polymicrobial proliferation with Tissue invasion

• 진단 - 혈액 배양 ☆

(생식기 부위는 정상적으로 세균이 배양되는 경우가 많으므로(70%), 생식기 부위 세균 배양은 도움이 안됨)

Predisposing causes of Postpartum uterine infection ☆

A. Route of Delivery (m/i)
  1. C-sec 〉 Vaginal delivery
  2. Twin C-sec 〉 Singleton C-sec
B. Intrapautum event
  1. Prolonged Membrane rupture and labor
  2. Multiple cervical examination
  3. Internal fetal monitoring
  4. Chorio amnionitis(조산 또는 조기 양막다수에 의해)
  5. adverse fetal outcome (still birth, low brithweight, preterm delivery)
C. Others
  1. Low socioeconomic status
  2. Anemia
  3. Nutrient deficiency
  4. Sexual intercourse
  5. Low Maternal age (esp., 〈 25)
  6. obesity

---

2) 임상 증상 및 징후

(1) Fever (m/i sign)

• 대부분 38℃ 이상이며 chills 동반

• 산욕기 자궁 감염의 진단 시 다른 발열의 원인이 없다면 발열 자체가 가장 중요한 진단 기준이 된다. ☆

• 감염의 파급 정도와 비례하여 증가

(2) Abdominal pain and tenderness, parametrial tenderness

(3) 악취가 나는 냉

cf) But) 악취가 나는 냉이 나타나지만, 항상 감염을 의미하지는 않는다.

: 감염 초에 나타날 수 있지만, 정상적으로 악취가 나는 오로가 있을 수 있고,

Group A β-hemolytic streptococcus는 악취가 없다.

• 백혈구 수는 진단에 도움이 되지 않는다. ☆

(정상적으로 산욕기 초에 백혈구 증가가 있음)

3) 치료

: 광범위 항생제의 사용 ☆ : Clindamycin + Gentamicin (DOC)

→ 항생제 투여 후 90%에서 2~3일 내 증상이 호전

① Vaginal delivery 후 infection ⇒ ampicillin + gentamycin

② C-sec 후 infection

    a. clindamycin + gentamycin

    b. Triple therapy : clindamycin + gentamycin + ampicillin

③ 심할 경우 : imipenem + cilastatin

④ Metronidazole : 농양이 의심될 경우에 gentamycin 또는 tobramycin과 섞어서 투여

Antimicrobial regimens for pelvic infection following cesarean delivery	
Regimen	Comments
Clindamycin 900 mg + gentamicin 1.5 mg/kg, q8h intravenously plus ampicillin	"Gold standard," 90-97% efficacy once-daily gentamicin dosing acceptable
	Added to regimen with sepsis syndrome or suspected enterococcal infection
Clindamycin + aztreonam	Gentamicin substitute with renal insuffciency
Extended-spectrum penicillins	Piperacillin, ampicillin/sulbactam
Extended-spectrum cephalosporins	Cefotetan, cefoxitin, cefotaxime
Imipenem + cilastatin	Reserved for special indications

• Fever 지속 시 의심해야 할 질환

① Parametrial phlegmon(자궁 주위 광범위 연조직염)

② 수술 창상 농양

③ 골반 농양

④ 감염된 혈종

⑤ 패혈성 골반 혈전성 정맥염

⑥ 세균의 내성

⑦ Drug fever

4) 자궁 감염의 예방

① perioperative antimicrobial prophylaxis (single does ampicillin, cephalosporin)

② chlorhexidine으로 질세척

③ metronidazole gel (5 g)

④ 태반 만출 후 수술팀의 장갑교체

- 감염예방과 관련없다고 밝혀진 요소

   - 제왕절개전 potadine-iodine 세척 : 감염 낮추지 못함

   - 분만 전 존재하던 질염의 치료 : 감염 낮추지 못함

   - 제왕절개의 기법과 감염은 관련 없음 : 즉, 자궁을 배 밖으로 꺼내는 봉합, 자궁을 단층
     이나 2층으로 봉합하는 기법, 복막의 봉합 여부, 피하 지방의 봉합여부에 관련 없음

5) 자궁 감염의 합병증

(1) 창상 감염

- 치료 - 외과적 배농 및 광범위 항생제 투여(근막이 온전한지 관찰)

(2) 괴사성 근막염(Necrotizing fasciitis) - 드물지만 발병 시 치명률이 50%

- 원인균 : *C. perfringens, E. Coli*

- 치료 - 조기진단, 항생제 투여(clindamycin + β-lactam)와 모든 감염 부위의 광범위한 절
  제(회음절개에서 발생한 괴사성 근막염 경우 광범위 절제해도 사망률 50%, 절제 안하면
  대부분 사망)

(3) 복막염

- 치료

   ① intact uterus : 항생제 치료로 충분

   ② 장관이나 자궁절개부위 괴사에서 시작한 경우 : 외과적 치료 필요

(4) 자궁부속기 감염(Adnexal infection) : 난소 농양은 드무나, 발생 시 즉각적 수술법 필요

• 일측에 발생하고, 전형적으로 분만 후 1~2주 뒤 발생

(5) Parametrial phlegmon (Massive parametrial cellulitis) : 자궁주위 조직 연조직염

• 주로 Broad ligament에 국한되지만, 염증이 심하면 주위로 전파

→ 자궁주변압통, 단단한 부위 촉진됨, 72시간 이상 항생제 치료에도 발열이 지속

→ 주로 일측성이고 broad ligament 하부에 국한

• 치료

① 적절한 항생제를 오랜 기간 투여(열이 5~7일 이상 지속)

② 수술적 치료는 어렵고 때론 불가능함. 따라서 창상부 괴사가 의심되는 경우에만 수술 고려 자궁부속기는 잘 침범되지 않으므로 일측 또는 양측 난소는 보존

(6) 골반 농양(Pelvic abscess)

• 치료 - 배농(CT 도움하에 needle aspiration, colpotomy, percutaneous drainage)

(7) 골반 혈종(Pelvic hematoma)

2. Septic pelvic thrombophlebitis ☆

1) 병인

: 산욕기 감염이 정맥을 따라 전파되어 발생(주로 난소정맥, lymphangitis 동반)

2) 임상 증상

• 임상 증상이 뚜렷하지 않다(chill 이외의 다른증상이 없기도 하다).

① 항생제 투여후 증상의 호전이 있으나, Hectic fever spike가 나타남

② chills외 다른 증상이 없기도 함

③ 산후 2~3일째 하복부나 옆구리의 동통 발생하며, tender mass 만져지기도 함

3) 진단 : CT, MRI

4) 치료

(1) 항생제 치료(Heparin으로 치료하는 것은 도움이 안됨)

3. 회음 절개 부위의 감염

1) 임상 증상

① 회음부 창상파열은 감염과 관련됨(4도 열상, 흡연, HPV와도 관련) : 통증, 농, 열

② 질, 점막 : redness, swollen, necrotic, slough

③ 자궁경부 : 병원균의 잠복처, 윗부분 조직으로 파급될 수 있음

2) 치료

① 감염 부위의 배농, 개방

② 봉합사는 제거하여 감염 창상을 개방

③ 광범위 항생제의 투여

④ 재봉합 시기 : 최근 early repair(평균 6일)

⑤ 술 후 : 소독, low residue diet, stool softener, avoid diarrhea, nothing per vagina & rectum

4. Toxic shock syndrome ★

1) 원인

① Staphylococcal exotoxin (Toxic shock syndrome toxin-1, TSST-1)에 의한 Capillary endothelial injury

② *Clostridium sordellii*

③ Streptococcal toxic ock syndrome (GAS)

•Tampon을 사용한 Menstruation woman과 관련되어 보고되었으나, 근래 관계없는 상황에서도 보고됨

2) 임상 증상 : fatality 10~15%, 빠르게 진행

① Fever, Headache, Mental confusion

② diffuse macular erythematous rash, subcutaneous edema

③ Nausea, Vomiting, Watery diarrhea

④ Hemoconcentration

⑤ Oliguria, Renal failure

⑥ Hepatic failure

⑦ DIC & circulatory failure

⑧ 회복기에 rash 부위에 desquamation

3) 치료

① 대량의 수액 요법

② Mechanical ventilation (PEEP)

③ renal dialysis

④ anti-staphylcoccal drug(산욕기 감염 항생제 포함)

⑤ hysterectomy (streptococcal toxic shock syndrome의 경우)

III. 기타 산욕기 질환

1. Thromboembolitic disease

1) Superficial venous thrombosis

• 치료 : 복재 정맥계(saphenous system)의 표층정맥에 국한된 혈전은 진통제, 탄력붕대 및 안정요법으로 치료

→ 치료되지 않거나 심층 정맥으로의 침범이 의심되면 정밀검사를 시행하고 확진되면 헤파린을 사용

2) Deep vein thrombosis

cf) Phlegmasia alba dolens (Milk leg : 산욕 유통성백고종)

① 산욕기 혈전성 정맥염은 갑자기 발병하여 하지나 대퇴 부위에 심한 동통과 부종유발

② 발부터 장골대퇴 부위까지의 심층정맥을 침범하여 반사성 동맥경력(reflex arterial spasm)에 의해 맥동이 소실되고 창백하고 냉한 하지

③ Homan's sign : 아킬레스건을 압박하거나 혹은 뻗을때 근육의 긴장이나 좌상에 의해 생기는 장단지 통증

(1) 진단

① Venogram

② Serial impedence phlethysmography.

③ Real-time B-mode US, MRI, CT

(2) 치료

① 치료는 헤파린 등의 항응고제, 안정요법 및 진통제

② 증상이 소실된 후에는 하지를 탄력 붕대나 탄력양말을 사용하여 서서히 보행하도록 하며 항응고제를 계속 사용(약 7~10일)

3) Pulmonary embolism

- Common cause of death in Pelvic thrombophlebitis

(1) 증상

① Hemoptysis

② Pleuritic chest pain

③ Dyspnea(호흡수 18회/분 이상)

④ Tachycardia

⑤ Crackle, Rale

⑥ Discomfort

※ ①, ②, ③은 triad(약 20%에서 출현)

Stressors That May Precipitate Pulmonary Thromboembolism
1. Surgery, trauma 2. Obesity 3. Oral contraceptives, pregnancy, postpartum 4. Cancer (sometimes occult) or cancer chemotherapy 5. Immobilization (stroke or intensive care unit patients) 6. Indwelling central venous catheter

(2) 진단

① Symptom and sign → 호흡곤란, 빈맥, 수포음, 마찰음

② Spiral CT

③ Ventilation & Perfusion lung scan : Perfusion/Ventilation mismatching

④ Pulmonary angiography : 가장 정확하다.

(3) 치료

① Heparin

- 심층정맥혈전시와 유사(당일 총 투여되는 헤파린 양은 25,000∼40,000 U 사이)

- 치료는 제대기간 내내 지속되이야 하고, 산후 6∼12주까지 지속

- 헤파린 치료의 주요 합병증 : 출혈, 골다공증, 압박골절(compression fracture)

- Warfarin으로 대체 : 헤파린과 3∼5일간 같이 사용한 후 warfarin으로 대체(약 3개월간 지속)

② Venous ligation

③ Vena caval filter

- 반복되는 폐색전을 예방하는데 헤파린 치료가 실패했거나, 헤파린 치료에도 불구하고 색전이 재발

(4) Antepartum thromboembolism의 관리 ⭐

① 급성기의 치료

: Full heparinization by Continuous IV infusion

② 급성기 이후

: 남은 임신기간 동안, 피하로 Low-dose heparin Therapy

- Aspirin은 금기(Heparin과 같이 사용하면 출혈 위험 증가)

③ Heparin 사용 중 유산 방법

- Heparin 사용중이더라도, 조심스러운 소파술로 임신 중절 가능

- 모든 태아 및 태반 조직이 제거된 후 Heparin을 다시 주입하여야 한다.

④ 분만시 항응고제의 사용 방법

- 진통과 분만 중에는 Heparin 투여는 중단

- 자궁 수축이 용이하고 하부생식기에 외상이 없으면, 분만 후 수 시간 내에 Heparin 사용은 가능하지만 1~2일간은 주의

- Protamine sulfate로 Heparin의 작용을 억제할 수 있다(과량 사용 시 오히려 항응고 작용을 나타내므로 주의).

Anticoagulant therapy during pregnancy		
	Heparin	**Warfarin**
1. 분자 구조	Large, High-polar molecule	Much Smaller molecular weight
2. 작용 기전	Antithrombin Ⅲ activator	Vitamin K antagonist
3. Antidote	protamine sulfate	Vitamin K
4. monitoring	aPTT	PT
5. 태반통과 여부	통과하지 못함	태반을 통과
6. 부작용	Osteoporosis	기형, 태아사망 유발
	Thrombocytopenia	수유 중에도 금기

Adverse fetal effect of maternal warfarin ingestion	
1. Nasal hypoplasia	5. Ophthalmological abnormality
2. Stippled bone epiphysis	
3. Hydrocephaly	6. Fetal growth retardation
4. Microcephaly	7. Developmental delay

2. 자궁의 질환과 이상

1) 복구 부전(Subinvolution)

- 산후 자궁 복구 과정의 지연 또는 부전

(1) 원인

: 잔류태반이나 자궁 감염

(2) 임상 증상

· 지속되는 오로와 불규칙하고 많은 양의 자궁출혈, 부드러운 자궁

(3) 진단

: 내진을 통해 정상 산후 자궁보다 크고 유연한 자궁을 촉지

(4) 치료

① Ergonovine 혹은 Methylergonovine (Methergine) - 1~2일 투여

② Metritis 시 항생제 사용

cf) Late postpartum의 가장 흔한 원인균 - *C. trachomatis* → Tetracycline 사용

2) 산후 자궁경부 미란

- 치료 - Cauterization, Cryotherapy

3) 질출구 이완 및 자궁 탈출

- 원인

① 회음부의 열상

② 회음부의 Overstretching

③ 분만 중 골반 지지 조직의 변화

3. 산욕기 출혈

- 만기 산후 출혈 : 산욕기 1~2주
- 태반 부착부의 불완전 퇴축, 잔류태반(그냥 두면 태반 용종이 됨)이 원인
- 초기지료 . oxytocin, ergonovine, methylergonovine, PG 안되면 curettage

4. 비뇨기계의 질환

1) 산욕기에 비뇨기계 질환이 많은 이유 ☆

(1) 산욕기에 방광은 Intravesical fluid tension에 Less sensitive → 장력증가에 둔감하다.

(2) 정맥 내 수액 요법 및 Antidiuretic action이 있는 Oxytocin을 사용했다가 중지함으로써 오는 Diuresis로 인한 Bladder distention

(3) 전신마취, 특히 전도마취(Conduction anesthesia)에 의한 방광의 Neural control 장애

(4) 생식기 손상에 의한 큰 혈종

(5) 손상된 방광의 잔뇨나 도뇨(Catheterization)에 의한 세균뇨

2) 증상

: 배뇨곤란, 빈뇨, 절박뇨(Urgency)

3) 치료

① 요 배양 검사 및 항생제 투여

② 방광이 과도 팽만된 경우 Indwelling catheter를 적어도 24시간 삽입하여 방광 기능이 회복되도록 해야 함

③ Catheter를 제거할 경우, 적절히 배뇨할 수 있는지 검사해야 하며 4시간 후에 배뇨를 하지 못하면 잔뇨량을 측정해야 함 ☆

    a. 잔뇨량이 200 mL 이상 → 다시 Catheter를 24시간 더 삽입

    b. 200 mL 미만일 경우 → Catheter를 제거하며 4시간 후 잔뇨 확인

5. 유방의 이상

1) 유방의 울혈에 의한 발열(Milk fever) ☆

(1) 증상

: 유선 분비 시작 후 1~2일 동안 유방은 딱딱해지고 팽창되는데, 흔히 동통과 일시적인 체온 상승(대개 4~6시간)을 나타낸다.

(2) 원인

: 유즙 분비전의 생리적 현상이며 림프절 비대에 의한 것(유선계의 Overdistension에 의한 것은 아니다)

(3) 치료

① 유방대 혹은 브래지어로 유방지지(Supporting the breast)

② 얼음찜질(ice bag) 및 Codeine sulfate 등의 진통제 사용

③ 처음에는 유즙을 짜주어야 한다(Manual expression).

- 항생제 사용은 불필요

2) 유즙 분비를 억제하는 방법

(1) Simplest method

① 잘 맞는 유방대 사용

② 냉찜질(Ice bag)

③ 통증 시 진통제 사용

(2) Hormone

① Estrogen 단독

② Estrogen + Testosterone : Deladumone

③ Dopamine agonist : Bromocriptine (Parlodel®)(고혈압, 경련, stroke, MI 주의)

3) 유방염(Mastitis) ☆

(1) 원인균

: *Staphylococcus aureus* (m/c)

→ (유아의 코나 상기도에 서식하던 *S. aureus*가 유두의 열구 혹은 찰과 부위로 들어가서 발생)

(2) 증상

① 오한, 체온, 맥박 증가

② 유방은 대개 일측성으로 딱딱해지고 통증 호소, Fluctuation → 염증 증상보다 먼저 발생

- 증상은 분만 후 1주 이전에는 거의 나타나지 않으며 보통 3~4주 이후에 나타난다.

(3) 치료

① 농양이 발생하기 전에 항생제 치료

② penicillin, cephalosporin, dicloxacillin, vancomycin (MRSA)으로 10일 이상 치료

③ 모유 수유는 계속 지속하며 유습기를 이용하여 pumping 하는 것도 도움이 됨(단, breast abscess는 수유 금지)

④ Abscess 발생 시 Surgical drainage

4) 유두의 이상

(1) 함몰 유두

: 심하지 않으면 대부분 짜내는 방법(Breast pump)으로 수유 가능

(2) 역유두(Inverted nipple)

: 유두의 Traction, Electrical pump를 시도해보고 실패 시 수유 중지

(3) Fissure

① 세균 침입이 되므로 유두 보호물, 국소적 투약으로 상처 치유

② 실패 시 병변쪽 수유를 금지하면서, 병변이 치유될 때까지 유즙을 규칙적으로 짜내야 한다.

6. 산욕기의 정신질환

→ 31장 참조

7. 산과적 마비

• 분만 시 두부가 골반 안에 내려오면서 sacral plexus의 분지를 압박하여 발생

만출력 이상에 의한 난산

Power Obstetrics

난산(Dystocia)의 원인에 따른 분류

- **Dystocia의 정의**

  ① Difficult labor

  ② Abnormally Slow progress of Labor

- **임상적 정의**

  ① cephalopelvic disproportion : CPD (overt pelvic contracture or asynclitism)

  ② failure to progress

Etiologic classification of dystocia

1. power : abnormality of the **expulsive forces**
   ① uterine dysfunction : uterine forces insufficiently strong or inappropriately coordinated to efface and
      dilate the cervix-hypotonic VS hypertonic
   ② Inadequate voluntary muscle effort during the Second stage of labor
2. passenger : abnormalities of Presentation, Position, or development of the fetus
3. passage : ① abnormalities of the Maternal bony pelvis-pelvic contraction
           ② abnormalities of soft tissues of the reproductive tract that form an obstacle to fetal descent

- **m/c Cause of Dystocia** ☆

  ① Uterine Dysfunction : 자궁수축력의 기능장애

  ② 골반 내의 태아 위지 이상으로 인한 부동고정위(asynclitism)

- **3P**

  ① Power : 부적절한 자궁 수축(빈도는 적절하지만 강도가 부적당하거나 자궁 수축의 전달이

  비효율적인 경우)

  ② Passenger : 태아의 태위, 태향 및 발육 이상

③ Passage : 골반 또는 산도의 이상

Abnormal labor pattern의 진단 및 처치 ☆

Diagnostic Criteria				
Labor Pattern	Nulliparas	Multiparas	Preferred Treatment	Exceptional Treatment
Prolongation Disorder Prolonged latent phase	> 20 hr	> 14 hr	Bed rest	Oxytocin or cesarean delivery for urgent problems
Prolongation Disorders Prolonged latent phase dilatation Prolonged descent	<1.2 cm/hr <1 cm/hr	1.5 cm/hr <2 cm/hr	} Expectant and support	Cesarean delivery for CPD
Arrest Disorders Prolonged deceleration phase Secondary arrest of dilatation Arrest of descent Failure of descent	> 3 hr > 2 hr > 1 hr No descent in deceleration phase or second stage	> 1 hr > 2 hr > 1 hr	Evaluate for CPD: — CPD: cesarean 　No CPD: oxytocin	Rest if exhausted Cesarean delivery

I. 자궁기능부전(Uterine dysfunction)

1. 자궁기능부전의 종류

1) Hypotonic uterine dysfunction

(1) 정의

• 자궁수축은 정상적인 변화의 양상을 보이지만, 그 수축력이 미약(15 mmHg 이하)하여 자궁경부를 확장시키기에 불충분한 경우

(2) 원인

① Unknown

② pelvic contraction

③ Fetal malposition

④ Overdistension of the uterus- Twins, Hydramnios

⑤ Excessive rigidity of Cervix- Elderly, Nulliparous, Cervical fibrosis

⑥ Excessive sedation

(3) 특징

① 미분만부 및 다분만부 모두에서 관찰됨

② 진통기간 중 활성기에 주로 발생

③ Pain이 심하지 않음

(4) 치료

① Oxytocin

② C-sec

2) Hypertonic (Incoordinate) Uterine Dysfunction

(1) 정의

• Uterus의 basal tone이 상당히 올라가 있거나 Pressure gradient에 장애가 생긴 경우

→ 수축하는 힘은 적당하나 수축의 양상이 불규칙하고 비정상적인 것

(2) 원인

① 자궁 중간부의 수축력이 Fundus보다 높을 때

② 양쪽 각에서 기시하는 전기적 자극이 완전히 부조화를 이루는 경우

③ ①, ② combination

(3) 특징

① 잠복기에 발생(자궁경부가 4 cm 이상 확장되기 전에 나타남)

② 심한 고통

③ 조기감속의 태아 심박동 소견

(4) 치료

① relief of pain : morphine, meperidine

② tocolytics : ritodrine, salbutamol

③ 위 방법으로 실패시 : C-sec

• 일반적으로 옥시토신을 사용하는 경우 : 수축이 10분당 3회 미만이거나 수축강도가 25 mmHg보다 작은 경우 고려해야 하지만 빈수축(tachysystole)이거나 고수축(hypersystole)일 경우 또는 태아 심박수 불안정이 지속될 때 옥시토신 투여를 중지해야 함

① 빈수축 : 자궁 수축 횟수 > 5회/10분(또는 > 7회/15분일 때도 옥시토신 중단!) ☆

② 고수축 : 1회 수축 지속기간이 2분 이상이거나 정상 지속기간이지만 수축 간격이 1분 이내

저장성 자궁기능 부전과 고장성 자궁기능 부전의 비교 ☆		
Criteria	Hypotonic	Hypertonic
1. 빈도	4%	1%
2. 임신력	미분만부 및 다분만부	주로 미분만부
3. Contraction 양상	Synchronus(수축압시 〈 15 mmHg)	Asynchronus (자궁수축이 기저부에서 시작하지 않고 자궁의 중간구역에서 발생)
4. Basal hypertonus(기저자궁수축 긴장도)	(-)	(+)
5. Labor Phase(발생시기)	Active phase	Latent phase
6. Pain의 유무	Painless	Painful
7. Fetal Distress	Late	Early
8. Oxytocin에 대한 반응	Favorable	Unfavorable
9. Sedation의 효과	Little	Helpful

1) Prolongation disorder(지연 잠복기 장애)

(1) 정의 : 분만 1기의 잠복기(Latent phase)가 오래(미분만부 20시간, 다분만부 14시간) 지속되는 상태

(2) 처치 : 안전(충분한 휴식, 수면 혹은 마약성 진통제) 안될 경우는 옥시토신 투여나 수술적인 분만도 고려한다.

2) Protraction disorder(지연 장애)

(1) 정의 : Active phase 시에 자궁경관 개대 및 태아의 하강이 서서히 이루어지는 상태

(2) 진단기준 : 자궁목 확장의 경우 미분만부 1.2 cm/hr 미만, 다분만부는 1.5 cm/hr 태아 하강 속도 미분만부 1.0 cm/hr 다분만부 2.0 cm/hr 미만

(3) 처치

① 우선 대증 요법을 시행하며 관찰

② 골반 내진을 시행하여 CPD에 의한 것이면 C-sec

3) Arrest disorder(정지 장애)

(1) 정의 : Active phase 시에 자궁경관 확장 및 태아의 하강이 정지된 상태

(2) 진단조건

① 잠복기가 완료되고 자궁경부는 4 cm 이상 진행되어야 한다.

② 자국 수축력이 200 MVUs 이상임에도 불구하고 2시간 이상 자궁경부 변화가 없어야 한다(최근 경향은 4시간).

(3) 처치

- 보존적 요법에 실패하고 태아심음이 안심할 수 없을 경우, 제왕절개술과 같은 radical한 방법
  이 요구됨.

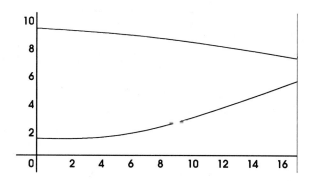

▶ 지연 장애(Protracted disorder)

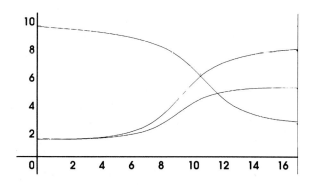

▶ 정지 장애(Arrest disorder)

Protraction disorder 와 arrest disorder의 구분

Protraction disorder : 천천히 확장이 진행되는 것
Arrest disorder : 진행이 멈춘 것임
Arrest disorder에서 prolonged deceleration phase와 second arrest of dilatation은 정지된
시간으로 구분(경산부의 경우 2시간 이상일 경우 second arrest of dilatation)

2. 자궁 기능 부전의 치료

- 치료계획결정 전의 유의점 ☆
  ① Active Labor Phase인지 확인

: 내진 시 Cervical Dilatation이 3~4 cm이고 100% Effacement가 일어났을 때는 Active labor로 간주한다.

② Cephalopelvic Disproportion (CPD)가 있는지 확인

: 임상적 골반계측, X-ray pelvimetry, US

※ 때로 자궁기능 부전이 협착골반, 비정상적인 거대태아, 비정상 태아선진부에 대해 보호 역할로 작용한다.

• 최근 NICHD와 ACOG에서 정지장애에 대한 새로운 의견 개시

① 분만 1기의 latent phase와 active phase, 분만 2기에 대한 적절한 시간은 분만부와 태아의 상태에 따라 달라질 수 있음

② 적절한 진통(자궁목 6 cm 확장에 양막파열동반 시 4시간 이상, 부적절한 수축력 시에 6시간 이상의 자궁목확장의 변화 없음까지)일 경우 적절한 시간이 지날때까지 진단하면 안됨.

③ 적절한 분만진행 : 제2기의 경우 척추마취 시행 분만부에서 4시간 이상, 척추마취 미시행 분만부에서 3시간까지

④ 제왕절개술은 적절한 분만 시 시행하지 않는다.

II. 유도분만

• 정의

: 자발적인 분만 지통이 시작되기 전에 임신을 종결시키기 위해 인위적으로 자궁수축을 일으키게 하는 것

• 적응증

① 임신부의 고혈압, 임신부의 당뇨병, 과숙 임신, 융모양막염, 태아 폐성숙이 확인된 조기양막파수, 태아의 안녕이 보증되지 않을 경우, 태아 발육 지연, 동종 면역, 자궁 내 태아 사망

② 유도분만 금기증

- 분만, 진통의 과정이 임신부와 태아에게 위험할 수 있는 경우 : 고식적 제왕절개술의 경력, 자궁근층을 포함하는 자궁수술, 전치태반 또는 전치혈관, 제대탈출, 조절되지 않는 현성출혈, 거대태아, 태아수두증, 비정상태위, 태아곤란증, 자궁경부암, 헤르페스 감염

③ 유도분만 시 주의 요하는 경우

- 다태임신, 임신부가 심장질환이 있는 경우, 다산력, 둔위, 정상태아 심박동 양상이 아닌 경우, 자궁 하부 횡절개의 제왕절개 수술받은 경우, 중증고혈압

• 유도분만전 자궁경부의 숙화 방법들

※ Bishop score : 자궁 경부 상태를 평가 할 수 있는 방법으로 점수가 낮을수록 유도분만의 성공률이 감소.

일반적으로 Bishop score가 4점 이하인 경우 불량한 자궁경부

→ 자궁경부 숙화의 적응증

자궁경부 숙화 방법
1) 옥시토신 2) 약물 : PGE₁, PGE₂ 3) 물리적 방법 : 자궁경부 catheter, 흡습성 자궁경관 확장제(laminaria), 양막박리(membrane stripping) 4) 양막절개(amniotomy)

1) Oxytocin stimulation

(1) 고려 사항

• 옥시토신은 자궁수축을 자극하는 유도(induction)와 자연진통이 미약하여 태아가 골반 내로 하강하지 못하고 자궁경관확장이 진행되지 못할 때 자궁수축을 자극하는 촉진(augmentation) 두 가지 용도로 사용된다.

• 자궁 수축의 빈도, 강도, 지속시간 및 태아 심박동수를 세심하게 지속적으로 확인한다.

(2) 옥시토신의 정맥 점적 방법<Parkland Hospital protocol>

① 숙련 간호사가 세심한 병상 간호를 맡는다.

② 생리식염수 1,000 mL에 10 U or 20 U를 섞어서 10~20 mU/mL의 용액을 펌프를 이용해 정확하게 넣어준다. 자궁수축을 2~3분의 간격으로 150-350 Montevideo unit 정도로 유지시킨다.

③ 태아 선진부의 비정상, 양수 과다증, 거대아, 다태임신 등에서는 옥시토신 주입을 피한다.

④ 전자태아감시장치로 계속 태아 심박수와 자궁수축작용을 관찰한다.

● Oxytocin 투여를 중지해야 할 경우

① 자궁수축 ≥ 6회/10분 혹은 ≥ 8회/15분(Williams에는 > 5회/10분 혹은 > 7회/15분) ★

② 태아심박수의 현저한 감소

● Oxytocin IV

① 3~5분 : 자궁의 수축반응

② 30~40분 내 : 혈장 내에서 일정 작용량 도달(*평균 반감기 - 5분)

● Oxytocin의 부작용

① 원인 : Oxytocin의 항이뇨작용

② 부작용 : Oligouria, Water intoxication, Convulsion, Coma, Death (20 mU/min 이상 infusion 하지 않아야 함)

> 아기가 머리로 자궁경부를 열면서 내려오면 양수가 양막과 아기 머리 사이에 끼어 빵빵해지고 이 때 양막을 터뜨리면 분만 촉진.

2) Amniotomy

• Artificial rupture of the Amniotic membrane

(1) Elective Amniotomy의 적응증 ☆

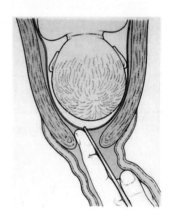

① 유도 분만

② 진통의 증강

③ 태아의 위험상태 시 태아 감시장치의 삽입

④ 진통의 미약한 경우 자궁 내의 수축압을 측정

⑤ 자연진통의 가속화

⑥ 양수의 태변착색 탐지

(2) 주의 사항

• 제대 탈출(Cord prolapse)이 일어날 수 있으므로 주의

  : 시술동안 Fetal head가 이동하지 않도록 Fundal & Suprapubic pressure를 가함으로 위험을 감소시킬 수 있다.

• 시행 전 & 직후에 반드시 태아 심박동수 Check

3) 양막 박리

• Index finger를 Internal os에 깊숙히 삽입하여 360도로 두 번 회전하여 자궁 하분절로부터 양막을 분리시키는 시술

• Labor induction을 위해 흔히 시행되나 아직 효과 및 안정성이 확립되지 않음.

4) Prostaglandin E$_2$

- 자궁 경관 조직의 Collagen bundle의 분해와 Submucosal water content가 증가하여, 자궁 경관을 숙화(Cervical ripening) 시킴
- 적응증 : 자궁경관에 대한 Bishop 점수가 4점 이하인 불량경관
- PGE$_2$ 투여 후 6~12 시간에서 자궁수축이 나타나지 않으면 옥시토신 주입을 시작한다.
- 부작용 : Uterine tachysystole
- Contraindication ; 녹내장, 심한 간질환, 신부전, 기관지 천식

임신중 자궁경관의 상태를 평가하는 Bishop 채점방식					
Factor					
Score	Dilatation (cm)	Effacement (%)	Station	Cervical Consistency	Position of Cervixa
0	closed	0-30	-3	Firm	Posterior
1	1-2	40-50	-2	Medium	Midposition
2	3-4	60-70	-1	Soft	Anterior
3	≥ 5	≥ 80	+1, +2	-	-

5) Laminaria

- 자궁 경관의 확장 작용이 있으며 경관 숙화를 위해 사용한다.

III. 부적절한 자발적 만출력(Inadequate voluntary expulsive forces)

- 자궁이 완전히 확장된 후, 임신부가 스스로 태아를 배출하려는 과정의 장애

1. 원인

1) 복근의 수축력 약화

① 깊은 진정 상태

② Conduction analgesia - Lumbar epidural, Caudal, Intrathecal

2) Bear down으로 인한 통증이 너무 심한 경우

2. 예방 및 처치

1) 자발적인 만출력을 감퇴시키지 않는 마취의 종류와 시기를 선택한다.

2) 자궁 수축 시 심한 동통으로 Bear down 할 수 없는 경우는 마취제를 사용하는 것이 유리하며, 산소와 N_2O를 같은 양으로 혼합하여 호흡시키는 마취가 안전하다.

IV. 기타

1. 병적 수축륜(Pathologic retraction ring) ☆

- Lower uterine segment가 심하게 얇아져, Retraction ring이 비정상적으로 치골 상방으로 이동하면서 매우 뚜렷이 나타나는 것(골반 협착에 의한 난산이 가장 흔한 요인) : 모래시계 모양
- 진단 : 복부의 외견상 치골 상연과 배꼽 사이에 함몰된 수축륜(Abdominal indentation)을 관찰할 수 있다.
- Uterine Rupture가 임박했음을 시사하는 위험징후로서 즉시 C-sec delivery를 시행해야 한다. ☆
- 원인
  ① Pelvic contraction (m/c)
  ② Cervical dystocia
  ③ 거대아

2. 급속 분만(Precipitate labor)

1) 정의

: 진통 1기와 2기의 진행시간이 단축되어서 급속히(3시간 이내에) 분만되는 것

2) 원인

① 산도 연부 조직 비정상적인 낮은 저항

② 비정상으로 강한 자궁과 복부 수축

③ 통증에 대한 무감각으로 인해 왕성한 자궁 수축 인지부족

3) Risk factor

① 다산부(Multiparity) (95%)

② 급속분만 History

③ 저체중아의 분만

※ 단축 분만 진통(Short labor)

(1) 정의

•자궁 경관의 확장이 초산부에서 시간당 5 cm 이상, 경산부에서 시간당 10 cm 이상으로 빠르게 진행되는 것

(2) 합병증

① 태반조기박리(20%)

② 양수태변착색

③ 분만후 출혈

④ 낮은 Apgar 점수

⑤ Cocaine 남용(원인)

4) 급속 분만의 위험성

모성측 위험
① 자궁파열 ② 산도열상 및 이로인한 양수색전증 ③ 분만 후 이완성 자궁출혈

신생아측 위험
① 과격한 수축 → 자궁혈류 부전 → fetal hypoxia → 주산기 사망률 & 이환율 증가 ② 뇌손상, Erb-duchenne brachial palsy ③ 신생아가 바닥에 추락하여 상해 ④ 신생아 소생술 시행하지 못해 위험

5) 치료

① oxytocin 중단하고 halothane or isoflurane (analgesics or $MgSO_4$: 효과 없음)

18 태아의 태위 및 발육 이상에 의한 난산

P o w e r   O b s t e t r i c s

I. 둔위(Breech presentation)

1. 빈도

- 분만 시 둔위의 빈도 : 3~4%
- 임신 중반기에 둔위의 빈도는 많이 관찰되지만(임신 28주 이전에 25 %), 32주 이전에는 양수량 이 상대적으로 많아서 분만 전에 대부분 자연적으로 두정위로 전환되는 경우가 많다.

  (∵ Prematurity인 경우 둔위의 빈도가 높다.)
- 둔위 분만의 산과적 의의 ☆

  이전에는 둔위아의 제왕절개술이 권고되었으나, 최근의 연구결과들로 인하여 둔위아의 계획 된 제왕절개분만에 대한 태도가 좀더 중도적인 입장으로 바뀌고 있다. ACOG는 2012년에 '둔 위태아에 대한 분만방법은 시술자의 경험에 따라 해야한다. 둔위만삭 태아의 질분만도 각 병 원의 고유 가이드라인 내에서 좋은 방법이 될 수 있다'고 권고했다.

2. 원인

(1) Prematurity(m/c)

(2) 다산에 의한 자궁 이완

(3) 다태 임신(Multiple fetus)

(4) 양수의 Volume 이상 - Hydramnios or Oligohydramnios

(5) 태아 기형 - Hydrocephalus/Anencephalus or chromosomal anomaly

(6) Breech delivery의 과거력

(7) 자궁 기형

(8) 골반 내 협착, 종양

(9) 태반 부착 이상이 흔히 동반 - Implantation of Cornual-fundal region

　Placenta previa ☆

※ 거대아와는 무관!!, 골반 협착과도 무관!!

3. 둔위의 형태

▶ Frank breech presentation
(진둔위)
▶ Complete breech presentation
(완전둔위)
▶ Incomplete breech presentation
(불완전둔위)

4. 진단

1) 복부 촉진(Leopold maneuver)

2) 청진 : 태아 심음을 대개 배꼽의 약간 상방에서 들을 수 있음

3) 내진 : 둔위의 각종 태위의 진단 - 천골과 척추극돌기의 위치가 중요

4) Imaging study

① 방사선 검사, CT 및 US

② US - 태아의 크기, 둔위의 형태, 태아머리의 flexion 혹은 extension 여부 등을 확인 가능

5. 예후 ☆

• 두위에 비하여 임신부나 태아에 위험성이 높음

1) 모체

① 제왕절개분만에 따른 분만부의 위험은 제왕절개술 자체에 관련된 이환율의 증가는 있으나 질분만에 비하여는 모성 사망이 증가하지 않음.

② 다음 임신에서 전치태반이나 유착태반의 빈도의 증가로 인하여 모성 사망율 증가할 수도 있음

③ 자궁경부의 완전 확장 전의 분만 시 Birth canal trauma과 Uterine rupture에 의한 출혈 및 감염이 발생할 수 있다.

•분만 진통은 대개 연장되지 않는다(다만 Head delivery time이 길어짐).

2) 태아 – 둔위분만 이외의 주산기 사망률 2.6%에 비해 둔위에서 25%로 훨씬 높다.

•주산기 사망의 원인 ☆

① 조기 분만(Preterm delivery)

② 선천성 기형 - 선천성 고관절 탈구, 뇌수종, 무뇌증, 수막 척수류, 삼염색체증

③ 분만 손상

④ Umbilical cord prolapse

⑤ 분만 지연(Prolonged labor)

•질식분만 시 손상받기 쉬운 장기

- 뇌(m/c), 척수, 간, 부신, 비장, 상완 신경총, 인두열상, 가성게실, 방광파열, 흉쇄유돌근 손상 등

(1) 만삭아에서의 주요 사망원인

: 태아두 포착(head entrapment), 대뇌 손상, 출혈, 제대탈출, 질식

(2) 조숙아에서의 주요 사망원인

: 두개 내 출혈, 태아가사, 제대 탈출 등

6. 분만 방법

1) 제왕 절개술

•제왕 절개술의 적응증

① 거대아(> 3.5 kg)

② 협골반 또는 좋지 못한 골반(Unfavorable pelvis)

③ 태아두의 과도 신전

④ 진통은 없으나 임신성 고혈압이나 12시간 이상 경과된 조기 파막 등으로 임신부나 태아

안전을 위하여 분만해야 할 경우

⑤ 자궁 기능 장애(Uterine dysfunction)

⑥ 족위(Footling presentaton)

⑦ 25~26주 이상의 건강한 미숙아로 진통이 있거나 분만을 해야할 때

⑧ 심한 태아 발육 지연

⑨ 과거 주산기 사망이나 분만 손상의 병력이 있는 경우

⑩ 임신부가 분만 후 단산을 원하는 경우

⑪ 숙련된 의사가 없는 경우

2) 외두부 회전술(External cephalic version)

: 태아의 선진부를 인공적으로 바꾸어주는 시술

3) Vaginal delivery

(1) 질식 분만의 문제점 - 부적절한 골반, 태아의 과신전, 유도분만, 족위, 조기분만 등

(2) 질식 분만의 조건

① Frank breech presentation with Simple pelvis ☆

② 태아체중이 2,000~3,500 g인 경우 ☆

③ 효과적인 자궁 확장이 이루어질 것

④ Pelvis contraction이 없을 것

⑤ 숙련된 산과, 소아과, 마취과 의사가 있을 것

7. 둔위 분만술

1) 둔위 분만의 기전

: 둔위의 진입과 하강은 골반의 Oblique diameter에 태아의 Bitrochanteric diameter가 놓이면 시작된다. 대개 Anterior hip이 Posterior hip보다 빨리 하강하게 되는데, 이 때 Pelvic floor의 저항을 만나게 되어 Internal rotation된다.

2) 둔위 분만의 종류

(1) 자연 둔위 분만 : 태아를 약간 받쳐주는 것 이외의 어떠한 견인이나 조작도 없이 완전히 자연적으로 나오게 하는 방법(성숙된 태아의 분만 시에는 보기 드물다)

⑵ 부분 둔위 만출 : 태아가 배꼽까지 자연적으로 나오게 하고 그 이후부터는 만출술에 의해
   분만

⑶ 전둔위 만출 : 태아의 몸전체가 산과 의사에 의해 만출

3) Complete or Incomplete breech의 만출

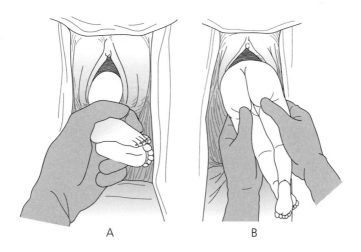

- A - 발과 발목을 견인
- B - 허벅지의 견인(따뜻하고 습한 수건을 태아에 감싸서 보온해주고 미끄러짐 방지)

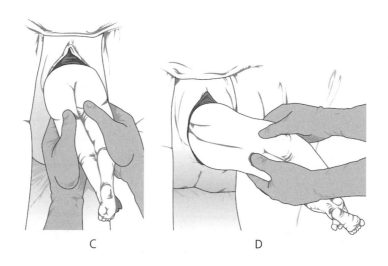

- C- 몸통 견인(견갑골이 확실히 보이기 전까지는 절대 회전 금지)
- D- 견갑골이 보이면 몸통 회전

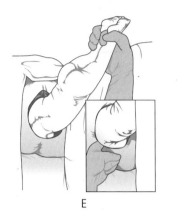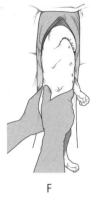

E   F

- E. Posterior shoulder의 분만 : 위쪽으로 견인하여 뒤쪽 팔을 풀어준다.
- F. Anterior shoulder의 분만 : 아래쪽으로 견인하여 앞쪽 팔을 풀어준다.

4) Frank breech의 만출

(1) 일반적인 방법

: 양쪽 사타구니에 손가락을 걸어서 중등도의 견인과 함께 광범위한 회음 절개술을 병행

(2) 위의 방법으로 되지 않고, 질식분만을 시도하는 경우 둔위 분해술이나 Pinard 수기를 이용

- 둔위 분해술(Breech decomposition) : 자궁 내에서 Frank breech를 Footling으로 전환시키는 시술
- Pinard maneuver : 다리를 밑으로 잡아당기는 시술

둔위 분만에 이용되는 수기
1) Mauriceau maneuver 2) Prague maneuver 3) Pinard maneuver

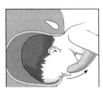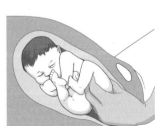

▶ Mauriceau maneuver   ▶ Prague maneuver   ▶ Pinard maneuver

5) 후속아두에 대한 겸자

- 대표적 겸자 : 파이퍼 겸자(Piper forceps)

- 분만 속도가 중요

    ① 너무 늦을 때 - 양수, 태변, 질분비물 흡인

    ② 너무 빠를 때 - 뇌인대 손상과 두개강 내 출혈

6) 마취

: 지속적인 마취는 만출력이 저하되어 제왕절개술의 빈도가 높아진다. 즉, 배꼽까지는 자연적 으로 분만되게 하고, 회음절개술과 여러 조작시에는 음부신경차단이나 회음부 국소마취면 충분하다.

8. 전향(Version)

- 정의 : 태아의 선진부를 인공적으로 바꾸어 주는 시술

1) 외두위 전향(External cephalic version)

(1) 방법

: 임신 36주 이후에 선진부가 둔위나 어깨일 경우, 임신부의 복벽을 통하여 태아의 머리가 선진부로 되도록 하는 조작술

① 임신부에게 방광을 비우게 함

② 태아의 선진부와 위치, 태반의 위치 확인

③ 태아의 두부와 둔부에 손을 위치시켜 Transverse position으로 만들고, 태아 상태 감시 → Distress 시 원래 위치로 되돌려줌

④ 태아의 머리를 골반쪽으로 당기면서, 둔부를 약간 밑으로 눌러준다.

   cf) 자궁 이완제 사용으로 더욱 안전하게 전향시킬 수 있다.

      태아 곤란증을 대비하기 위해 제왕 절개술에 대해 준비

(2) 적응증(조건)

① Presenting part가 Pelvis 내로 진입되어 있지 않아야 함

② 양수의 양이 정상

③ Fetal back이 후방에 있지 않아야 한다.

④ 임신부가 비만하지 않아야 한다.

⑤ 태아크기 2.5-3 kg

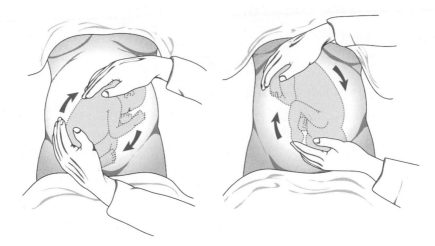

▶ External cephalic version

(3) 시술 성공에 중요한 요인

① Parity (m/i)

② Fetal presentation

③ Amnionic fluid의 양

(4) 합병증

① Placental abruption

② Uterine rupture

③ Feto-Maternal hemorrhage

④ Isoimmunization

⑤ Preterm labor

⑥ Fetal distress or Death

• Rh-negative 임신부에게는 Anti-D immunoglobulin 300 μg 투여

(5) 금기증 ★

① 뚜렷한 아두골반 불균형이 있을 때

② 선진부가 진입되어 있을 때

③ 복벽과 자궁벽이 자극에 대해 감수성이 있을 때

④ 양수과소증이나 조기파막으로 인하여 자궁 내에 양수가 부족하여 태아가 움직일 수 있
는 충분한 공간이 없을 때

⑤ 다태임신

⑥ 전에 제왕절개술이나 기타 자궁절개 수술을 시행한 경우

⑦ 심한 태아기형

⑧ 전치 태반이나 다른 원인들에 의해 난산이 예상되는 경우

⑨ 비만증, 자궁태반부전증 등

2) 내족부 전향(Internal podalic version)

(1) 방법

- 수술자의 손을 자궁강 내에 넣어서, 태아의 다리를 한쪽 또는 양쪽 모두 자궁 경관쪽으로
당겨주는 수기

- 전신 마취를 하여 자궁이 충분히 이완되어 있어야 한다.

(2) 적응증 : 쌍태아 중, 두 번째 태아가 횡위이면서 등이 위쪽에 있을 때(Second twin 분만 이
외의 적응증은 거의 없다)

9. 둔위의 예후 ☆

- 복잡한 둔위분만의 경우 임신부의 위험도가 증가한다. 감염의 위험성이 증가하며 자궁경부가
완전히 확장되지 않았을 경우 자궁의 파열, 열상등이 나타날 수 있다. 이는 심각한 산후출혈
을 야기한다.

- 태아에 미치는 영향 ☆

① 저산소증, 산혈증

② 외상 : 두개강 내 출혈, 천막 열상, 경부 척수손상, 복강 내 손상, 골절

③ brachial plexus damage

④ 두부외상으로 인한 신생아 경련, 뇌성마비, 지능저하, 강직성 관련 합병증

⑤ 제대탈출

II. 안면위(Face presentation)

1. 정의
- 태아두의 과도신전에 의하여 후두가 태아등에 닿게 되고 턱이 선진부로 된 상태

2. 원인
- 태아두를 신전시키거나 굴곡시키는 것을 방해하는 요인

  ① 골반협착(m/c)

  ② 목에 탯줄이 감겨있는 경우

  ③ 무뇌아

  ④ 협골반이나 거대아

  ⑤ 다산부의 복부하수(pendulous abdomen)

  ⑥ 다수의 출산력

3. 안면위의 분만 기전

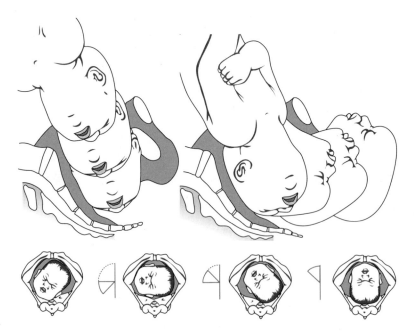

▶ Mechanism of Labor for Right mento-posterior position with subsequent rotation of Mentum anterior and delivery

1) 안면위의 발생 기전

: 안면위는 Pelvic inlet 윗쪽에서는 거의 나타나지 않고, 대개 Brow presentation으로 있다가 Descent 동안에 Face presentation으로 변화함으로써 발생한다.

2) Descent 시

: Head가 더욱 Extension되고, 후두가 태아의 등에 닿게 된다.

3) Internal rotation 시

: Internal rotation 하면서 턱이 Symphysis pubis 쪽으로 돌게 된다.

- ●Mento-Posterior position ☆
  - •Internal rotation 시 만일 턱이 Sacrum 쪽으로 회전하여 Mento-posterior가 되면 Vaginal delivery 불가능 ☆
  - •만일, 턱이 전방으로 회전하면 질식 분만이 가능할 수도 있으나, Persistent mentoposterior position이면 C-sec의 적응증이 된다.

4) Flexion 시

턱과 입은 Pubic arch에 도달할 때까지 하강하여 턱밑부분으로 Symphysis pubis를 누르면서 Head의 Flexion에 의해 코, 눈, 이마의 순으로 분만되고, 머리가 만출된 후, Occiput이 뒷쪽으로 떨어진다(cf. 두정위에서는 앞쪽으로 만출).

5) External rotation 시

: 턱이 원래 방향으로 External rotation하며 어깨가 만출

6) 태아는 얼굴에 부종이 나타나기도 하며, 형태가 일그러지기도 하고, 두개골이 심하게 Molding 되어 Occipitomental diameter가 늘어나는 경우도 있다.

▶ Mento-posterior position

4. 진단 및 처치

1) 진단

- 내진하여 입, 코, Malar bones, Orbital ridge 등의 얼굴형태 촉진(입을 둔위에서 항문으로 혼
  돈하기 쉬우므로 주의한다)

2) 처치

- 안면위는 어느 정도 골반 입구 협착과 동반하기에 흔히 제왕절개의 적응증이 된다(골반 협착
  이 없고 효과적인 진통분만이 있을 경우에는 성공적인 vaginal delivery가 가능).

III. 이마태위(Brow presentation)

1. 정의 및 원인

- 골반입구에 Orbital ridge와 앞쪽 숫구멍(anterior fontanel) 사이에 걸친 이마가 선진부로 되어
  있는 것
- 전액위가 지속되는 한 아두의 진입 내지 정상적인 분만은 어렵다.
- 원인 - 안면위와 동일
- Brow presentation은 불안정한 상태로써 Face or Vertex presentation으로 변할 수 있다.

2. 분만 기전

- 태아의 크기에 따라서 달라짐 : 태아가 작거나 골반이 크면 분만이 쉽지만, 태아가 크면 분만이 곤란

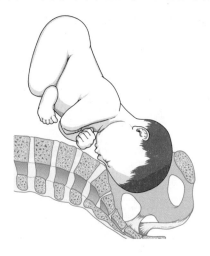

▶ Brow presentation

3. 예후

- 일시적인 Brow presentation일 경우, 예후는 궁극적인 presentation과 같다.
- 지속적일 경우 질식 분만의 예후는 나쁘다.

4. 진단 및 처치

1) 진단

- 내진 - frontal suture, 대천문, Orbital ridge, 눈, 코를 촉지할 수 있으나 입과 턱은 만져지지 않음
- 복부촉진 : 후두와 턱이 만져질 수 있음

2) 처치

- Face presentation과 동일
- 태아감시하에 태아 장애의 증거가 없고 과도한 자궁수축이 없이 자연분만이 진행되고 있을 때는 질식분만을 유지
- 태아가 큰경우에는 태아진입이 불가능하므로 정상적 분만은 어렵다.

질식분만이 가능한 경우
1) 현저한 molding (occpito-mintal diameter가 짧아질 정도로)   2) Face or occiput presentation으로 변할 때   3) 태아가 매우 작을 경우   4) 골반이 클 경우

IV. 횡태축(Transverse lie)

1. 정의

- 태아의 장축이 모체의 장축에 수직에 가깝게 위치한 것
- 태아 장축이 Acute angle을 취하면 Oblique lie라 한다.

2. 원인 : "협골반"을 제외하면 모두 둔위의 원인이 되기도 함

(1) 다산에 의한 복벽이완

(2) 조산아

(3) 전치태반(Placenta previa)

(4) 자궁 기형

(5) 양수과다

(6) 협골반(Contracted pelvis)

3. 분만 과정

• 지속성 횡태축(Persistent transverse lie)은 자연분만 불가능

• Neglected Transverse lie

(1) 정의

- Persistent transverse lie 일때, Membrane rupture후 Fetal shoulder가 골반 상부에 끼게되고 자궁 수축이 강력해져 Retraction ring이 위로 올라가면서 뚜렷해지는 현상

(2) 임상적 의의

- Uterine rupture가 임박했다는 Sign으로 즉각 처치하지 않으면 자궁이 파열되고 태아와 산모가 사망

• 병적 수축륜(pathologic retraction ring)

(1) 진단 : 복부의 외견상 치골 상연과 배꼽 사이에 함몰된 수축륜(abdominal indentation)

(2) 원인

① pelvic contraction(mc)

② cervical dystocia

③ 거대아

(3) 처치 : 자궁 파열 임박을 시사하는 위험징후로, 즉시 c-sec delivery 시행

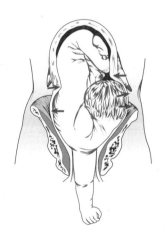

▶ Neglected shoulder presentation

A thick muscular band to form a Pathological retraction ring has developed just above the very thin lower uterine segment

4. 예후 ☆

1) 모성 사망의 증가 – 자궁의 Spontaneous or Traumatic rupture

2) 태아 유병률 증가 – 전치 태반과 재대 탈출이 흔히 동반

5. 진단 및 처치

1) 진단

(1) 시진상 복부가 양옆으로 넓게 퍼져있고 Fundus가 낮아 배꼽 바로 위에 위치

(2) 촉진상 자궁저부에서 Fetal pole이 촉지 되지 않고, 서로 다른 반대측 ischial fossa에서 머리와 엉덩이가 촉진되며, 태아 등이 쉽게 촉진

(3) 내진상 Scapula와 Clavicle이 촉진

2) 처치

- 일반적으로 임신부에서 진통이 시작되면 C-sec 한다.
  - C-sec 시 절개는 Vertical incision으로 한다(Low transverse incision 시 태아 만출이 어려움).
- 진통 전 외전향술(External version)을 시도할 수도 있다.

V. 복합위(Compound presentation)

- 정의 – 손이나 발이 머리나 엉덩이 옆으로 빠져나와 같이 선진부를 이루는 경우
- 예후 – 조기 분만, 제대 탈출, 분만 손상에 의한 주산기 사망률 증가
- 대부분의 경우 빠져 나온 손은 분만 과정에 지장을 주지않고 머무르게 된다.
  → 질식분만 가능
- 손이 머리에 밀려 위로 올라갈 수 있으므로 지켜본 후 분만에 장애가 됨, 부드럽게 손을 밀어 올리고 머리를 하방으로 압박.

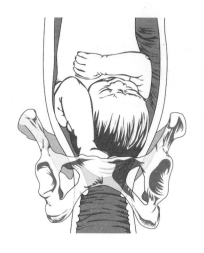

▶ Compound presentation

The hand and arm may retract from the birth canal
and the head may then descend normally

VI. 지속성 후방 후두위와 지속성 횡후두위

1. 지속성 후방후두위(POPP) ☆ (Persistent Occiput Posterior Position)

1) 정의

- 분만 시 후방후두위가 전방후두위로 전방 회전하지 않는 것

- 빈도 - 5%

2) 원인

- 원인 불명이지만 midpelvis의 transverse narrowing, 거대아, 경막외마취, 이전 후방후두위 분만 등이 원인

3) Vaginal delivery 방법 : 일반적으로 아두가 회음에 다다르면 쉽게 분만 가능

(1) 자연 분만

(2) 후방 후두위로 겸자 분만

- Occipito-Mental diameter를 따라 양 옆으로 겸자 적용

- 만일 Engagement가 안된 경우는 즉시 C-sec

(3) 겸자 회전하여 자연 분만하거나 겸자 분만

(4) 수기 회전(Manual rotation)하여 자연 분만하거나 겸자 분만

4) 예후 : 자연분만 46%이고 분만합병증이 증가한다.

2. 지속성 횡후두위(Persistent Occiput Transverse Position)

- 횡후두위는 후두부가 전방회전하기 때문에 골반구조에 이상이 없으면 대부분 일시적으로 나타난다.

  → 저장성(hypotonic) 자궁기능부전이 없다면 자연분만하거나 외겸자분만이 가능

VII. 견갑난산(Shoulder dystocia) ☆

Risk factors of Shoulder dystocia ☆		
Maternal	Intrapartum	Fetal
1. Obesity 2. Multiparity 3. Diabetes	1. Midforcep delivery 2. Prolonged 1st and 2nd 3. Oxytocin labor induction	1. High birth weight (Fetal macrosomia) 2. Postterm

1. 정의

: 머리에서 몸체 분만까지 걸리는 시간이 60초 이상인 경우(평균은 24초)

2. 원인

- 견갑 난산의 위험요소 및 예방 <**암기법 : DOPEM>
- 당뇨병(Diabetic), 비만(Obesity), 과숙(Postterm), 지나친 모체와 태아의 체중 증가(Elevation of Maternal and Fetal body weight), 다산(Multi parity)
- 그러나 동의서 하에서 어느 분만방법이든지 선택 가능 ☆

3. 합병증

1) 태아측 결과(Fetal consequences)

① brachial plexus injury : 예측불가, 80%는 13개월 내에 완전 회복

  - Erb Duchenne palsy : C5, 6 or C7 손상 : hanging upper arm, elbow extension

  - Klumpke palsy : C7-T1 손상 : clawhand deformity

② fracture of clavicles (0.4%) or humerus

  - 쇄골 골절은 피할 수 없고 예측할 수 없고 임상적으로 중요하지 않음

③ severe asphyxia and death

2) 모체측 결과(Maternal consequence)

① 자궁경부, 질 열상

② Uterine atony에 의한 산후출혈

4. 처치

• 생존에 영향을 주는 인자 : 머리의 분만으로부터 몸체의 분만까지의 시간이 짧아야 한다.

① 분만부가 태아를 만출하려는 힘과 함께 조심스럽게 Traction 한다.

② 충분한 회음 절개와 적절한 마취

③ 영아의 입과 코를 깨끗이 한다.

④ 분만부 Symphysis pubis 밑에 위치한 태아의 앞쪽 어깨를 풀어준다.

• 태아의 앞쪽 어깨를 풀어주는 방법

(1) 태아 머리를 Downward traction 하면서 Suprapubic pressure를 가한다.

(2) McRobert maneuver

: Suprapubic pressure를 가하면서 분만부의 다리를 배에 닿게끔 구부려서, Sacrum이 요추에 대해 편평해지고 Symphysis pubis가 환자의 머리쪽으로 회전하고 골반경사의 각이 줄어들게 한다. 이 방법은 골반 용적을 증가시키지는 못하지만, 골반에서 두위가 회전하게 함으로써 꽉 끼인 앞쪽 어깨를 풀어줄 수 있다.

(3) Woods corkscrew maneuver

: 뒤쪽 어깨를 시계 방향으로 180도 회전시켜 앞쪽 어깨를 풀어주는 방법

(4) Delivery of Posterior shoulder

: Fetus의 Posterior Arm을 chest 쪽으로 쓸어내리면서 Arm을 만출시키고, Shoulder를 Pelvis의 Oblique diameter에 맞춘 후, Anterior shoulder를 만출시키는 방법

(5) Rubin maneuver

① 1st maneuver

: 임신부의 복부에 힘을 가함으로써 태아의 어깨를 옆으로 나란히 만드는 방법

② 2nd maneuver

: First maneuver가 용이하지 않을 때, 쉽게 만질 수 있는 태아의 어깨를 Anterior chest wall 쪽으로 밀어 Shoulder를 Abduction 시킴으로써 Shoulder-to-shoulder distance를

짧게한 후, Symphysis pubis 아래로 앞쪽 어깨를 만출시키는 방법

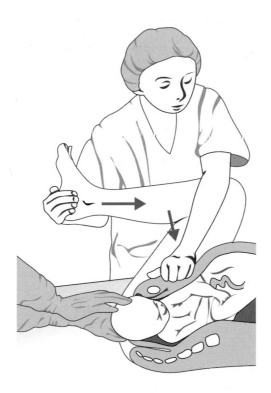

▶ McRoberts maneuver

▶ Woods maneuver

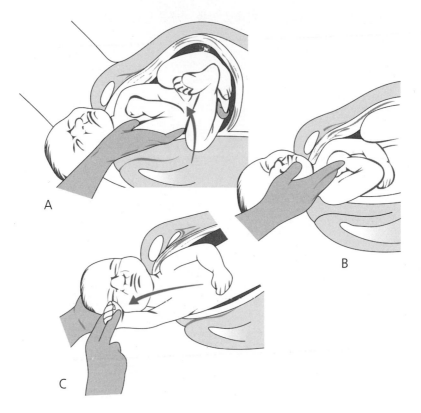

▶ Delivery of posterior shoulder

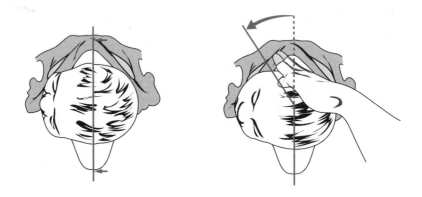

▶ Rubin second maneuver

(6) 기타

① Hibbard - 임신부의 직장쪽을 향해 영아의 목에 힘을 가하고 Suprapubic pressure를 가하

는 방법(합병증 77%)

② Zavanelli method - 골반 내로 태아를 밀어넣고 C-sec

③ 쇄골을 Fracture시키는 방법

④ Cleidotomy - 쇄골을 Cutting 하는 방법으로 주로 사산아에 적용된다.

• ACOG에서 추천한 견갑 난산의 처치 방법 ⭐

① 첫 번째로 도움을 청한다. 조수와 마취의, 소아과 의사를 부른다.

이 때에 조심스럽게 머리를 잡아당긴다. 만일 방광이 차있다면 비운다.

㉮ 힙음적개(Mediolateral or Episio-proctotomy)를 충분히 함으로써 후방에 공간을 만들어

준다.

③ 치골상방압 방법이 쉽기 때문에 대부분 처음에 사용된다. 태아의 머리를 아래쪽으로 잡

아당기는 동안 한명의 조수가 치골상방압을 가한다(suprapubic pressure를 가하면서 태아

머리를 downward traction).

④ 뒤쪽 팔 분만법을 시행한다.

⑤ 실패 시 Woods corkscrew maneuver를 시행하고, Rubin maneuver를 시행한다.

⑥ Fracture of clavicle은 모든 방법이 실패했을 때 사용한다.

VIII. 발육 이상으로 인한 난산

1. Macrosomia(거대아)

1) 위험인자

(1) Large size parents (esp. the mother)

(2) 다산부인 경우(Multiparity)

(3) 임신부가 당뇨병인 경우

(4) Prolonged gestation

(5) Male fetus

(6) 과거 4,000 g 이상의 태아를 분만한 기왕력이 있는 경우

2) 진단(2002 ACOG) 및 처치

• 대부분의 견갑난산을 정확히 예견하거나 예방할 수 없음

• C-sec의 적응증 : 태아의 예측무게가 5,000 g 이상이거나 당뇨병이 있는 임신부에서 태아의

예측무게가 4,500 g 이상일 때 제왕절개 고려

〈Vaginal delivery가 가능한 경우〉

① Frank breech presentation

② Occiput anterior presentation

③ Occiput posterior presentation

④ Chin anterior presentation

• 초음파 - 태아의 두부, 흉부, 복부크기를 측정하여 태아의 체중을 예측

3) 합병증

• 거대아는 대개 다산부나 당뇨병이 있는 임신부에 많으므로 모체 양측에 위험성이 높다.

• Cephalopelvic disproportion, Shoulder dystocia의 위험이 높다.

• 당뇨병 임신부의 Macrosomia의 특징

- 비대칭적인 Organomegaly를 보인다(뇌의 발달은 변하지 않아 두위는 정상 크기).

　cf) 당대사가 없는 비만한 임신부의 경우 태아 거대증은 대칭적이다.

2. Hydrocephalus

1) 정의

: 뇌의 뇌실 내에 뇌척수액이 다량으로 고여서 두개가 커지는 질환

• 빈도 - 1/2,000, 출생기형의 12%

2) 뇌수종 태아의 두부의 특징

① Face가 Large head에 비해 작음

② Globular cranium (normal은 ovoid)

③ 두 개 음영이 매우 얇아서 잘 보이지 않는다.

3) 합병증 ☆

• Uterine rupture- CPD, 아두에 의한 Lower uterine segment의 과도 확장

4) 치료 ☆

• 두개천자(Cephalocentesis)

: 뇌척수액 제거하여 태아의 머리가 산도를 통과하는 시기에 머리의 크기를 줄여주어야 함

① 두위의 경우 - 3~4 cm 정도 확장되었을 때 Transvaginal aspiration

② 둔위의 경우 - 둔부와 체부를 분만시킨 후, 태아 안면부를 분만부의 등쪽으로 위치하게 하고, Vagina의 Anterior wall을 따라 Transvaginal aspiration

3. Large fetal abdomen

1) 원인

(1) Greatly distended bladder

(2) Ascites

(3) Enlargement of the kidney or liver

(4) Edematous fetal abdomen

2) 치료

: 임신부의 방광을 비우게 하고 치골 윗부위를 깨끗이 무균처치한 다음, 뇌수종 때 사용했던 것과 같은 크기의 크고 긴 바늘로써 임신부 복부의 중앙선 부분을 통하여 태아의 복강을 천자하여 태아의 방광이나 복강 내의 액체를 신속히 뽑아줌

19 골반협착에 의한 난산

P o w e r   O b s t e t r i c s

- 모든 형태의 골반 협착에서 Oxytocin을 이용한 Labor induction은 금기 ☆

Pelvic contraction 종류 및 정의

1. Contraction of Pelvic inlet
    1) Shortest AP diameter 〈 10 cm or
       Greatest Transverse diameter 〈 12 cm
    2) Diagonal conjugate 〈 11.5 cm (Obstetric conjugate 〈 10 cm)

2. Contraction of Midpelvis: pelvic inlet contraction보다 흔함
    1) AP diameter 〈 11 cm
    2) Interspinous diameter 〈 8 cm
    3) Interspinous diameter + Postsagittal diameter 〈 13.5 cm

3. Contraction of Pelvic outlet: mid pelvis contraction과 동반하는 경우가 많다.
    1) Interischial tuberous diameter ≤ 8 cm
    2) bituberous + post sagittal ≤ 15 cm

4. Combination

I. Contracted Pelvic inlet

1. 태위와 태향에의 영향

- Pelvic inlet contraction은 비정상적인 태위 발생과 관련됨
- 두정위(Vertex presentation)가 가장 많으나, 골반 입구로 진입하지 못하고 다른 태위로 변화할 수 있다.
- Face presentation, Shoulder presentation, Cord prolapse 증가 ☆

2. 합병증

1) 분만 중 이상

(1) 자궁 경관 확장의 이상 및 조기 양막 파수

(2) Uterine rupture

- 출산력이 많을수록 빈도가 높다.

- Pathologic retraction ring이 나타나면, 즉시 제왕절개술 시행 ☆

(3) Fistula formation

- 일반적으로 분만 2기가 매우 지연된 경우 발생

- 분만 진행이 안되고 산도가 심하게 압박받게 되어 혈액순환부전 내지 조직의 괴사가 초래

  → 분만 수일 후에 방광과 질, 방광과 경부 또는 직장과 질 사이에 누공이 발생

(4) 분만 시 감염

- PROM, 잦은 내진이나 자궁 내 조작에 의한 감염 증가

2) 태아에 미치는 영향 ☆

(1) 산류(Caput succedaneum)

(2) 태아두부의 주형(Molding)

- 심할 경우 두개강 내 출혈, 천막 파열, 혈관손상 유발

- 함몰 골절의 경우는 즉각 수술

(3) 제대 탈출(Cord prolapse) 증가

- 제대 탈출 시의 처치: 제왕절개술 전에 방광에 500~700 mL의 식염수를 급히 채워서 선진부 상승을 도모

(4) 분만 시 감염에 의한 태아 균혈증, 흡인성 폐렴

(5) 비정상적 태위 → face presentation, shoulder presentation 증가

3. 예후

- 예후에 영향을 미치는 영향

  ① Presentation(태위) - 후두위를 제외한 모든 태위는 불량

  ② Fetus size

  ③ Pelvic inlet의 직경 및 모양

④ Uterine contraction의 빈도와 강도

⑤ Labor 중 Cervix의 확장 상태

⑥ 아두가 진입되지 않은 상태에서 심한 비동고정위(asynclitism)나 주형이 심하면 예후가 나쁘다.

⑦ 과거 임신 시의 분만 결과와 신생아 체중

⑧ Uteroplacental perfusion의 적절성

4. 처치

• 안전한 질식 분만이 불가능하다고 판단되면 C-sec 시행

• 주의 사항

① 분만 1기의 수축이 미약하고 분만 2기에도 본인의 자발적인 노력이 필요하므로 Anesthesia의 사용은 주의해야 한다.

② 모든 형태의 골반 협착에서 Oxytocin 사용은 금기

II. Contracted Midpelvis ☆

• Pelvic inlet contraction 보다 빈도가 높다.

1. 정의

(1) AP diameter < 11 cm

(2) Interspinous diameter < 8 cm

(3) Interspinous diameter + Postsagittal diameter < 13.5 cm

2. 진단 ☆

• 내진상 중 골반 협착을 의심해야 함 소견

① 양측 Ischial spine이 Prominent

② Sacrosciatic notch가 Narrow (= Pelvic side wall converge)

③ Sacrum plane의 Concavity가 Shallow

④ Interspinous diameter가 Narrow

3. 예후

- 빈번한 Transverse arrest의 원인이 됨 → 겸자 분만 및 C-sec의 빈도 증가

4. 처치

(1) 겸자 분만, 진공 만출술을 이용한 Vaginal delivery

(2) C-sec

III. Contracted Pelvic outlet

1. 정의

- Interischial tuberous diameter < 8 cm

2. 예후

- 대부분 Midpelvic contraction과 동반되어 난산의 원인이 된다.

- Pubic arch의 각이 좁아지면 태아두가 하방으로 압력을 받게되고 심각한 회음부 열상이 발생

- 질식분만의 가능 여부에 영향을 주는 구조물

- Posterior triangle과 관련- Interischial tuberous diameter, Posterior sagittal diameter의 크기

IV. 골반골절과 임신

1. 교통사고가 가장흔함

2. Pubic rami의 양측 골절

: callus 형성과 부정유합으로 이상산도 초래

3. 골반골절의 병력이 있을 경우

→ 과거에 촬영한 방사선 사진이 있다면 상세히 재판독하고 필요하면 임신 말기에 다시 CT pelvimetry를 찍어서 질식분만의 가능여부를 결정

V. Fetal head의 크기 측정

1. 임신 말기의 Fetal head의 biparietal diameter

: 9.5~9.8 cm 정도

2. 임상적 측정방법(Muller method)

• 후두위시 Uterine fundus를 아래쪽으로 미는 압박을 가하면서, 임신부의 하복부에서 태아의 두부를 손으로 잡아서 Pelvic inlet 방향으로 강하게 밀어넣어 보고, 이 때 질내에서 태아두를 촉진함으로써 아래쪽으로 하강하는 정도 측정

3. 영상 진단

1) Radiologic estimation

• 정확도가 떨어짐

2) Ultrasonography

• X-ray보다 정확

• BPD, head circumference 측정

• 태아 머리 크기에 따라 태아골반 불균형을 예견할 수 있는 만족할 만한 방법은 없음

20 생식기의 이상과 임신

Power Obstetrics

I. 생식기 발생의 장애

1. Müllerian duct 기형의 분류

American Fertility Society Classification of Mullerian Abnormalies

I. Segmental mullerian hypoplasia or agenesis
  A. Vaginal
  B. Cervical
  C. Uterine fundus
  D. Tubal
  E. Combined anomalies
II. Unicornuate uterus
  A. Communicating rudimentary horn
  B. Noncommunicating horn
  C. No endometrial cavity
  D. No rudimentary horn

III. Uterine didelphys
IV. Bicornuate uterus → 유산율 70%
  A. Complete (division to internal os)
  B. Partial
V. Septate uterus → 유산율 88%
  A. Complete (septum to internal os)
  B. Partial
VI. Arcuate
VII. Diethylstilbestrol related

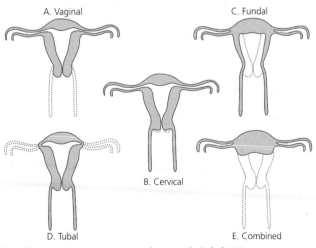

A. Vaginal   C. Fundal   B. Cervical   D. Tubal   E. Combined

▶ Class I: Segmental Müllerian Agenesis or Hypoplasia with Subdivisions

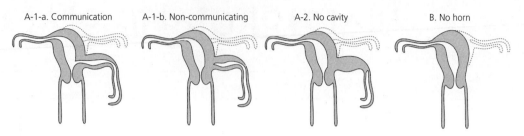

A-1-a. Communication   A-1-b. Non-communicating   A-2. No cavity   B. No horn

▶ Class II : Unicornuate uterus with either Rudimentary horn (A) or Without Rudimentary horn (B)

- ● Pregnancy outcome : 48%

  ① A-1 : with an Endometrial cavity (A-1)

   A-1-a : have a communication with the opposite uterine horn

   A-1-b : do Not have a communication with the opposite horn

  ② A-2 : without an Endometrial cavity

- Cervix와 Uterine cavity가 2개이고, 대부분 Vagina도 2개
- Pregnancy rate : 68%(가장 높음)

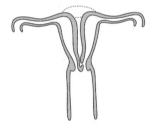

▶ Class III: Uterine didelphys(중복 자궁)

- Abortion rate : 70%

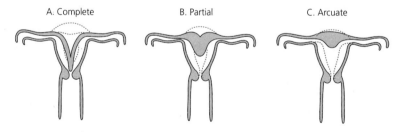

A. Complete   B. Partial   C. Arcuate

▶ Class IV : Bicornuate uterus according to which the Septum is complete down to the internal os

- Poor prognosis

- Abortion rate : 88%

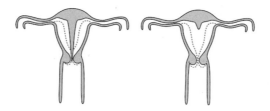

▶ Class Ⅴ : Septate uterus with Complete septum or Partial septum

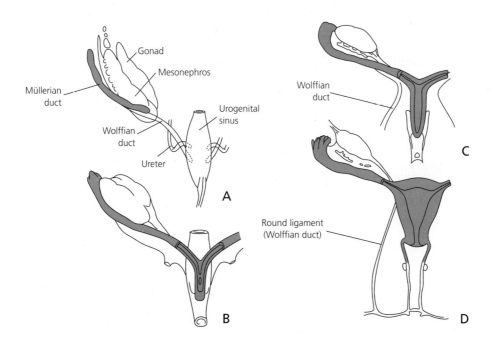

▶ Development of the female reproductive systems from the genital ducts and urogenital sinus. Vestigial structures are also shown.

A. Reproductive system at 6 weels before differentiation.
B. In the female, the müllerian (paramesonephric)ducts extend and enter the urogenital sinus and become fused.
C. Uterine cavitation occurs at site of fused müllerian ducts and the uterus grows downward.
D. Cavitation is complete and the lower segment and cervix, along with the upper vagina, are formed.

2. 진단 ☆

1) 진찰과 검사

- Inspection, Bimanual examination, Radiologic study, 복강경
- Septate uterus와 bicornuate uterus는 감별하기 어려워 진단적 복강경 or HSG/MRI로만 진단 가능
- Abdominal palpation시 Fundal notching

2) 분만시 자궁기형이 의심되면 산후 6~8주에 자궁 조영술을 시행(HSG)

3) 요로계 검사 : 콩팥조영술

: 불균형적인 발육으로 인한 기형은 요로계의 기형과 흔히 동반

4) 청각검사: Müllerian duct anomaly를 가진 여성의 1/3에서 청력장애 보고됨

3. Diethylstilbesterol의 영향

1) 합병증

(1) Structural anomaly : 태아기에 DES에 노출된 여성의 20~25%에서 질, 자궁, 자궁경부, 난관의 이상을 나타냄

① 자궁내강의 기형

② 자궁 경부 발육 부전

③ 짧고 좁은 Fallopian tube, Fimbria 결손

(2) 임신에의 영향

① Ectopic pregnancy

② Abortion & Preterm labor

③ Infertility

(3) 질과 자궁 경부 질환 및 종양의 증가

① Vagina - Vaginal adenosis, Clear cell carcinoma

② Cervix - Hypoplasia & Atresia, Ectropion, CIN, Small cell carcinoma,

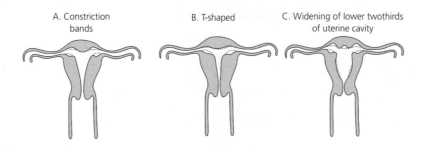

A. Constriction bands

B. T-shaped

C. Widening of lower twothirds of uterine cavity

▶ Class VI : DES abnormalies including uteri with Luminal changes

II. 후천성 생식기 이상

1. Vulvar abnormality

1) Edema

2) Inflammatory lesion(염증성 외음부 병변)

(1) Bartholin abscess - 발견 즉시 처치 필요

① 산욕기 감염의 원인이 되므로, 임신기간 중 형성된 모든 농양은 배농, 지혈, 배농관 삽입 시행

② Cellulitis가 사라질때까지 광범위 항생제 사용

③ Necrotizing fasciitis : DM, 면역억제제 임신부에서 발생 가능

(2) Bartholin cyst

① 주로 농양에서 속발되며 증상이 없으면 분만 후에 치료하는 것이 좋다(대개 무균이고 임신 중 치료 불필요). (임신 시 Hyperemia가 많으므로)

② 분만 시 장애가 있으면 Needle aspiration

(3) Urethral Diverticulae, Cyst, Abscess

: 대부분 증상 없고, 임신 중 외과적 처치가 필요치 않다.

3) Condyloma acuminata ☆

(1) 원인

① HPV type 6, 11

② 성교에 의해 직접적으로 전파

(2) 위치 : Perineum 근처 vulva, perianal, vagina, cervix

※ 임신 중에는 크기와 수가 증가할 수 있다.

- 분만 전 치료함으로써 난산 예방, 양막염, 조산, 회음부절개의 열개의 원인이 되는 2차적 감염 및 출혈 방지

● 임신 중 치료 ★

: 레이저, 85% Trichloroacetic acid 국소도포, Laser Vaporization, 외과적 제거, 냉동요법, 전기소작술

● 금기 - Podophylline, 5-Fluorouracil, α-interferons

(임신 시는 Podophylline 대신 Trichloraoacetic acid를 사용해야 함)

2. Vaginal abnormality

1) **Partial atresia**

2) **Gardner duct cyst**

3) **Genital tract fistula from Parturition**

4) **Double vagina**

5) **Septum (longitudinal, transverse)**

3. Cervical abnormality

1) **Congenital : atresia, double cervix, single hemi cervix, septate cervix**

2) **Stenosis**

① 원인 - Extensive cauterization, Previous conization, Infection, Corrosive used to induce abortion (KMnO$_4$), Cervical amputation

② 처치 - 대부분은 정상 분만 가능(C-sec이 필요한 경우는 드물다)

3) **Cervical cancer**

4. Uterine displacement

1) **전굴(Anteflexion)**

① 임신초기 - 심한 전굴이라도 임상적 중요성은 없다.

② 임신 후기의 심한 자궁 전굴

- 원인 - 임신부의 복직근분리와 Pendulous abdomen(현수복)

  (자궁 경관 확장와 Engagement의 장애 유발 가능)

- 치료 - 복대 사용으로 자궁의 위치 교정

2) 후굴(Retroflexion)

- 병적인 상황은 아님

- Uterus가 장을 Incaceration하는 경우만 치료

- 복부불편감, 배뇨장애

- Knee chest position → 자궁의 복귀 → pessary 삽입 안되면 복강경 시행

3) 자궁의 소낭 형성(Sacculation)

- 원인 - Old inflammatory disease, Endometriosis, 자궁 내 유착의 치료 후

- 대개 분만 후 정상으로 회복됨

- C-sec을 하는 경우, 자궁 incision 시 전체 자궁을 Abdomen에서 꺼낸 후 Incision하는 것이 추천된다.

4) Uterine prolapse

- 임신중 발생한 Uterine prolapse는 시간이 경과하면서 회복되는 경우가 많다.

- 치료

  ① 임신 초 Pessary의 사용

  ② Pelvic floor가 지나치게 이완된 경우는 임신 4개월이 지날때까지 Recumbent position

  ③ Cervix가 지속적으로 질 밖으로 돌출된 경우는 Termination

5) Uterine torsion

- 대부분 Right rotation

- Torsion되어 혈류 장애나 급성 복증이 일어나는 경우는 드물다.

- C-sec 시 Posterior uterus를 Incision 할 수 있으므로, Incision 전에 자궁을 Abdomen으로 꺼낸 후 절개한다.

III. 자궁 근종

1. 임신에의 영향

※ 파워 부인과 자궁근종 참조

(1) Infertility

(2) Abortion

(3) Premature labor

(4) Obstructive labor

(5) Malpresentation

(6) Adherent placenta

(7) Prolonged labor

(8) Postpartum hemorrhage

2. 적색 변성(Red degeneration)

1) 증상 : 임신 중(특히 2삼분기) 또는 산욕기에 발생

- Focal Pain with Tenderness on Palpation, Low grade Fever

2) 감별 진단

(1) Placental Abruption

(2) Urethral Stone

(3) Appendicitis

(4) Pyelonephritis

3) 치료 : Analgesia (Codeine) ⭐

(대부분의 증상은 수일 내에 경감하나 염증이 진통을 유발할 수 있음)

4) 임신이 근종에 미치는 영향

① 임신 1삼분기 때는 에스트로겐의 영향으로 자궁의 성장과 더불어 대개 크기가 커짐.

② 임신 2삼분기 때는 작은 것은 커지고 큰것은 작아짐.

③ 임신 3분기 때는 크기에 상관없이 작아짐.

- 빈도 - 임신의 0.3~2.6%

Trimester	Small Myomas			Large Myomas		
	No change	Increase	Decrease	No change	Increase	Decrease
First	58%	42%	0%	20%	80%	0%
Second	55%	30%	15%	38%	14%	48%
Third	61%	4%	35%	29%	12%	59%

초음파상 임신 중 자궁근종 크기의 변화

5) 근종의 크기 및 위치에 따른 질환

① 태반이 근종위에 부착 → 유산, 조기진통, 태반조기박리, 산후출혈

② 근종이 자궁경부나 자궁 하절에 위치 → 산도폐쇄

③ 큰 근종은 자궁을 밀어 하대정맥폐쇄 유발

④ 산도에 있던 근종도 자궁이 커지면서 상승하여 질식분만이 가능!

3. 자궁근종 절제술(Myomectomy)

1) 임신 전 자궁근종 절제술의 기왕력이 있는 경우

- 자궁 근종 절제후 다음 임신에서 Uterine rupture의 위험이 높다.

- 대책 - Active labor가 시작되기 전 C-sec하여 분만

2) 임신 중 자궁근종 절제술

- 임신 중에는 Myomectomy를 하지 않는 것이 좋다(∵bleeding이 심하므로).

- 잡기 쉽고, 자르고 묶을 수 있는 뚜렷한 Pedicle을 가진 근종에 한해서 시행

- 이유

① 임신 중 또는 분만 중 절제술을 시행하면, 출혈이 심하여 자궁적출술까지 할 수 있다.

② 전형적으로 자궁근종은 분만 후 현저하게 퇴축되므로, 절제술은 퇴축이 일어난 후에 실시

IV. 난소종양(Ovarian tumors)

1. 종류

- Cystic tumor가 m/c

  ① Cystic Teratoma (Dermoid cyst)

  ② Serous or Mucinous Cystadenoma

  ③ Corpus luteal cyst, other benign cyst

  ④ Malignant

2. 임신 중 합병증

1) Torsion(m/c)

   - 임신 첫 3개월(1st trimester)에 가장 많다 : 통증이 심하다.

2) 경색증

3) 낭종 파열

4) 질식분만 방해

5) 자궁 파열(종괴에 의한 산도 폐쇄)

3. 치료 ★

1) 직경 5 cm 미만 : Observation

2) 직경 10 cm 이상의 난소 : 수술(laparoscopy)

3) 직경 5~10 cm

   - 단순성일 경우 경과 관찰

   - 중격 존재, nodule, 유두상 신생물, 파열, 염전, 경색 시 수술

4) **악성 의심 시 - 즉시 수술(Nonpregnancy 시와 같이 치료)**

5) 진단이 임신 말까지 안됐을 때는 악성이거나, 악성이 의심되는 경우를 제외하고 태아생존력이
   생길때까지 연기

6) 분만 방법 ★

   : 난소 낭종이 골반에 끼지 않았으면 자연 분만(Vaginal delivery)하고 후에 낭종에 대한 치료

7) Large ovarian tumor의 임신 중 치료 시기

: 임신 4개월 경(16~20주) ★

- Progesterone 합성의 Luteoplacental shift 이후

- 대부분의 낭종이 퇴축되는 시기

태반 및 양막의 질환 및 이상

P o w e r   O b s t e t r i c s

I. 융모양막(Chorioamnion)의 질환

1. Meconium staining

1) 태아 산혈증 및 신생아 사망의 증가

→ 만삭아에서 Meconium aspiration syndrome 유발

2) 제왕절개 수술 빈도의 증가

2. Chorioamnionitis

1) 정의

- 현미경상 백혈구가 융모막에 침윤된 것
- 자궁 내 감염과 관련 있으나, 항상 태아 및 모체 감염과 연관되지는 않는다.
- 태아와 신생아의 mortility, morbidity가 증가된다.

2) 증상

① Fever - m/c symptom(유일하게 신뢰 가능한 지표) ≥ 38℃

② Leukocytosis

③ Uterine tenderness

④ Vaginal discharge (Foul odor)

⑤ Fetal tachycardia

3) 진단 : 양수의 그람 염색 & 균배양

4) 치료

• 항생제를 투여하고 즉시 분만시킨다.

II. Amnionic fluid Volume의 장애

> 양수량은 임신 34주 이후에는 감소한다. 따라서
> 지연 임신에서 양수량 감소→탯줄 눌림→vari-
> able deceleration 가능성 있음.

● 임신 중 Amnionic fluid volume의 변화

Typical Amnionic fluid volume				
Weeks Gestation	Fetus (g)	Placenta (g)	Amnionic fluid (mL)	Percent fluid
16	100	100	200	50
28	1,000	200	1,000	45
36	2,500	400	900	24
40	3,300	500	800	17

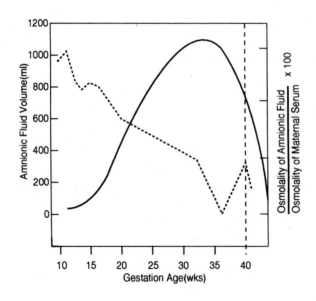

▶ Amnionic fluid volume (Solid line) and Osmolarity (Dotted line)

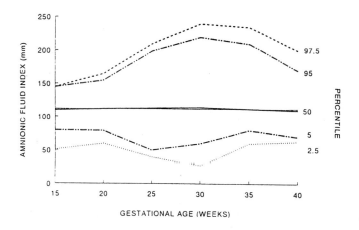

▶ Normal percentiles for the Amnionic fluid index

Conditions frequently associated with Amnionic fluid volume		
	양수과소증	양수과다증
Ⅰ. Fetal	A. Chromosomal anomaly 　1. Triploidy (18, 21) 　2. Turner syndrome (45,XO)	A. Chromosomal anomaly 　1. Triploidy (18, 21)
	B. Congenital anomaly 　1. Amnionic band syndrome 　2. Cardiac : TOF, ASD, VSD 　3. CNS anomaly 　4. Cloacal dysgenesis 　5. Cystic hygroma 　6. Diaphragmatic hernia 　7. Genitourinary anomaly 　8. Hypothyroidism 　9. Skeletal anomaly 　10. TRAP sequence 　11. VACTERL association C. Growth restriction D. Postterm pregnancy E. Ruptured membranes	B. Congenital anomaly ★ 　1. Anencephaly 　2. Hydrocephalus 　3. Tracheo-esophageal fistula, esophageal atrehia 　4. Spina bifida 　5. Cleft lip & palate 　6. Cardiac anomaly 　7. Diaphragmatic hernia 　8. Achondroplasia 　9. Klippel-Feil syndrome 　10. TORCH infection 　11. Fetal hydrops
Ⅱ. Placental	1. Placental Abruption 2. Twin-twin transfusion (donor)	1. Twin-twin transfusion (recipient)
Ⅲ. Maternal	1. Uteroplacental insufficiency 2. Hypertension 3. Preeclampsia 4. Diabetes	1. Diabetes 2. 다태임신
Ⅳ. Drug	1. Prostaglandin synthase inhibitors 2. ACE inhibitor	

1. 양수 측정법

- Amnionic fluid Index

  : Uterus를 Four quadrant로 나누고 각각의 Largest pocket에서 Vertical depth를 구하여 더한 것.

  - 정상 5~24 cm

    ① 양수 과다증 : >24 cm

    ② 양수 과소증 : < 5 cm

- Largest vertical pocket 측정

    ① 정상 : 2~8 cm

    ② 양수 과다증 : 8 cm 이상

    ③ 양수 과소증 : 2 cm 이하

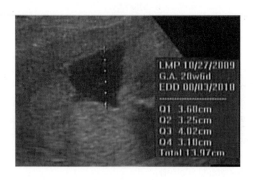
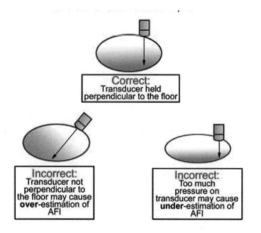

▶ 양수지수(cm) 측정 방법

2. 양수 과다증(Hydramnios)

1) 정의

(1) Amnionic fluid more than 2,000 mL, 임상증상 발현은 3,000 mL 이상부터

(2) Amnionic fluid index : 24 cm 이상

(3) Pockets of Amnionic fluid in Vertical dimension

    ① Mild : 8~11 cm

    ② Moderate : 12~15 cm

③ Severe : 16 cm 이상

2) 증상

• 기계적 원인으로 발생되며, 과도로 팽대된 자궁의 주위장기에 대한 압력으로 생긴다.

(1) 임신부의 호흡 장애

(2) 부종 - 매우 큰 자궁에 의한 주요 정맥계 압박(하지, 외음부, 복부)

(3) Oliguria - 요로 폐색

3) 원인

(1) 원인불명

(2) 태아기형

① 중추신경계 이상 - anencephaly, spina bifida

② 위장관 - TEF

③ 비면역수종

④ 기타 흉부, 골격이상

(3) 염색체 이상

(4) Twin-twin transfusion syndrome

(5) Maternal DM

(6) 태아의 심한 빈혈(∵Lactate의 상승)

4) 진단

(1) 진찰 소견

① Palpation : Enlarged uterus, Fetal small part를 만지기 힘듦

② Auscultation : No fetal heart sound

(2) 초음파 소견

• Wide echo-free space between fetus & maternal part

• 신생아의 이상 소견 발견

(3) Radiology : Large radiolucent around the fetal skeleton

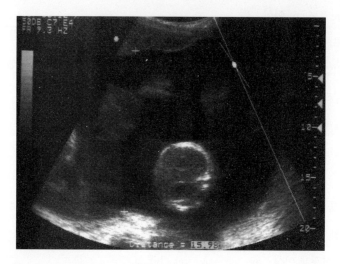

▶ Marked hydramnios in a 24-week twin gestation

4) 예후

●가장 흔한 모체의 합병증 ☆

① 태반 조기박리(Placental abruption)

② 자궁 기능부전

③ 산후 출혈

④ Abnormal presentation

⑤ Fetal malformation

⑥ Premature labor

⑦ Umbilical cord prolapse

5) 치료

•대부분의 양수 과다증은 치료없이 관찰

•이뇨제, 수분·염분 제한은 효과 없다. bed rest는 크게 도움되지 않는다.

•Amniotomy 시행 시 Cord prolapse, Placental abruption의 위험이 있으므로 양수 천자로 양

수 제거

① 호흡 곤란, 복통, 보행 곤란의 경우에는 입원 치료

② Amniocentesis(때로 조기진통을 유발할 수 있다)

③ Indomethacin therapy

: Indomethacin은 태아에서 vasopressin의 분비를 증가시키고 소변량을 줄이는 역할을 하여 양수과다증의 치료제로 사용한다. 그러나 동맥관을 수축시키고 폐 고혈압을 유발시킬 수 있기 때문에 doppler US를 이용하여 태아의 상태를 파악해야 한다.

2. 양수 과소증(Oligohydramnios)

1) 양수 과소증의 정의

(1) Amnionic fluid index : 5 cm 미만

(2) Amnionic fluid : 100~200 mL 미만

(3) Largest pocket ≤ 2 cm

2) Type(시작 시기에 따라) ☆

(1) Early-onset oligohydramnios : 사지절단, clubfoot과 같은 선천성 이상, Pulmonary hypoplasia

(2) Late-onset oligohydramnios : 제왕절개, 제대압박, 폐성숙 부전 빈도 증가

3) 원인 ☆

양수과소증을 일으킬 수 있는 상황 ☆	
1. 태아측면 선천기형 염색체 이상 성장지연 양막파수 지연임신 태아사망 **2. 태반문제** 태반 조기박리 Twin-twin transfusion	**3. 모체측면** 고혈압 당뇨병 자간전증 자궁태반기능부전(uteroplacental insufficiency) **4. 약물사용** PG synthase inhibitor, ACE inhibitor (예 : indomethacin) **5. 원인 모르는 경우(m/c)**

4) 양수과소증의 예후 및 합병증의 치료

발생시기에 따른 양수과소증의 예후 및 합병증, 치료	
임신제 2삼분기 또는 조기발생한 양수과소증 (Midtrimester or early onset)	임신후기 양소과소증 (late pregnacy)
(1) 예후 : 양막조기파열, 태아기형등과 양수과소증에 따른 폐형성부전증 등으로 좋지 않음 (2) 합병증 : 폐형성부전증 사지의 기형(Potter's syndrome) 근육골격계 변형 (3) 치료 : 치명적인 기형, 임신 20주 이전에	(1) 예후 : 주산기 예후가 불량하거나 분만과정 중 여러가지 합병증 초래 (2) 합병증 : 분만 중 제대압박 변이성 태아 심박동 감소(Variable deceleration) 제왕절개술 증가 (3) 치료 : 임신부 수분투여(Hydration) 양수 주입술(Amnioinfusion)

III. 태반 부착 및 형성의 이상

1. 다태반(Multiple placenta)

● 태반이 몇 개의 엽(lobes)으로 나뉘어 있는 것을 말하며 2개가 보통

1) 이엽 태반(placenta biparieta or Bilobed placenta)

: 분할이 불완전한 경우, 태아 혈관이 한 엽에서 다른 엽으로 가서 제대가 형성된 것

2) 이중 태반(Placenta duplex)

: 분할이 완전한 경우, 서로 개별적 제대가 형성된 것

2. 부태반(Placenta succenturiata) ☆

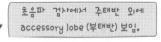
초음파 검사에서 주태반 외에
accessory lobe (부태반) 보임.

1) 정의

• Main placenta의 주위에 하나 이상의 Accessory placenta가 있는 것

• 태반 혈관이 탯줄의 혈관이 아닌 주태반의 막에서 생성되어 각각의 부태반으로 연결. 그 태반 혈관이 자궁목 내공을 덮으면 전치 혈관(vasa previa)으로서 출혈 ↑

2) 임상적 의의

• Main placenta가 배출된 후, 자궁 내에 남거나 분리되면서 심한 출혈을 동반할 수 있다.

• 태반 배출 후 Placenta margin의 양막 결손 및 혈관 단절 유무를 확인해야 한다.

→ 부태반이 남아 있을 가능성 의심

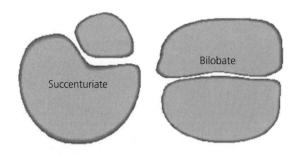
Succenturiate

Bilobate

3. 윤상 태반(Ring-shaped placenta)

- 산전, 산후 출혈과 태아 성장 지연과 관련

- Ring 모양 혹은 말발굽 모양(atropy에 의해서)

4. 막 태반(Membranaceous placenta, Diffuse placenta)

1) 정의

- Fetal membrane 전체에 융모가 발달하여 태반

이 막상으로 전 융모막에 퍼져 있는 것

2) 임상적 의의

- 전치 태반과 유사한 Painless bleeding
- 심각한 분만 후 출혈

부태반

태반가장자리 부착

5. 유창 태반(Fenestrated placenta)

- 태반이 접시모양이며 중심부위가 결손된 형태
- Retained placenta로 오인 가능

막양부착

6. 융모막외 태반(Extrachorial placenta) ☆

1) 정의

- 태아쪽의 Chorionic plate가 모체쪽의 Basal plate 보다 작은 것

2) Circumvalate & Circummarginate plate

① Circumvalate placenta(주획 태반)

: 중앙의 함몰 부위를 두꺼운 회백색 고리가 다양한 넓이로 둘러싸고 있는 것

② Circummarginate placenta(변연성 태반)

: 회백색 고리가 태반의 변연과 일치하여 둘러싸고 있는 것

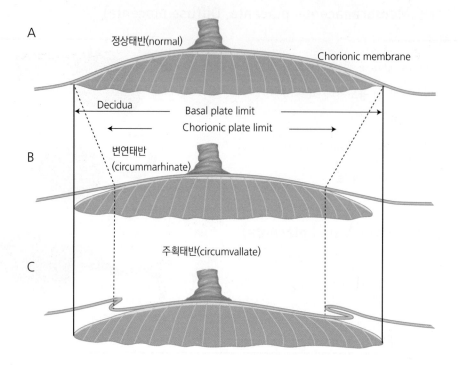

▶ 정상태반과 비교해 본 융모막외 태반

(A) 정상태반, **(B)** 변연태반, **(C)** 주획태반

3) 임상적 의의

• Circumvalate placenta에서 유산, 산전 출혈, 미숙아 및 기형아 임신의 빈도 증가

	Circumvalate placenta	Marginate placenta
1. 구성	Double fold of Amnion and Chorion	Without Membrane fold
2. 임상적 의의	Anterpartum hemorrhage Preterm delivery Perinatal death Fetal malformation	No clinical importance

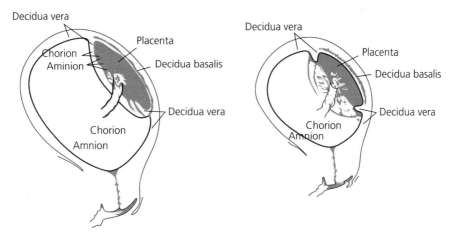

▶ Circumvalate (Left) and Marginate (Right) varieties of Extrachorial placentas

7. 거대 태반(Large placenta 〉 700 g)

- 정상 Placental weight ：500 g

- Large placenta의 원인 ☆

  ① Fetal hydrops

  ② DM

  ③ Fetal congestive heart failure

  ④ Syphillis

- 임상적 의의 : Postpartum hemorrhage의 발생 증가

8. 태반혈관종(chorioangioma=hemangioma)

- chorionic mesenchyme의 hamartoma

- 큰 경우 발생 가능한 합병증

  anemia, fetal hydrops, hydramnios, antepartum hemorrhage, preterm delivery, low birth weight

- 진단 : US(색도플러) 풍부한 혈관분포

IV. 순환 장애

cf) 태반의 석회화는 만삭(33주 이상)에 가까워짐에 따라 나타나는 정상적인 과정

태반 경색(Placental infarction)

- 빈도 - 정상 만삭 임신의 10%, 고혈압 임신부의 2/3에서 태반 경색 발견

- 임상적 의의

  : 일반적으로 정상 기능을 하는 넓은 태반 부위가 있기 때문에 임상적 중요성은 없으나, 고
  혈압이 심한 임신부에서는 자궁 혈류 감소로 태아 사망을 초래할 수 있다.

V. Umbilical cord의 이상

1. 제대 길이의 이상

- 제대의 평균 길이 - 37~55 cm

1) Long cord Complication (70 cm 이상)

: 태아 기형, 혈전에 의한 혈관 폐쇄, 제대의 결찰, 태아 곤란증, 제대 탈출

2) Short cord Complication (32 cm 이상)

: 선천성 기형, 태아 성장 지연, 분만 중 태아곤란증, 태반조기박리, 태아 사망, 자궁내번증

3) 무탯줄(achordia) : 매우 드물게 사산아에서 발견

2. 일측 제대동맥 결여증

- 약 33%에서 선천성 기형을 동반

- renal agenesis, imporforated anus, vetebral defect

- 동반 기형 존재 : 염색체 이상(50%), FGR

3. 제대 부착의 이상

1) 제대 변연 부착(Marginal insertion)

- 임상적 의의는 없다.

2) 제대 막양 부착(Velamentous insertion)

태아발육부전, 조산, 선천성 기형, 낮은 아프가 점수와 관련

• 태아 발육부전, 조산, 선천성 기형, 낮은 아프가 점수와 관련

(1) 정의

: Umbilical vessel이 태반 변연으로부터 먼 곳에서 막과 분리된 후, Amnionic fold에만 둘러싸여 태반에 도달되는 것

▶ Velamentous insertion of the cord

Note the large fetal vessels within membranes and their proximity to the site of rupture of the membrane

• 다태 임신 시 빈도가 증가(삼태아의 경우 28%)

(2) 임상적 중요성

: 태아 기형의 가능성이 증가한다(전치혈관 야기).

3) 전치 혈관(Vasa previa) ☆

(1) 정의

• 양막부착된 태반에서 혈관이 internal os를 지나게 되어 태아 선진부 앞에 놓인 것

(2) 임상적 의의

: 조기파막이 되면 태아혈관 파열로 태아에게 상당히 위험

(3) 잘생기는 경우

: velamentous insertion, low-lying placenta, 시험관 아기 임신, 다태임신

(4) 진단 및 처치

- 질초음파에서 탯줄의 혈관은 '태반'에 직접 삽입되는 모양이 아닌 '양막'에 삽입되는 모양
으로 보인다.

- 파막이 되면 태아혈관 파열이 동반되어서 태아출혈이 생기므로 태아에게 상당한 위험
초래

- 태아 혈관 파열의 조기 진단

  ① Apt test

  ② 혈액을 도말하여 Wright 염색을 한 후 Nucleated RBC를 조사

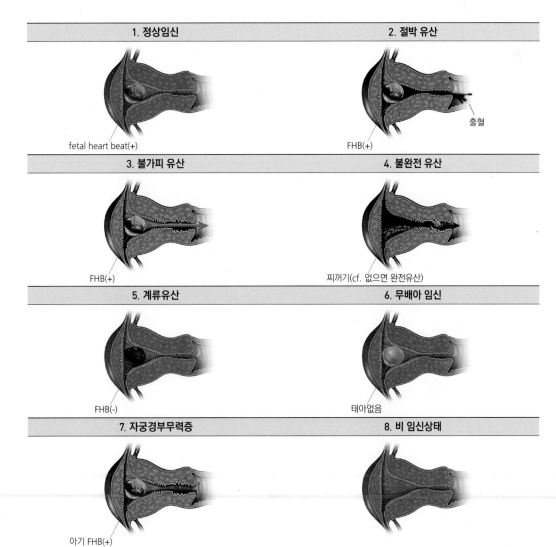

1. 정상임신	2. 절박 유산
fetal heart beat(+)	FHB(+) 출혈

3. 불가피 유산	4. 불완전 유산
FHB(+)	찌꺼기(cf. 없으면 완전유산)

5. 계류유산	6. 무배아 임신
FHB(-)	태아없음

7. 자궁경부무력증	8. 비 임신상태
아기 FHB(+)	

정의 및 분류

(1) 정의

- Fetus가 생존이 가능한 시기 이전에 임신이 종결되는 것(재태연령 20주 이전 임신중절 또는 출생체중 500 g 이하 임신중절)
- 빈도 - 약 20%
- Fetus가 Viability를 갖는 시기 - 20주 이상, 500 g 이상

(2) 분류

I. 자연 유산(Spontaneous abortion)

- threatened, inevitable, incomplete, complete, missed abortion. 이들 중 하나에 감염이 합병되면 septic abortion.

1. Pathology

- Decidua basalis로 출혈, 출혈 주위 괴사
- Blighted ovum : 고사 난자, Williams에서는 무배아 임신(anembryonic gestation)도 포함.
- Later abortion : maceration, fetus compressus, fetus papyraceous
- 초음파소견

  a. Gestational sac의 loss

  b. Unusually small sac

  c. 8주 이후 Fetal echo가 나타나지 않음

2. 배란 재개 시기

- 유산 후, 빠르면 2주일 후부터 배란이 재개 → 따라서, 유산 직후부터 적절한 피임을 시행

3. 원인

- 임신 12주 이전에 전체 자연유산의 80% 발생

  (가장 흔한 요인 - 염색체 이상) but 반복적 자연유산의 m/c 원인은 면역 이상(50% 이상)

- 임신 12주 이후엔 자연유산 급격히 감소

- 자연 유산은 분만의 횟수 및 부모의 연령이 증가 할수록 증가한다.

유산의 원인
1) 태아측 원인 2) 모체측 원인(maternal factor) 3) 부체측 원인(maternal factor) 4) 고사난자(Blighted ovum)

- 정상분만 후 3개월 이내 임신 시 유산 증가

1) 태아측 요인(Chromosomal abnormality)

- 제1삼분기 miscarriage의 60%

- single loss의 흔한 원인이지만 반복유산의 주요원인은 아니다.

- doesn't predict that future loss will also be secondary to chromosomal abnormalities

(1) Abnormal zygote development

- 초기 자연 유산에서 가장 흔히 발견할 수 있는 형태학적 소견

(2) Aneuploid abortion(비정배체 유산)

- 초기 유산의 약 50~60%는 염색체 이상과 관련

- Aneuploid abortion의 3/4은 8주 전에 발생

- Trisomy : 13 > 16 > 18 > 21 > 22

(3) Euploid abortion(정배체 유산)

- 임신 13주경에 가장 많음 - 특히, 모성 연령이 35세 이상인 경우 빈발

Chromosomal finding in Human Abortuses	
Chromosomal study	Percent (%)
1. Normal (Euploid), 46,XY and 46,XX	46
2. Abnormal (Aneuploid) ① Autosomal trisomy ② Monosomy X (45,X) ③ Triploidy ④ Tetraploidy ⑤ Structural anomaly 　Double trisomy 　Triple trisomy ⑥ Other-XXY, Monosomy	 31 10 7 2 3 2 0.4 0.8

2) 모체측 요인(Maternal factor)

(1) Genetic(parenteral chromosomal abnormalities)

- m/c : balanced translocation

- 부모는 거의 phenotypically normal

- 부모의 translocation → ┌── normal karyotype
  ├── balanced translocation
  └── unbalanced translocation

(2) Infection

- *Listeria monocytogenes, Toxoplasma, Mycoplasma*

(3) 만성 소모성 질환

(4) Endocrine defect

① 당뇨병(혈당 조절이 잘 안되면 유산 증가)

② Progesterone deficiency

- 대게 임신 4~7주 사이에 발생

- Luteal phase defect의 진단

  a. Luteal phase 중기에 progesterone level이 9 ng/mL 이하

  b. Endometrial biopsy 소견이 월경주기와 2일 이상 차이나는 경우가 2회 이상

③ Thyroid disease

(5) 약물 복용 및 환경 요인

- 흡연, 음주, 카페인, 방사선 조사, 자궁 내 피임 장치, 환경독소

(6) 면역학적 요인(습관성 유산) ★

① 자가 면역 요인

- 대부분 제2삼분기에 발생

  a. 원인 ┌── Antiphospholipid antibody
  ├── Lupus anticoagulant (LAC)
  └── Anticardiolipin antibody (ACA)

  b. 기전 - 태반 혈전증 또는 태반 경색증 발생(∵ 혈관내피세포에서 Prostacyclin의 분비 억제로 Thromboxane A_2가 우세한 환경을 만들어 혈전증으로 진행)

    c. 치료 방법 ☆

        ㉠ Low dose aspirin

        ㉡ Heparin

        ㉢ Prednisone (But, glucocorticoid는 morbidity↑)

        ㉣ Intravenous immunoglobulin

  ② 동종 면역 요인

(7) 노화생식세포(Aging gametes)

(8) 복막염(but, 임신초기 개복술이 유산을 증가시킨다는 증거는 없다.)

(9) 자궁이상

  ① 자궁근종(근종의 크기 및 숫자보다 위치가 중요)

  ② Fibroid(esp. submucosal) - implantation과 vascular supply의 장애

  ③ 자궁내막 유착증(Asherman syndrome) ☆

    a. implantation과 vascular supply의 장애

    b. 진단 - Hysterosalpingogram, Hysteroscopy

    c. 치료 : Hysteroscopy이용 adhesiolysis → 재유착 방지위해 IUD, Foley catheter 삽입

                    → 고용량의 estrogen 투여

  ④ DES - exposed

    • 대부분 제1삼분기에 발생

    • Hysterosalpingogram 소견

     T- shaped uterine cavity, filling defects, irregular margins, lower uterine segment의 widening, midfundal constriction

  ⑤ 선천성 자궁결손

    • 주로 제2삼분기에 발생

    • Septated uterus(m/c), Bicornuate uterus

(10) 자궁 경부 무력증(Incompetent cervix, IIOC), (Williams에서는 '자궁목부전(Cervical Insufficiency)'으로 되어 있음)

자궁 경부 무력증(Incompetent cervix)

임신 중기 끝에 유산의 기미가 있으면
이거 먼저 고려!

1) 정의 ☆

• 임신 2기 또는 3기 초기의 무통성 자궁경관 확장이 발생하는 것

→ 양막이 질내로 탈출되거나 파열되어 결국 미숙아가 태어남

• 초음파적 정의 : ① 짧은 자궁경관의 길이(< 25 mm)

② 깔때기 모양 변화(funneling)

2) 원인

① 과거에 자궁 경부의 외상(소파술, Conization, Cauterization, 경부 절단술)

② DES 노출

③ Abnormal uterine development(선천적 이상)

3) 진단

① 환자의 과거 산과력 : 임신 중기 이후의 무통성 자궁경관 확장과 양막 파열에 의한 조산력

② Hysterography, Catheterballoons 견인법, 자궁내구를 Cervical dilators가 저항없이 통과하는지 검사

③ 임신 시의 초음파 촬영법으로 더욱 초기에 자궁경부의 확장을 예측할 수 있다.

4) 치료

• 자궁목원형 결찰술이 수술적 치료로는 유일한 방법임

• 방법 - 쌈지 봉합을 이용한 자궁 경부의 cerclage로 자궁 경부 강화

• 내과적 치료 : 안정요법, 프로게스테론, β-blocker, 자궁수축 억제제, 항생제, Dexamethasone 투여

(1) 수술전 평가 ☆

① 수술시기 : 14주 이후 실시 ☆ (기타원인에 의한 유산시기를 넘긴 후)

② 초음파(필수적) - 태아 생존 및 선천성 기형 여부 확인

③ 자궁 경부 감염증은 수술 전 치료

④ 성교 금지 : 수술 1주일 전~수술 후 1주일까지

(2) 질식 자궁경부 원주 봉합법(Transvaginal cervical cerclage)

① 종류 a. McDonald 법(성공률 85~90%) : 38~39주에 풀어줌 → Vaginal delivery

b. Shirodkar 법

c. Modified Shirodkar 법(McDonald 법으로 실패한 경우) : 38주경 → C-sec delivery

d. Lash operation : 14~18주에 시행, 늦어도 24주까지(26주 이후에는 하지 않음)

② 봉합사 제거의 시기

- 만삭 임신에 가까울수록 바람직(임신 38주 이후가 적당)

③ 수술 후 합병증

- 20주 이후에 시행하면 Membrane rupture, Chorioamnionitis, Intrauterine infection의 빈도가 증가

- 예방적 항생제 투여 또는 조산 예방을 위한 Progesterone, β-agonist는 효과 없다.

a. 임상적으로 감염증이 있으면 봉합사를 제거하고 진통을 유발하여 자궁 내용물을 제거하거나 분만시켜야 한다.

b. 수술이 실패하여 유산이나 분만의 증후가 나타나면, 즉시 봉합사 제거(봉합사를 제거하지 않으면 자궁 파열 위험)

④ 수술금기

a. 출혈   b. 자궁수축   c. 양막의 파수

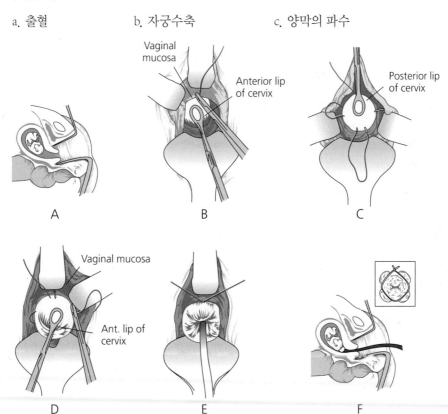

▶ Incompetent cervix treated with McDonald cerclage procedure

- 봉합사가 internal os 가까운 주변을 4~6회 봉합하면서 통과하여 결과적으로 자궁목을 원형으로 돌려 묶는 방법이다.

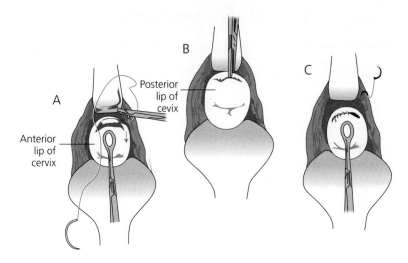

▶ Modified Shirodkar cerclage

• 전방에서는 Shirodkar 법으로, 후방에서는 McDonald 법으로 봉합

(3) Paternal factor: sperm defect

(4) Blighted ovum(고사난자, 무배아 임신) = anembryonic gestation

: Embryo가 죽어서 abortion 될 상태에 있는것

• 임신낭이 비정상적으로 작다.

• 진단 : 태아주머니 ≥ 20 mm이면서 배아 없음.

• 임신 8주에 관찰되는 fetal echo가 소실되어 있다. → embryo의 사망 & 유산을 의미

• 처치 : Dilatation and Curettage

> 임신 초기에 질출혈 있다면 '유산기'가 있다
> 고 하고 절대 안정하여야 하는 그 질환!

5. 자연 유산의 종류

1) 절박 유산(Threatened abortion)

(1) 임상적 정의

: 임신 전반기(20주 이전)에 혈성 질 분비물 또는 질 출혈이 있는 경우

- 태아는 살아 있고, 이 고비를 넘기면 정상 출산 가능! 만일 태아가 사망했다면, 즉, 초
음파로 심박동이 없다면 '계류 유산'

(2) 빈도

: 30~40%로 증가하는 추세, 약 반수에서 실제적인 임신 소실

(3) 증상

: 출혈 후 수시간 또는 수일 후 경미한 복통이 뒤따른다.

(4) 감별 진단

① Ectopic pregnancy

② Placental sign

• Fertilized ovum이 착상 시 출혈(월경 예정일 즉, 임신 17일 후 or LMP 4주 경과 시 볼 수 있다) → 생리적인 것으로 간주

③ Cervix의 Inflammation, Erosion, Polyp, Decidual change

(5) 의의

• 조기 분만, 저체중아 분만, 주산기 사망의 위험성이 증가

but) 기형아 빈도는 증가하지 않음

(6) 진단

① 질초음파 검사를 이용한 태낭 확인

(LMP로부터 33~35일부터 태낭 확인 가능)

② hCG의 연속적 측정

• Doubling time 확인 : 48시간 동안 hCG 65% 이상 증가하지 않으면, 예후 불량

• 태낭이 보이면서 hCG ≤ 1,000이면 임신 지속 가능성 희박

③ Progesterone

• 정상임신과 딴곳임신 등의 비정상임신의 예후 측정에 이용

• 초음파에서 태낭이 확실히 보이는 경우라도 hCG가 1,000 mIU/mL이하이고, Progesterone이 5 ng/mL 이하인 경우 생존 태아의 자궁내 임신의 가능성 희박

(7) 치료

① 절대 안정

② 출혈과 동통이 6시간 이상 지속되는 경우

• 임신 14주까지는 D&C

• 임신 15주 이상은 Oxytocin 또는 PG 유도 분만

③ 유산 여부의 결정은 반복 관찰(초음파)로 결정

④ Progesterone : ineffective(∵근거 미약, Missed abortion의 증가)

2) 불가피 유산(Inevitable abortion)

(1) 정의

- Cervix가 dilatation(> 1.5 cm)된 상태에서 Membrane이 파열된 경우
- 임신 유지 불가능

(2) 치료 : 대개 즉각적인 소파술 필요

① Pain & Bleeding이 없을 때 : 우선 Bed rest, Observation

② Fever & Bleeding 시 : D & C

절박 유산과 불가피 유산의 비교	
절박 유산	불가피 유산
태반부착 자궁경부 폐쇄 Mild pain 임신 전반기	태반 박리 자궁경부(cervix)열리기 시작 Severe pain

3) 불완전 유산(Incomplete abortion)

cf) 10주 이전의 유산에서는 placenta와 fetus가 같이 나온다.

10주 이후의 유산에서는 placenta와 fetus가 따로 나온다.

(1) 정의

- 태반의 일부 또는 전부가 자궁 내에 잔류하여 출혈을 유발하는 경우

(2) 치료

① 대부분 잔류된 태반 조직이 자궁 경관이나 자궁 외구로 노출되어 있어서 Forceps으로 제거할 수 있다.

② 흡인 소파술

③ 출혈이 심한 경우 신속히 잔류물 제거

④ 발열이 있는 경우 항생제를 사용하면서 소파술 시행 (발열이 소파술의 금기증은 아님)

4) 계류유산(Missed abortion)

- 정의 - 자궁 내에서 사망한 태아가 수주 이상 잔류되어 있는 경우(잔류기간은 중요하지 않음)
- 대부분 자연 배출

5) 습관성 자연 유산(Recurrent spontaneous abortion)(반복유산)

(1) 정의

- 임신 20주 이전에 3번 이상의 Pregnancy loss가 발생한 경우

(2) 종류

┌ Primary : previous liveborn infant가 없는 경우

└ Secondary : 적어도 한 번의 liveborn infant가 있는 경우

(3) 빈도 ┌ 임신 여성의 0.5~1%

└ spontaneous abortion의 5%

(4) 원인

- 50~60%에서는 원인을 밝힐 수 없고, 다양한 요인이 관여

① Immunologic(m/c) : 임신 초기 자연유산의 m/c 원인은 염색체 이상이지만, 반복적 자연 유산의 m/c 원인은 면역 이상이다.

- Anticardiolipin antibody, Lupus anticoagulant, antiphospholipid antibody ☆

② Genetic

- Parental 염색체 이상 > fetal 염색체 이상

③ Hormonal disorder : Luteal phase defect

④ Anatomicdisorder : Septated uterus, Bicornuated uterus, Asherman syndrome

⑤ Infection : *Ureaplasma urealyticum, Mycoplasma hominis*

⑥ Others : 담배, 술, 마취가스, 중금속중독, 유기용제에의 지속적 노출, ionizing radiation, 약물(예, Chemotherapeutic agents), Vit.A derivatives, 혈소판 증가증, 자궁 혈액공급을 방해하는 만성 질환

(5) 진단

① Essential study

a. Karyotype of Husband and Wife

b. Hysterosalpingogram

c. Late luteal phase endometrial biopsy

d. Anti-phospholipid antibody assay

② Other test

: STS, RPR, Anti-DNA, aPTT, Lupus anticoagulant, ABO & Rh typing, TSH

(6) Clinical investigation의 적응증

① 이전의 2번 연속 Spontaneous abortion 시

② Fetal heart activity가 유산 전 확인

③ 모체가 35세 이상

④ 어렵게 임신한 경우

(7) 치료 시 고려사항

① 치료의 시작에서 중요한 점

    a. 먼저 환자에게 정서적 안정을 준다.

    b. 치료했을 경우의 실패율 및 유산 재발률을 상담

② 치료 방법의 선택

    a. '비면역적인 요인'을 찾아서 우선 치료

    b. 일반적인 검사에서 정상일 경우 약 40~60%는 치료 없이 성공적인 임신 가능 → 환자
와 상의 후 치료없이 임신을 유도

(8) 치료

① Genetic cause

    a. Genetic counseling

    b. sperm / oocyte의 donation

② Anatomic abnormalities

    a. 수술

    b. 치료 없이도 임신 성공률 높을 수 있다(liveborn infant-bicornuate의 60%, septate의 15~28%).

③ Luteal phase defect

    a. 60~70%가 다음 임신에서 viable infant 출산

    b. Progesterone ┌ 배란 후 3일에 시작, 8~10주간
                         └ intravaginal suppository, I.M. injection, oral

    c. Clomiphene citrate - MCD 5일에 시작해서, 5일간

④ Infection

    • 진단 즉시 항생제 치료

　　　•치료 후에는 배양을 하여 균의 박멸확인 후에 임신을 권유

　　　•부부가 같이 치료하도록 한다.

　　　　┌─ Chlamydia - azithromycin (1 g, P.O.)

　　　　　Gonorrhea - ceftriaxone (125 mg, I.M.)

　　　　　Mycoplasma - Doxycycline (100 mg, b.i.d., P.O. for 10일)

　　　　└─ Ureaplasma - Doxycycline (100 mg, b.i.d., P.O. for 10일)

　　　　참고) Doxycycline에 과민반응이 있는 경우

　　　　　　- Clindamycin (300 mg, t.i.d., P.O. for 7~10일)

　⑤ 면역학적 이상

　　a. Paternal leukocyte transfusion

　　b. Immunoglobulin

　　c. Aspirin + Heparin : APAS (antiphospholipid antibody syndrome)에서 임신기간 중 저

　　　용량 aspirin (800 mg/day) + heparin (500~1,000 IU 2회/day) 피하 투여 요법이 추천

　　　: 부작용 → 위장관 출혈, 골다공증

　　　: 매주 PTT 검사를 시행하여 투여용량 조절

(9) 예후

　•항인지질 항체 및 자궁 경부 무력증을 제외할 경우, 전체적으로 치료 방법에 상관없이 이

　후 successful pregnancy는 80~90%

6. 자연유산의 진단

1) History

2) P/E : unilateral pelvic mass, tenderness

3) Diagnostic method

　(1) Pelvic exam

　(2) Urine hCG (pregnancy test) : 50%

　　: history taking & P/E 후 가장 먼저 실시

　(3) Ultrasonography / transvagial US & maternal serum hCG 비교

　　: 정량적 hCG 측정 & US

β-hCG ＼ G-sac	Intrauterine G-sac(+)	Intrauterine G-sac(-)
hCG > 1,000~2,000 hCG < 1,000~2,000	정상 자궁 내 자연유산(또는 자연유산이 임박)	딴곳임신 No definite Dx.

① Intrauterin G-sac(-) → no definite Dx

: β-hCG 측정 가능한 수정후 8일부터~transvagial US로 gestational sac이 보이는 수정

후 28일(4주) 사이

② β-hCG의 연속측정(doubling time)

: 정상 임신과 비정상 임신의 감별진단에 유용

(4) 더글라스 천자(culdocentesis) : 93%

① 딴곳임신 파열 시 응고되지 않은 혈액 확인

② fluid에서 β-hCG 검사하여 serum β-hCG와 비교

③ 더글라스와 천자시 응고되지 않은 혈액이 채취되었을 때 감별질환

a. ectopic pregnancy

b. hemorrhagic corpus luteum cyst

c. tubal reflux of blood within the uterine cavity

d. previous attempt at culdocentesis

e. other cause of intraabdominal hemorrhage

(5) colposcopy & corpotomy

(6) Endometrial curettage(자궁 내막 소파술)

: 임신의 위치를 초음파로 확인 할 수 없고 생존할 수 없을 경우 시행

→ saline test : 소파술로 얻어진 조직을 식염수에 띄움

•자궁내 임신 → 융모가 특유 모양(레이스, 해초 잎모양)을 보이며 떠오름

•딴곳임신 → 융모가 보이지 않음

(7) laparoscopy : 딴곳임신의 확진 방법

① visual & definite Dx.

② 장점 : 확진 가능(Ectopic mass 제거 가능, Ectopic mass에 화학 약제 주입 가능)

③ 단점 : 초기의 파열되지 않은 난관 임신은 진단이 어려움

(8) laparotomy : 진단이 의심스럽거나 출혈 많아 불안정할 경우

II. 인공유산(Induced abortion)

1. Therapeutic abortion

1) 정의

- 모체의 건강 보호를 위하여 태아가 생존 가능한 임신 기간에 도달하기 전에 임신을 종결시키는 것

2) 인공 임신 중절의 허용 한계(모자보건법 14, 15, 28조)

⑴ 본인 또는 배우자가 대통령령이 정하는 우생학적 또는 유전학적 정신 장애나 신체 질환이 있는 경우

① 유전성 정신분열증

② 유전성 조울증

③ 유전성 간질증

④ 유전성 정신박약

⑤ 유전성 운동 신경원성 질환

⑥ 혈우병

⑦ 현저한 범죄 경향이 있는 유전성 정신 장애

⑧ 기타 유전성 질환으로서의 그 질환이 태아에 미치는 위험성이 현저한 질환

⑵ 본인 또는 배우자가 대통령령이 정하는 전염성 질환이 있는 경우

: 풍진, 수두, 간염, 후천성 면역결핍증 및 전염병 예방법 제 2조 1항의 전염병을 말한다.

⑶ 강간 또는 준 강간에 의해 임신된 경우

⑷ 법률상 혼인할 수 없는 혈족, 또는 인척간에 임신이 된 경우

⑸ 임신의 지속이 보건학적 이유로 모체의 건강을 심히 해하고 있거나 해할 우려가 있는 경우

- 위의 규정에 의한 인공 임신 중절은 임신한 날로부터 28주 이내에 있는 자에 한하여 할 수 있다.

3) 유산 방법 ☆

Some Techniques Used for First-Trimester Abortion[a]

Surgical
  Dilatation and curettage
  Vacuum aspiration
  Menstrual aspiration

Medical
  Prostaglandins E_2, $F_{2\alpha}$, E_1, and analogues
    Vaginal insertion
    Parenteral injection
    Oral ingestion
    Sublingual
  Antiprogesterones–RU–486 (mifepristone) and epostane
  Methotrexate–intramuscular and oral
  Various combinations of the above

[a] All procedures are aided by pretreatment using hygroscopic cervical dilators.

(1) 자궁경관확장 및 소파술(Dilatation & Curettage, D&C)

  ① 방법

    a. 라미나리아로 자궁경부를 서서히 확장

    b. 국소 마취 후 자궁 소식자로 자궁의 크기와 위치, 자궁내구를 조심스럽게 확인

    c. Hegar 확장기 이용하여 자궁 경부 약간 더 넓힌다.

    d. 흡입기가 자궁 내부에 골고루 도달하도록 움직이면서 자궁내부 임신 산물을 완전히 흡입

  ② 주의할 점

    a. 자궁 내 임신산물 제거 전에 필히 자궁 경부를 적절히 확장할 것.

    b. 자궁 천공에 주의하면서 시술할 것

    c. 모든 내용물을 제거해야 하지만, 기저 탈락막은 보존해야 한다.

(2) 월경 조절법(Menstrual aspiration)

  • 월경 예정일보다 약 1~3주 경과한 경우, 5~6 mm 직경의 Karman관(Cannula)과 주사기를 이용하여 자궁강을 흡입하는 방법

(3) 내과적 방법 ☆

  ① 옥시토신(Oxytocin) - Term에 가까울수록 반응을 잘 한다.

② Prostaglandin

③ RU-486 (Mifepristone) : 성교 후 응급피임법으로도 사용

- 초기 임신 유산에 좋은 효과

- "먹는 낙태약"으로 알려짐 - 최근 수입여부로 논란

④ 양수 내 고삼투압액 주입(20% 식염수, 30% urea)

⑤ MTX (IM, 경구)

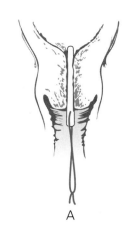 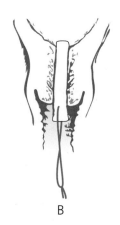

A   B

▶ Insertion of Laminaria prior to dilatation and Curettage

A. Laminaria immediately after being appropriately placed with its Upper end just through the internal os.
B. The swollen laminaria and dilatated, softened cervix several hours later

4) 인공 유산의 결과

(1) 모성 사망 증가

(2) 차후 임신에 대한 영향

① 일반적으로 수정률(Fertility)은 골반염이 병발되는 경우를 제외하고는 인공 유산의 영향을 받지 않는다.

② 첫 임신에서 흡인법을 사용한 인공 유산 후에 차기 임신에서의 딴곳임신율은 증가하지 않지만, 유산 후 Chlamydia trachomatis 감염이 있을 경우는 증가한다.

③ 중기유산은 특히 주사 요법 경우에는 향후 임신에 별 영향을 미치지 않는다.

(3) 유산 후 배란의 억제

- 빠르면 유산 후 2주째 배란 가능

2. Elective (voluntary) abortion

- 모성 건강, 태아 질병 등의 사유가 아니면서, 산모가 요청하는 인공유산

3. Septic abortion

1) 원인

- 자궁근염, 자궁주위염, 심막내염, 패혈증
- 대부분 불법적인 인공유산 후 발생

2) 원인균

: 전체의 2/3는 혐기성균(Coliforms가 가장 흔함)

3) 진단 ☆

: 과다 출혈의 다른 증세가 없고, 저혈압 및 핍뇨가 Ringer's lactate 1 L 정도를 빠른 시간 내에 주입하여도 상태가 호전되지 않으면 감염에 대한 쇽으로 판단

4) 치료

(1) 감염에 대한 치료

① 자궁 경관분비물, 임신산물 등을 Gram stain, culture

② 항생제 투여, 상태가 호전되면 감염된 임신산물 제거(D&C)

(2) Shock에 대한 치료

- 수액치료, 스테로이드, Dopamine, 산소공급, 헤파린

23 딴곳임신

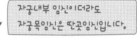

자궁내부 임신이더라도
자궁목임신은 딴곳임신입니다.

정의

- 수정란이 정상자궁 내막 조직 이외의 위치에 착상된 임신으로, 거의 대부분(95% 이상) fallopian tube(나팔관)의 ampullary portion(팽대부)에 발생한다.

I. 빈도

1) 임신 47.6/1,000(호발 연령 : 35~44세) → 최근 증가추세

- 50%는 반대측 난관에 이상이 있거나 골반 수술의 과거력이 있다.

2) 발생빈도 증가원인

① Elective abortion 후의 salpingitis 증가

② 자궁 내 피임장치(esp. progesterone을 함유한 IUD)

③ 골반 내 감염 증가

④ PID의 치료 발전(과거의 PID 치료는 infertility와 PID의 incidence↑)

⑤ Tubal ligation & Reversal의 증가

⑥ Frequent ovulation induction(잦은 배란 유도)

⑦ Improved diagnostic technique(향상된 조기 진단 기술)

⑧ DES 노출 증가

⑨ 과거 난관 임신 경력

참고) 경구 피임약은 딴곳임신 빈도 낮춘다.

3) Site & Incidence ☆

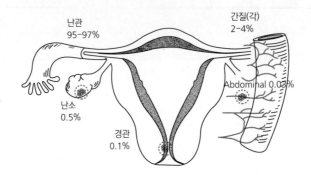

▶ 딴곳임신의 장소와 빈도

(1) Tubal pregnancy : 대부분 distal 2/3에서 발견

① Ampulla (78% of 딴곳임신)

② Isthmus (12% of 딴곳임신)

- 빨리 rupture (ampullary pregnancy 보다)

- 이차적으로 broad ligament implantation 유발

③ Fimbriae (5% of 딴곳임신)

④ Interstitial (2% of 딴곳임신)

- larger size로 자란다(can mimic intrauterine pregnancy).

- rupture ┌─ 임신 2개월 말~4개월 말에 발생(자궁각 파열)
          └─ severe hemorrhage 유발 → greatest morbidity

(2) Ovary : 0.5%

(3) Cervix : 0.1%

(4) Abdomen : 0.03%

4) 딴곳임신의 결과

(1) 제1삼분기 maternal death의 leading cause

- 모든 maternal mortality의 10%

(2) 재발 : 10~25%(정상보다 7~13배 증가)

- 4 ~ 5%는 이전 딴곳임신 발생부위의 반대편에 발생

(3) 정상 임신 : 50~80%

(4) 나머지는 infertility

5) Risk factor

① 전에 laparoscopy로 PID를 진단 받은 경우

② previous tubal pregnancy

③ current IUD use

④ previous tubal surgery for infertility

6) Tubal pregnancy의 natural history

① tubal abortion

② tubal rupture

　　→ 2차적으로 abdominal, broad, interstitial ligament의 pregnancy로 될 수 있다.

③ multifetal ectopic pregnancy

④ Interstitial pregnancy

⑤ 만성 딴곳임신

⑥ Spontaneous resolution(자연유산되어 흡수되어 종결되는 것)

II. 원인 ☆

기계적 인자
　　이전의 골반염(PID)[난관염(50%, m/c)]
　　복강유착
　　난관의 발달 이상
　　이전 딴곳임신
　　이전의 난관 수술
　　이전에 다수의 인공 유산
　　난관의 형태를 비트는 종양
　　이전 C/sec
　　결절성 협부 난관염

기능적 인자
　　난자의 외부 이동
　　월경혈 역류
　　난관 운동성 변화(호르몬 제제에 의해)
　　자궁 내 DES 노출
　　흡연

수정된 난자에 대해 난관 점막의 수용성 증가
　　난관의 딴곳 자궁내막(드물다)

보조생식술(ART) (배란유도, GIFT, IVF-ET)
피임 실패 : 현재 IUD 사용

※ OCs (에스트로겐, 복합 OCs) 사용은 님신 자체의 감소로 딴곳임신이 줄지만, 난관불임, 구리, 프로게스테론 분비 자궁내장치, 프로게스틴 단독 경구피임약은 딴곳임신 높임.

    a. 난관결찰의 실패 후 발생하는 임신의 75%가 딴곳임신

    b. Peritubal adhesion

        • 기타 maternal age(고령), IVF, GIFT, etc.

난관임신의 원인

1) 수정란의 이동장애 및 통과지연

    ① 난관염 : mechanical factor 중 m/c

    ② 난관 주위 유착 & 골반강 내 종양

    ③ 난관의 발육이상 및 선천적 기형 & 수정란의 외주유

    ④ 기왕 난관수술의 병력 & 월경의 역류

2) 난관의 수정란 착상에 대한 수용력의 항진

3) 수정란 자체의 이상

III. 병리

    • 난관내강에서 융모막융모의 발견 - 가장 중요한 병리소견

1. 자궁내막소견

1) Secretory endometrium - m/c

2) Decidual reaction & Menstrual reaction

3) Proliferative endometrium & Arias-Stella reaction

2. 난관임신 시의 자궁의 변화 ★

1) 자궁비대

2) Arias-Stella reaction

- 과분비성의 endometrial gland가 국소적으로 증식되는 것이 특징이다(정상 임신에서도 관찰될 수도 있다).

조직학적 특징	나타날 수 있는 경우
① cellular enlagement ② hyperchromatosis of nucleus ③ pleomorphism (anisocytosis) ④ mitotic acticvity ⑤ neoplastic tendency	① Intrauterine or Ectopic pregnancy ② Endometriosis ③ Estrogen / Gonadotropin injection ④ Gestational trophoblastic disease

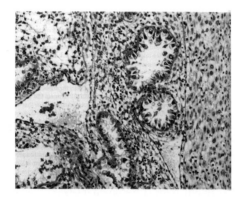

IV. 진단

- 딴곳임신을 진단하는 중요한 방법
  ① 병력, 임상증상
  ② Lab test (hCG, Serum progesterone)
  ③ 초음파 검사
  ④ 자궁소파술
  ⑤ 더글라스와 천자
  ⑥ 복강경 검사

• Diagnosis of Pelvic pain

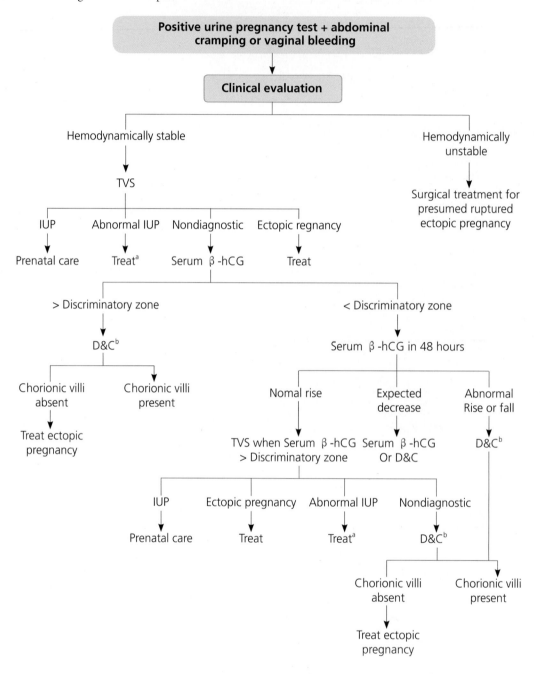

1. 병력

• 월경, 과거 임신력, 불임증의 과거력, 최근의 피임, 기타 위험인자

2. Symptom ☆

- rupture의 발생여부에 따라 다양하다.
- Tubal EP의 경우 LMP 후 6~8주에 증상이 나타난다.
- <u>Classic triad</u> : ① 복통(m/c) - 95% (dull , sharp , crampy) - 다양

    ② 무월경(25%에서 없을 수도 있음)

    ③ <u>질출혈(Abnormal vaginal bleeding)</u> - 60~80%

    (spotting → lower abdominal pain)

    참고) 임신과 관련된 질출혈 대표적 4가지

    ① Ectopic pregnancy

    ② 유산

    ③ H-mole

    ④ 정상임신

- 출혈에 의한 증상 : syncope, dizziness
- Peritoneal irritation : neck/shoulder pain, cervical motion tenderness pain
- decidua의 passage (5~10%) : 자연유산시와 비슷한 cramping pain 동반

3. Physical examination

1) Vital sign : Hemorrhage에 의한 증상, rupture 이전의 상태이면 정상

2) 복부 진찰

- Tenderness (+), Rebound tenderness (+/-), 자궁의 크기 증가

3) 골반 검사

- cul-de-sac에 mass (d/t clotted blood) : 응고된 혈액
- Tender adnexal mass (50%)

    ┌─ size와 consistency가 다양하다.

    └─ corpus luteum인 경우가 많다.

- cervical motion tenderness

    ┌─ peritoneal irritation sign

    └─ infection이나 ovarian torsion이 없는 경우 딴곳임신 고려

4. Pregnancy test

1) Urine

- 딴곳임신의 50~60%에서만 positive
- hCG > 25 mIU/mL에서 positive

2) Serum

- hCG > 5 mIU/mL에서 positive
- 수정 후 8일 째 - 임신을 진단할 수 있다.

5. β-hCG의 연속적 측정 ★

(1) 임상적 의의 : 정상 임신과 비정상 임신의 감별진단에 유용

(2) 방법 : 48시간 후 다시 serum hCG를 측정한다.

(3) 정상 임신

- 첫 6주동안 6,000~10,000 mIU/mL → 60~70일까지 1.4~2일마다 doubling

(4) 정상적인 Doubling time은 생존 가능한 자궁 내 임신을 의미

(5) 비정상 임신

- β-hCG 상승이 Plateau 모양(Doubling time ≥ 7일)

(6) 혈중 β-hCG 농도가 2,000 mIU/mL 이상이면서 Transvaginal US상 자궁 내 임신낭이 보이지 않는 경우 비정상 임신을 의미 ★

- 생존 불가능한 자궁내 임신 or 딴곳임신을 의미
- → 소파술 or 복강경으로 임신 위치를 확인해야 함

6. 기타 단백질 및 내분비학적 표지물

(1) 혈청 Progesterone ↓

- 정상 임신의 70%가 25 ng/mL 이상
- 거의 모든 딴곳임신의 경우 25 ng/mL 이하
- 5 ng/mL 이하인 경우 비정상 임신을 의심

(2) Estradiol ↓

(3) Creatine kinase ↑

- 진단 표지물로 사용(난관 임신 시 높은 수치를 보임)

- CK 수준과 환자상태 및 hCG 수준과는 무관

(4) Relaxin ↓

(5) Prorenin & active Renin ↓

- 33 pg/mL 이상이면 딴곳임신 가능성을 배제

(6) Maternal serum AFP↑ - 선별 검사로는 불확실

(7) CA-125 : Ectopic pregnancy 때는 다양

- 정상 임신 : 1st trimester 시 상승(2nd & 3rd trimester 시는 정상)

7. 초음파 검사 ★

- 질초음파가 복부 초음파 검사보다 골반구조물을 보는데 더 탁월(1주 정도 일찍 진단)

- extrauterine fetus (rare finding)이 보인다.

- 정상적인 임신낭 확인 시기

  - 복부 초음파 : 6~7주, 질식 초음파 : 4~5주

    cf) adnexal mass의 D/DX

      ① corpus luteum

      ② endometrioma

      ③ hydro-salphinx

      ④ ovarian neoplasm

      ⑤ pedunculated fibroid

β-hCG 태아주머니	자궁내 G-sac (+)	자궁내 G-sac (−)
hCG > 1,000~2,000	정상 자궁 내 임신	딴곳임신
hCG < 1,000~2,000	자연 유산확진 보류 (또는 자연 유산이 임박)	확진 보류

※ 딴곳임신의 배제가 반드시 필요하고(∵ pseudogestational sac 가능)

① progesterone level 측정, ② serial serum hCG + 초음파 F/U이 유용하다.

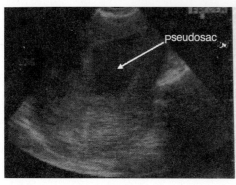 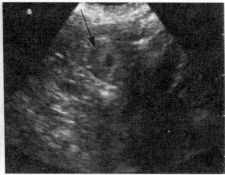

▶ 딴곳임신의 pseudogestational sac
· 딴곳임신에 의한 decidual reaction과 central degeneration에 의하여 발생하며, yolk sac의 유무로 true sac과 감별

8. 자궁 소파술(Dilatation & Curettage)

· 초음파 검사로 임신의 위치가 확인되지 않고 생존할 수 없을 경우에 자궁소파 시행 ☆

· Abortion (threatened or imcomplete) : villi present

  Ectopic pregnancy : villi absent

· Saline test - 소파술로 얻어진 조직을 식염수에 띄워보면 탈락막 조직은 뜨지 않고, 융모는

  특유의 모양(레이스, 해초잎 모양, lacy frond appearance)을 하고 있다.

· Chorionic villi의 존재 확인

① frozen section

② serial hCG ┌─ 자궁 내(즉, 정상) 임신 : 12~24시간 안에 15% 이상 감소

    └─ 딴곳임신 : plateau / increasing

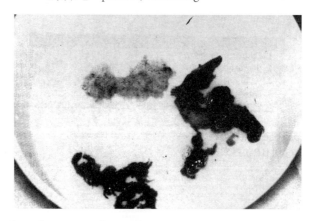

▶ When floated in saline, Chorionnic villi are often readily distinguishable as lacy fronds of tissue

9. Culdocentesis(더글라스와 천자)

1) 목적

- 딴곳임신이 파열되었을 때 응고되지 않은 혈액을 확인하기 위해

2) 판독

- Positive : 응고되지 않은 혈액이 흡인되는 경우

- Negative : 장액성 액체

- Non-diagnostic ;
  - dry tap, clotting blood
  - 복강경 검사를 시행한다.

● 주의점 : 항상 임신 상태를 반영하는 것은 아니다.

→ 딴곳임신의 70~90%가 이 방법으로 혈복강으로 나오지만 환자의 50%만이 난관이 파열 상태였고 또한 딴곳임신의 10~20% 정도는 더글라스와 천자로 진단이 안되며 결정적이 지 못하다.

- 금기 : deeply retorverted uterus, cul-de-sac에 mass

Culdocentesis 상 Nonclotting bleeding을 보일 수 있는 경우
1. Ectopic pregnancy
2. Hemorrhagic corpus luteum (luteal cyst)
3. Tubal reflux of blood within the Uterine cavity
4. Previous attempt at culdocentesis
5. Other cause of Intraabdominal hemorrhage

10. Laparoscopy ☆

: 딴곳임신의 확진 방법(Gold Standard)

11. Diagnostic algorism

: laparoscopy 시행없이도 algorithm 만으로도 매우 정확한 진단이 가능하다.

쉽게 생각하자면, 초기 임신은 1) 정상 임신인지, 2) 유산인지, 3) GTD인지, 4) 딴곳임신인지 모르므로 β-hCG, 초음파로 잘 살펴 보다가 정체가 드러나면 그 때 담판을 지으면 된다는 것입니다.

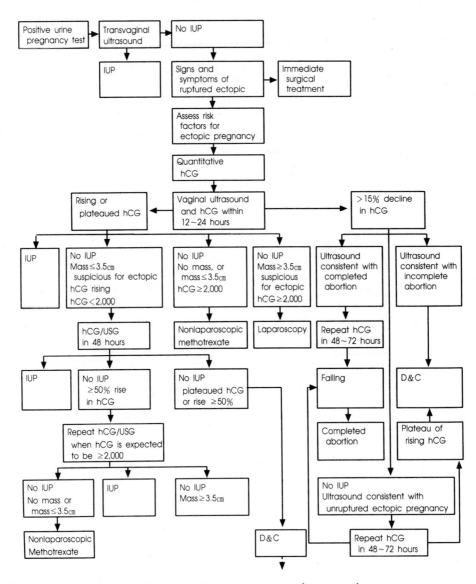

▶ Nonlaparoscopic algorithm for Diagnosis of Ectopic pregnancy (Continued)

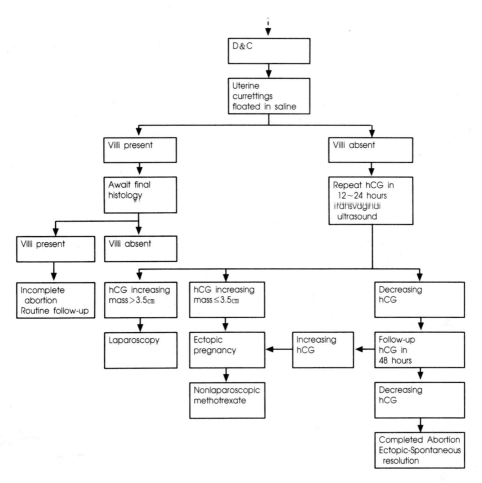

▶ Nonlaparoscopic algorithm for Diagnosis of Ectopic pregnancy

V. 감별 진단

딴곳임신과 감별해야 할 질환	임신과 관련된 질출혈 시 감별해야 할 질환
① Pelvic inflmmatory disease ② Threatened abortion ③ Ovarian torsion ④ Acute appendicitis ⑤ GI tract trouble ⑥ Intrauterine device	① Threatened abortion ② Incomplete abortion ③ Ectopic pregnancy ④ Normal pregnancy

(1) Salpingitis

- 임신반응 검사 (-), WBC count ↑, fever

(2) Threatened abortion

① Bleeding : more profuse

② Pain : lower midline abdomen

③ Cervical motion tenderness (-)

(3) Appendicitis

- Amenorrhea나 비정상 질출혈은 없다.

- cervical motion tenderness는 있을 수 있으나 정도가 약함

(4) Ovarian torsion

- Pain : waxes and wanes(혈액공급이 손상되면 constant 해진다.)

- WBC count↑, 임신반응검사 (-)

(5) 기타 dysfunctional uterine bleeding, corpus luteum cyst, IUD, gastroenteritis, UTI, urinary calculi

VI. 치료

1. 외과적 치료 ★

- 딴곳임신 치료에 가장 많이 사용됨(m/c)

- Laparotomy 또는 Laparoscopy 하에서

  - Salpingo-oophorectomy

  - Salpingectomy

  - Salpingostomy(linear) - 장래 임신해야 할 환자와 파열되지 않은 딴곳임신 환자에서 가장 좋은 방법

- 개복술의 적응증

  ① Vital sign이 unstable

  ② 복강 내 큰 혈종이 있거나, 혈액 배출이 신속히 이루어지지 못할 때

  ③ 난소 임신, 복강 내 임신, 복강과 골반 내 심한 유착이 있을 때

- 자궁각 임신, 간질 임신인 경우 개복술의 빈도 증가

● 복강경시술의 장점 - 입원기간, 수술시간, 회복시간이 짧다.

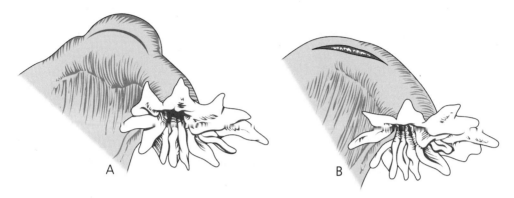

A. Linear salpingostomy for Removal of a Small tubal pregnancy in Distal third of Fallopian tube
B. The incision is Not sutured

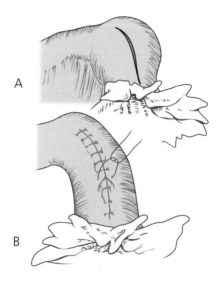

A. Linear salpingotomy for Removal of an Ectopic pregnancy Larger than 2 cm in Length from Distal third of Fallopian tube
B. The incision is sutured, usually with a single layer of 7-0 interrupted sutures

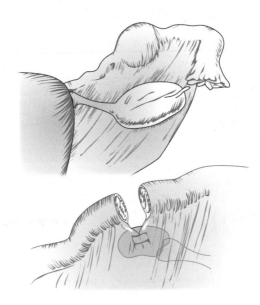

- Segmental resection and Anastomosis of Fallopian tube for an Unruptured ectopic pregnancy. Closure of mesosalpinx results in Reapproximation of Tubal segments
- Anastomosis is accomplished with interrupted 7−0 vicryl sutures

2. 내과적 치료

1) Methotrexate

(1) 치료 후 2개월간 피임

(2) 치료의 indication ☆

> 1. 난관 개구술 또는 난관 절개술 후에 hCG 상승
> 2. 흡입소파술 후 12~24시간에 hCG 상승이 있거나 유지될 때
> 3. 질초음파 검사시 자궁 내에 임신낭 또는 액체가 없고,
>   hCG가 2,000 mIU/mL 이상이며,
>   딴곳임신 종괴 크기가 cardiac activity 없이 4 cm 이하이거나 cardiac activity가 있고 3.5 cm
>   이하인 경우

2) KCI, methotrexate, prostaglandins, hyperosmolar glucose, RU−486

- systemically, IV, IM, oral, local injection

3. 기대요법(observation)

VII. 딴곳임신의 경과 및 합병증

1. 자연치유(Spontaneous resolution)

2. 지속적 딴곳임신(Persistent ectopic pregnancy)

- 가장 흔한 합병증
- Secondary intervention의 중요 원인

  (1) 보존적 수술을 받은 환자에서 생존 가능한 영양막 조직이 남아있는 경우

  (2) 진단 - 보존적 수술 후에 β-hCG가 일정 수준을 유지 또는 증가

  - Tissue removal이 완벽한 경우

    : 수술 후 72시간 내에 intra/preoperative hCG level의 20% 미만

  (3) Risk factor

   ① 딴곳임신의 수술 종류

   ② 초기 β-hCG 농도

   ③ amenorrhea의 기간

   ④ 딴곳임신 부위의 크기

  (4) 치료 ★

   ① 수술 - 난관절제술(TOC), 반복적인 난관 개구술

   ② MTX(base on hCG)

3. 만성 딴곳임신(Chronic ectopic pregnancy)

  (1) 자연 치유 기대요법 동안에 완전히 흡수되지 않은 임신 상태

  (2) 증상 - 통증(86%), 질출혈(68%), fever, adnexal mass

  (3) 진단

  - 반드시 exploratory laparatomy - dense adhesion과 abscess

  - false negative pregnancy test

  (4) 치료 - 난관절제

4. 비난관성 딴곳임신

1) 자궁경부 임신(Cervical pregnancy)

(1) 선행 요인

① 유산의 기왕력

② Asherman's syndrome

③ c-sec의 기왕력

④ DES 노출

⑤ 자궁근종

⑥ 체외수정

(2) 자궁 경부 임신이 사망률이 높은 이유 ★

① 임신 초기에 많은 출혈이 발생

② 진단이 어려우므로 신단을 하기 위해 반복적인 pelvic examination 시행

(3) 진단

• US, MRI

임상적 진단기준	초음파 진단기준
1. 팽창된 자궁경부보다 이를 둘러싼 자궁이 더 작다. 2. Internal os는 확장되어 있지 않다. 3. 자궁내막강을 소파 수술했을때 태반조직이 발견되지 않는다. 4. 자궁경부의 외부는 자연유산의 경우보다 더 초기에 열린다.	1. 자궁내강에 임신낭 소견이 안보임 2. 뚜렷한 음영 구조를 보이는 자궁내막의 탈락막 변형 확인 3. 자궁벽 구조가 불명확 4. 자궁 모양이 모래시계 모양 5. 자궁 경부강의 팽창 6. 자궁경부 내측에서 임신태낭 소견 (+) 7. 자궁 경관에 태반 조직 확인 8. Internal os가 닫혀 있음

(4) 치료

① Medical

• MTX

② Surgical

• TAH → bleeding point suture가 필요없다. But, delivery를 원하는 경우는 uterine artery ligation

2) 난소 임신(Ovarian pregnancy)

(1) 빈도

- Nontubal ectopic pregnancy 중 가장 흔한 형태(0.5~1%)

(2) 위험 요소

- IUD 장치

(3) 진단

- US로 가능하기도 하나, 대개는 hysterectomy 후 specimen에서 확인

Spiegelberg's diagnostic criteria ☆
1. 임신이 일어난 쪽의 난관은 손상되지 않아야 한다.
2. 임신 태낭이 난소의 위치에서 확인되어야 한다.
3. 난소는 난소인대에 의해 자궁과 연결되어 있다.
4. 난소 조직이 태낭벽에 위치하고 있어야 한다.

(4) 치료

- Cystectomy

3) 복강 임신(Abdominal pregnancy)

(1) 빈도 : 0.3%

(2) 분류

① Primary

② Secondary - Primary보다 더 흔함

　　　　　　　Tubal abortion 또는 rupture 후 발생

(3) 증상 : 통증성의 태동

4) 간질성 임신(Interstitial pregnancy)

(1) Poor prognosis 이유 ☆

① 조기 진단이 어렵다.

② myometrial distensibility가 커서 2~4 months에 Rupture

③ blood supply 많아 Hemorrhage가 심하다.

④ large uterine defect로 수술(hysterectomy) 하는 경우가 많다.

(2) 치료

• cornual resection

5) 인대엽간 임신(Interligamentous pregnancy)

(1) 원인

• Tubal pregnancy 시 serosa를 penetrate or uterine cavity와 통하는 fistula가 있어서 발생

6) Heterotropic pregnancy

(1) 정의

• 자궁 내 임신과 딴곳임신이 공존하는 경우

(2) 빈도

• 1/100~30,000명

• 배란 유도제 사용 시 빈도 증가

5. Multiple ectopic pregnancy

(1) 정의

• 눌 이상의 딴곳임신이 동시에 일어나는 것

(2) 빈도

• 매우 드물다(대부분 쌍태로 난관 임신).

6. Pregnancy after hysterectomy

• Supracervical hysterectomy 또는 Total hysterectomy 후 mucosal defect

---

✚ POINT!

딴곳임신

호발부위 : Ampulla portion of fallopian tube
Risk factor : ① 이전 PID 경력
② Previous tubal pregnancy
③ Current IUD use
④ Previous tubal surgery for infertility
증상 : ① 복통 ② 무월경 ③ 질출혈
진단방법 : hCG, 초음파, 복강경

I. 임신 중 합병되는 고혈압성 질환의 분류 및 진단

임신 중 고혈압성 질환을 일반적으로 다음과 같이 4군으로 분류한다.

1. 임신성 고혈압(Gestational hypertension)

2. 전자간증 증후군(Preeclampsia syndrome) - 자간증(Eclampsia)

3. 만성 고혈압(Chronic hypertension)

4. 가중 합병 전자간증(Superimposed preeclampsia on chronic)

임신 연관 고혈압의 진단기준 ☆	
상태	요구 기준
임신성 고혈압	이전 정상 혈압 여성에서 20주 이후 BP > 140/90 mmHg
전자간증 –고혈압과 : 　단백뇨	• ≥ 300 mg/24시간, 또는 • 담금띠 1+ 지속 또는
혈소판감소증 　콩팥기능상실 　간손상 　대뇌증상 　폐부종	• 혈소판 < 100,000/mm^3 • 크레아티닌 > 1.1 mg/dL 또는 기저치의 2배 • AST/ALT가 정상의 2배 • 두통, 시각장애, 경련 –

Recommended only if sole available test.
No prior renal disease.
AST (asparte aminotransferase) or ALT (alanine aminotransferase).
Modlfied from the American College Obstetricians and Gynecologists, 2013b.

1. 임신성 고혈압(Gestational hypertension)

- 임신 중기(20주 정도) 이후에 최초로 혈압 ≥ 140/90 mmHg에 도달.

- 두통, 상복부 통증, 단백뇨, 혈소판 감소증 등 동반(전자간증 증후군).

- 단백뇨는 없음!

- 출산 후 12주 내에 혈압 정상화되므로 최종진단은 출산 후에.

2. 전자간증 증후군(Preeclampsia syndrome)

- 혈압(> 140/90 mmHg) + 단백뇨 (또는 단백뇨 대신에 다음 5 가지 소견) ☆

  ① 혈소판감소증(혈소판 < 100,000/mm^3)

  ② 콩팥기능상실(크레아티닌 > 1.1 mg/dL 또는 기저치의 2배)

  ③ 간손상(AST/ALT가 정상의 2배)

  ④ 대뇌 증상(두통, 시각장애, 경련)

  ⑤ 폐부종

- 단백뇨는 객관적인 marker (system-wide endothelial leak)

- 비정상 단백질 배출의 정의(다음 중 하나) ①보다는 ②가 더 적절할 것으로 보임.

  ① 24시간 소변 배설 단백질 > 300 mg

  ② 소변의 단백질 : 크레아티닌 비 ≥ 0.3

  ③ 임의의 소변 검체에서 지속적인 30 mg/dL(담금띠 1+)의 단백질

- 자간증(Eclampsia)

  - 전자간증 임신부에서 달리 설명할 수 없는 발작(convulsion)이 발생(generalized type).

  - 진통 전, 중, 후에 발생 가능(분만 48시간 이후에도 발생할 수 있음)

3. 만성 고혈압(Chronic hypertension)

- 임신 전이나 임신 20 주 이전에 혈압 ≥ 140/90 mmHg

4. 가중 합병 전자간증 (Superimposed preeclampsia on chronic hypertension)

- 만성 고혈압이 있는 임신부에서 없던 단백뇨의 발견 또는 간수치의 악화, 혈소판감소증, 신 기능 악화가 동반.

•'순수' 전자간증에 비하여 이른 임신 주수에서 더 흔하고 태아발육부전이 흔함.

★ 헬프(HELLP) 증후군

• Hemolysis (H), Elevated liver enzyme (EL), Low platelet (LP)의 약자

• severe preeclampsia와 eclampsia의 약 20%에서 발생

• 용혈

- 비정상 말초혈액바른표본

- 혈청 빌리루빈 ≥ 1.2 mg/dL

- 혈청 젖산탈수소효소 > 600 IU/L

• 혈청 간 효소치 상승

- 혈청 아스파르테이트 아미노전이효소 ≥ 70 IU/L

- 혈청 젖산탈수소효소 > 600 IU/L

• 저혈소판증

- 혈소판 수치 < 100,000/mm^3

Indictors of Severity of Gestational Hypertensive Disorders[a]		
Abnormality	**Nonsevere[b]**	**Severe**
Diastolic BP	< 110 mmHg	≥ 110 mmHg
Systolic BP	< 160 mmHg	≥ 160 mmHg
Proteinuria[c]	None to positive	None to positive
Headache	Absent	Present
Visual disturbances	Absent	Present
Upper abdominal pain	Absent	Present
Oliguria	Absent	Present
Convulsion (eclampsia)	Absent	Present
Serum creatinine	Normal	Elevated
Thrombocytopenia (< 100,000/mm^3)	Absent	Present
Serum transaminase elevation	Minimal	Marked
Fetal-growth restriction	Absent	Obvious
Pulmonary edema	Absent	Present

[a]임신 연관 고혈압의 진단기준의 표와 비교할 것.
[b]Includes "milld" and "moderate" hypertension not specifically defined
[c]Most disregard degrees of proteinuria as being nonsevere or severe.
BP = blood pressure

II. 임신성 고혈압성 질환

1. 임신성 고혈압의 빈도

- 빈도 - 5%
- 미분만부에서는 Gestational HTN이 흔하고, 고령 임신부에서는 특히 만성 고혈압 및 Super-imposed HTN의 빈도가 높음
- 40세 이상의 임신부는 20~30세의 임신부보다 3배 정도 더 높은 발병률을 나타냄
- 산과력, 인종, 유전적 소양, 환경적 요인에 따라 영향(전자간증 및 자간증의 성향은 유전)

2. 임신성 고혈압의 고위험인자 ★

① Nulliparity, young : 전자간증의 위험

② H-mole

③ Multiple fetus

④ Diabetes

⑤ Familial history

⑥ Fetal hydrops

⑦ Cardiovascular disease

⑧ Renal disease

⑨ 35세 이상의 old age : 가중합병전자간증의 위험

⑩ obesity

⑪ 예전 임신 시 전자간증

⑫ 자가 면역 질환

★ Smoking이나 Placenta previa는 오히려 PIH의 risk를 감소시킴

III. 전자간증과 자간증의 병인

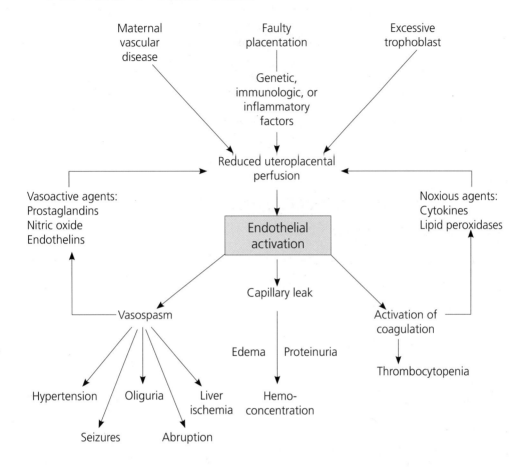

▶ Pathophysiological considerations in the development of hypertensive disorders due to pregnancy

〈Pathogenesis〉
① Vasospasm of arterioles : 혈압상승, 내피세포 손상→혈관투과도 증가→ 부종→혈장량을 증가시킬 수 없음(∵ 혈압이 이미 상승해 있으므로 RAAS 활성이 없음)
② PGE_2, prostacyclin 감소 → vasoconstriction
③ Hypersensitivity to angiotensin Ⅱ
④ Organ perfusion 감소(kidney, liver, uterus)
⑤ Sodium retension
⑥ 정상임신에서 보이는 hypervolemia 상태를 이룰 수 없음
⑦ Irritability, reflex 증가
⑧ Catabolic state

IV. 전자간증과 자간증이 임신부에게 미치는 영향

1. Cardiovascular changes

1) Hemodynamic change

① LV filling pressure - 정상

② Systemic vascular resistance 증가

③ Hyperdynamic ventricular function

2) Blood volume

① Hemoconcentration

② Hypervolemia가 정상 임신처럼 높게 나타나지 않는다(+47% vs. +13%).

　(∵ 혈관 투과성의 증가, Systemic vasoconstriction)

③ Hematocrit의 증가(정상에서는 약간 감소)

3) Pulmonary edema

2. Hematological change

1) Intravascular coagulation

• 혈액 내 응고인자의 감소

2) 혈소판 감소증(가장 흔한 혈액학적 소견, 15~50%)

• 10만 이하의 혈소판 감소증(나쁜 예후) → 분만의 적응증

① Vasospasm of arterioles : 혈압상승, 내피세포 손상 → 혈관투과도 증가 → 부종 → 혈장량을 증가시킬 수 없음(∵ 혈압이 이미 상승해 있으므로 RAAS 활성이 없음)

② PGE_2, prostacyclin 감소 → vasoconstriction

③ Hypersensitivity to angiotensin II

④ Organ perfusion 감소(kidney, liver, uterus)

⑤ Sodium retension

⑥ 정상임신에서 보이는 hypervolemia 상태를 이룰 수 없음

⑦ Irritability, reflex 증가

⑧ Catabolic state

•신생아의 혈소판 감소증이 발생할 수 있다.

* But, maternal thrombocytopenia with severe HTN이 C-sec delivery의 절대적 적응증은 아니다.

3) Hemolysis

• Serum LDH 상승

• PB smear 상 Schizocyte, spherocyte가 관찰되며 reticulocytosis 양상이 나타남

4) Hemoconcentration : Hct 상승

3. Endocrine & Metabolic change

1) Endocrine change

① 정상 임신 시 볼 수 있는 Renin, Angiotensin, Aldosterone의 증가가 없다.

② Deoxycorticosterone (DOC)의 증가(in 3rd trimester)

■ RAA 활성화없이도 Na^+ retention이 관찰되는 이유임

① ANP, Ouabain-like natriuretic factor의 증가(정상 임신에서는 normal level 유지)

② Vasopressin level은 plasma osmolality 감소에도 불구하고 normal level 유지

2) Fluid & Electrolyte

① Electrolytes의 농도는 정상 임신과 차이가 없다.

② ECF volume은 증가해서 edema가 발생.

③ Serum pH & HCO_3^-는 감소한다(By lactic acidosis & Compensatory respiratory loss of CO_2).

4. Renal change

① Proteinuria(→ 24hr urine protein 정량 검사가 필요)

② Renal perfusion, GFR의 저하(정상 임신 시는 증가) : Vasospasm 때문

③ 혈장 내 Uric acid의 증가

④ Urinary Na^+ concentration 증가, Urinary Ca^{2+} excretion 감소

⑤ Oliguria (Severe preeclampisa 시)

5. Liver

- Periportal hemorrhagic necrosis → Serum liver enzyme 치의 증가

- HELLP syndrome

  ① Hemolysis

  ② Elevated Liver enzyme

  ③ Low platelet

6. Brain

1) CT, MRI → abnormal brain finding in eclampsia

2) Nonspecific EEG abnormality

3) Blindness

  - 회복 후 수일내에 완전 회복

4) Coma : poor prognosis

7. Uteroplacental perfusion

- Vasospasm에 의한 Placental perfusion의 감소가 Perinatal morbidity와 mortality의 주원인

V. Preeclampsia

1. 임상 증상

1) 혈압 증가

2) 체중 증가 – 전자간증의 첫 증상

3) 단백뇨 – 혈압 및 체중 증가보다 늦게 출현

4) 두통 – 대개 자간증의 첫 경련에 선행되어 출현

5) 상복부통 – 곧 경련이 있을 것을 암시(epigastric or RUQ pain)

6) 시력 장애

  ※ 두통, 상복부통증, 시력장애는 곧 경련이 있을 것을 암시한다!! ⇒ 전자간증에서 자간증으로 이행할 가능성을 의미

2. 예방

1) 고위험군의 조기 발견

2) 저용량 Aspirin 요법

(1) 작용 기전

- Cyclooxygenase의 작용을 방해

- 혈관내벽 세포에서 혈관벽을 이완시키는 Prostacyclin (PGI$_2$)의 생성에는 영향을 미치지 않으면서도, 혈소판에서 Thromboxane A$_2$가 생성되는 것은 선택적으로 억제

(2) 투여 대상

- Preeclampsia 발생이 우려되는 High-risk group에게 선택적으로 사용(저용량을 간헐적으로 투여)

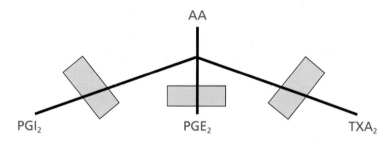

▶ Low-dose aspirin therapy usually blocks thromboxane A$_2$ production more than production of Prostacycline (PGI$_2$) and Prostaglandin E$_2$

3) Calcium supplementation

3. 치료

1) 치료 목표

① 모성과 태아에게 가능한 한 적은 손상을 주면서 임신을 종료한다.

② 잘 자랄 수 있는 영아가 탄생될 수 있도록 한다.

③ 임신부의 건강이 완전히 회복될 수 있도록 한다.

2) 입원 치료

- 고혈압이 지속 또는 악화하거나 단백뇨가 발생했을 때 입원 치료

(1) Check list

① 자세한 의학적 진찰을 시행

- 매일 두통, 시력 장애, 상복부통 및 급격한 체중증가 등의 임상소견 변화 유무 관찰

② 체중 측정(매일 반복 측정)

③ 단백뇨 유무 확인(적어도 2일에 한번씩)

④ 4시간마다 혈압 측정

⑤ 혈장 Creatinine, Hct, Platelet count 및 혈청내 간 효소 등을 측정하며, 측정 빈도는 질환의 심한 정도에 따라 결정

⑥ 초음파를 이용한 태아의 크기와 양수의 양을 자주 측정

⑦ 태아상태의 평가를 위해 NST, BPD를 주기적으로 check

(2) Supportive care

① 우선 환자를 하루의 대부분을 누워서 안정시키도록 한다.

② 충분한 단백질과 열량이 함유된 식사를 하도록 한다.

③ 염분과 수분 제한은 하지 않는다. ★

(3) Severe preeclampsia의 치료

- 두통, 시력 장애, 상복부통, 핍뇨는 위급한 증상

- Eclampsia와 같이 항경련제, 혈압 강하제를 투여

- 치료 목적

 a. 경련의 예방

 b. 뇌출혈 및 주요 장기 손상의 예방

 c. 건강한 신생아의 분만

3) 약물 치료

① 경련의 예방 및 치료 - MgSO$_4$의 정주

② 고혈압 치료 - Hydralazine (1st line), Nifedipine (2nd line), Labetalol 등

 　　　　　　　 - ACE inhibitor, ARB는 임신 시 금기 ★

4) 분만

① 적응증 : 입원 치료 후에도 증상이 개선되지 않는 중등도 이상의 심한 전자간증

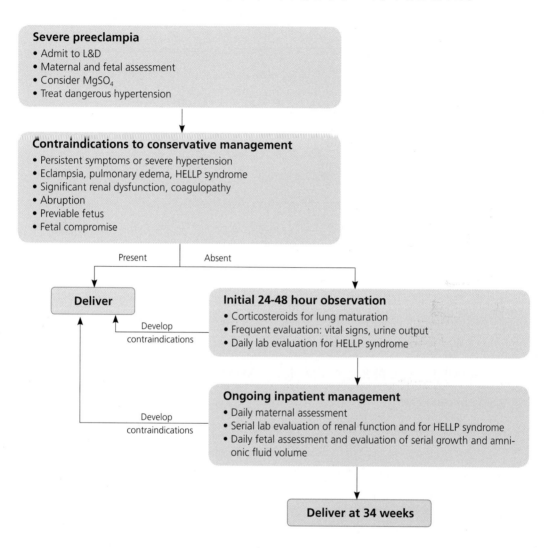

▶ 중증 전자간증(< 34주)이 의심될 경우의 처치 ★

Indications for Delivery in Women <34 Weeks' Gestation Managed Expectantly ☆
Corticosteroid Therapy for Lung Maturation[a] and Delivery after Maternal Stabilization
Uncontrolled severe hypertension
Eclampsia
Pulmonary edema
Disseminated intravascular coagulation
Nonreassuring fetal status
Fetal demise
Corticosteroid Therapy for Lung Maturation−Delay Delivery 48 hr if Possible:
Preterm ruptured membranes or labor
Thrombocytopenia < 100,000/μL
Hepatic transaminase levels twice upper limit of normal
Fetal−growth restriction
Oligohydramnios
Reversed end−diastolic Doppler flow in umbilical artery
Worsening renal dysfunction

[a]Initial dose only, do not delay delivery.
From the Society for Maternal−Fetal Medicine, 2011, and the Task Force of the American College of Obstetricians and Gynecologists, 2013b.

    ② 방법 : a. Oxytocin을 이용한 유도분만

             b. C-sec delivery (Unfavorable cervix, Intensive neonatal care가 필요한 경우)

    ③ 효과 : 1~2일에서 2주 이내에 BP 정상화 및 1주일 이내에 Proteinuria 및 edema 소실

    ④ 주의사항 : 지주막하 또는 경막 외 마취 시 치명적인 저혈압 초래 가능

5) Postpartum care

    ① 분만 진통 중 투여되는 $MgSO_4$는 산후 24시간까지 지속적으로 투여하는 것을 원칙

    ② 혈압 조절은 Hydralazine을 간헐적으로 투여하여 확장기 혈압이 110 mmHg를 넘지 않도록 한다.

    ③ 대개 2주일 정도 후에 재검사

    ④ 회복 후 경구피임약 사용은 무방

6) Glucocorticoid − Fetal lung maturation을 촉진하지만 fetal death rate 또한 증가함

VI. Eclampsia

1. 필수증상

: Preeclampsia + Convulsion

2. 기타증상

- 호흡마비, 혼수, 발열, 단백뇨 및 핍뇨, 폐부종, 시력장애, 정신장애, 뇌출혈 등
- 산후 자간증은 대개 분만 후 24시간 이내 발생
- 자간증으로 병이 악화될 수 있다는 위험 징후(Convulsion 임박 Sign)

① Headache

② Blurred vision

③ Abdominal pain

1) Convulsion- 보통 입주위에서 Facial twitching 형태로 시작

2) Respiratory arrest

3) Coma – 경련 이후 혼수에 빠지고 경련을 기억하지 못함

4) Fever – 경련 후 39℃ 이상의 열이 있는 경우 예후가 매우 나쁘다(CNS hemorrhage를 시사).

5) Proteinuria, Oliguria, Anuria, Edema

- 분만 후 소변량의 증가가 회복의 Earliest sign
- Proteinuria 및 edema는 1주 이내에 소실
- BP는 수일에서 2주 이내에 소실

6) Uterine contracture 증가

- 분만 중에 convulsion 발생 시에는 contraction의 frequency와 intensity 모두 증가 & 분만 시간의 단축(Maternal hypoxia 및 lactic acidemia로 인해 fetal bradycardia 발생 → 3~5 분 이내에 회복)

7) Pulmonary edema – By aspiration pneumonia or cardiac failure

8) Massive cerebral hemorrhage – Sudden death 야기 및 hemiplegia

9) Blindness – By retinal detachment or occipital ischemia & edema

10) Psychosis – Prognosis는 good(수일에서 2주 가량 지속 후 정상으로 회복)

3. 감별 진단

: Epilepsy, Encephalitis, Meningitis, Cerebral tumor, Cysticercosis, Ruptured cerebral aneurysm 그러나, convulsion이 동반된 모든 임신부에서 우선적으로는 eclampsia를 생각해야 함

4. 치료

1) 치료 원칙

① 경련의 조절

② Hypoxia와 Acidosis의 교정

③ 혈압 조절

④ 경련 조절 후 분만- 분만 후 병적인 변화는 곧 소실

2) 일반적 치료

① $MgSO_4$ 부하 용량을 정주한 후 주기적으로 일정량을 근주하여 경련을 치료

② 이완기 혈압이 높을 때마다 항고혈압제제를 간헐적 정주나 경구 투여하여 혈압을 조절한다.

③ 이뇨제와 고삼투압 제제의 사용을 피한다.

④ 수액 손실이 심하지 않는 한 수액의 정주를 제한

⑤ 분만을 시킨다.

3) Magnesium sulfate : DOC

중증 전자간증 또는 자간증에서의 마그네슘황산염 사용법	
지속적 정주법	
초기부하량	100 mL 용액 내 황산마그네슘 4~6 g을 10~20분에 걸쳐 정맥 주사한다.
유지량	매 시간 당 100 mL 용액 내 2 g을 정맥 주사한다.
관찰	4~6시간마다 혈청 마그네슘 농도가 4~7 mEq/L (4.8~8.4 mg/dL)인지 확인한다.
중지	분만 후 24시간 경과 후
간헐적 근주법	
초기부하량	황산마그네슘 20% 용액을 분 당 1 g 미만의 속도로 4 g 근육 주사한다.
유지량	50% 황산마그네슘 용액으로 총 10 g 양쪽 엉덩이에 근육 주사한다. 만약 15분 후에도 경련이 지속되면, 20% 황산마그네슘 용액을 분 당 1 g 미만의 속도로 2 g 정맥 주사한다. 4시간 간격으로 50% 황산마그네슘 용액으로 5 g 근육 주사한다.
관찰	무릎반사 유무, 호흡부전 유무, 소변량 감소 유무(100 mL/4hr)
중지	분만 후 24시간 경과 후

(1) 농도에 따른효과와 부작용 ☆

   ① Therapeutic level : 4~7 mEq/L

   ② Loss of Patellar reflex : 8~10 mEq/L

   ③ Severe Respiratory distress : 10~15 mEq/L

      • 호흡 억제시 산소를 투여하면서 Calcium gluconate 1 g 정주

      • 호흡 정지의 경우 인공 호흡 시행

   ④ Cardiac arrest : > 30 mEq/L

(2) 신 기능은 혈장 Creatinine치를 측정하여 1.3 mg/dL이상이면

    → Mg의 투여 량을 반으로 감량하여 투여해야 함 ☆

4) 혈압 강하제

(1) Hydralazine

  : Parkland hospital regimen에 따르면 diastolic BP가 100~110 mmHg 이상 또는 systolic BP 가 160 mmHg 이상일 경우 IV hydralazine을 추천하고 있음(NHBPEP에서는 Diastolic BP 105 mmHg 이상 시로 말하고 있음)

  특히 cerebral hemorrhage 예방에 도움됨

(2) Labetalol

  : Hydralazine 보다 빠른 속도로 BP를 낮추고 tachycardia가 적게 발생하는 장점이 있으나 Mean arterial pressure는 hydralazine이 보다 효과적으로 안전한 level까지 낮춤

(3) Nifedipine

(4) Nitroprusside는 not recommended

5) Diuretics, Hyperosmolar agents

  • 폐부종이 없는 한 이뇨제 사용은 하지 않는다. ☆ - 태반 관류 감소.

   : Pul. edema일 경우에만 furosemide 사용(임신의 모든 경우에 이뇨제는 폐부종 이외에는 사용을 주의해야 함)

6) Fluid therapy

  • Hypovolemia 상태이지만, 과량의 세포외액이 존재하므로(분포의 문제), 다량의 수액은 피한다.

7) 분만 방법 – Vaginal delivery를 우선적으로 고려

- 분만 시의 blood loss

    : Severe preeclampsia-eclampsia의 경우 정상 임신에서 나타나는 hypervolemia가 없기 때문에

    hemoconcentration이 거의 항상 나타나게 되므로 blood loss에 대해서 덜 tolerant 하게 됨

    ∴ 분명한 BP의 감소나 분만 후 Oliguria가 발생한 경우 excessive blood loss로 간주하고

    수혈을 조심스럽게 시행해야 함

5. 예후

- ● severity와 gestational age가 예후에 가장 중요
- ● 회복 순서

    ① Urine output↑(Earliest sign)

    ② Proteinuria와 Edema의 소실 : 1주

    ③ 혈압의 정상화 : 2주

    ④ 시력 회복 : 1주 내 정상으로 회복

    ⑤ Psychosis : 수일~2주간 지속

- ● 산과적 예후 : Preterm delivery, fetal growth restriction, placental abruptio, C-sec delivery 의 빈도를 증가
- ● 다음 임신에서의 재발율

    - Parity : Multiparity일수록 다음 임신 시에 재발할 확률이 더 높음

    - Onset : Early onset일수록 다음 임신 시에 재발할 확률이 더 높음

    : 고혈압 - 25%, Eclampsia - 5%

- ● Lont term prognosis

    - Preeclampsia는 chronic hypertension을 유발하지는 않는다.

    - Eclampsia의 경우 parity가 증가할수록 Chronic hypertension의 incidence가 증가한다.

    - Eclamspia의 경우 parity가 증가할수록 이로 인한 사망률도 증가한다.

Long-term consequences of Eclampsia		
Outcome	Long-Term Consequences	
	Nulliparas with Eclampsia	Multiparas with Eclampsia
Chronic hypertensiona	Expected incidence	Increased incidence
Deathb	Expected incidence	Increased 3-fold
Death related to hypertension	29%	80%

aFollow-up an average of 32 years after eclampsia diagnosed
bFollow-up an average of 42 years after eclampsia diagnosed
Adapted from Chesley and colleagues (1976), with permission

6. 합병증

(1) Placental abruption

(2) Neurological deficit

(3) Pulmonary edema

(4) Cardiopulmonary arrest

(5) Acute renal failure

(6) Maternal death

VII. Chronic hypertension

1. 임신에 대한 영향

임신에 대한 만성 고혈압의 영향	
모체	태아 및 신생아
가중 합병 전자간증 헬프(HELLP) 증후군 뇌졸중 급성 신장 손상 심부전 고혈압성 심근병증 심근 경색 태반조기박리 사망	태아 사망 발육 부전(FGR) – 저체중출생아 조산 – 저체중출생아 신생아 사망 신생아 이환(식도 폐쇄, 식도 협착 등)
If 만성 고혈압 + 당뇨병 → 조산, 태아 발육부전, 주산기 사망률 ↑	

2. 치료

1) 혈압 강하제- α-Methyldopa (1st choice)

(Oral 용 : methyldopa, IV 용 : Hydralazine)

2) pindolol or labetalol

3) 조기 분만

적응증 : (1) 치료 중 diastolic BP → 110 mmHg

　　　　(2) 신기능 악화

　　　　(3) severe proteinuria

　　　　(4) 태아의 severe growth restriction

　　　　(5) 악화되는 Hypertension

　　　　(6) 양수량의 지속적인 감소

※ 전자간증 임신부의 분만적응증과 동일!

I. 출혈의 개요

1. 산과적 출혈의 원인

산과적 출혈 : 원인, 유발 인자, 취약한 환자

A. 비정상 태반형성
  1. 전치태반
  2. 태반조기박리
  3. 유착/감입/침투태반
  4. 딴곳임신
  5. 포상기태

B. 산도의 손상
  1. 회음절개술과 열상
  2. 겸자 또는 흡입분만
  3. 하위 or 중위 겸자분만
  4. C-sec or 자궁적출술
  5. 자궁파열증가요인
    ① 이전의 자궁수술
    ② 다분만부
    ③ 과도한 자극
    ④ 폐쇄된 진통
    ⑤ 자궁 내 조작
    ⑥ 중위겸자 회전술
    ⑦ 둔위 분만

C. 취약한 환자들
  1. 선사산증/사산증
  2. 만성 신부전
  3. 키가 작음

D. 산과적 요인
  1. 비만
  2. 이른 만삭 전 임신 상태
  3. 이전의 산후출혈
  4. 패혈증 증후군

E. 자궁이완
  1. 과팽창 자궁
    ① 거대아
    ② 다태아
    ③ 양수과다증
    ④ 잔류혈괴에 의한 팽창과 열상
  2. 분만 유도
  3. Anesthesia or Analgesia
    ① Halogenated agents
    ② Conduction analgesia with hypotension
  4. 분만진통의 이상
    ① 급속분만
    ② 지연분만
    ③ 촉진 분만(augumented labor)
    ④ 융모양막염
  5. 자궁 이완의 기왕력

F. 다른 원인들을 조장하는 혈액응고장애
  1. 태반조기박리
  2. 사망한 태아의 장기간 잔류
  3. 양수색전증
  4. Saline induced abortion
  5. 패혈증 증후군
  6. 급성 지방간
  7. Massive transfusions
  8. 중증 전자간증 증후군
  9. 선천성 응고장애
  10. 항응고제 치료

2. 산과적 출혈의 시기별 분류

1) 분만 전 출혈

(1) 임신 전반기(20주 이전) 출혈 원인

① 유산 : m/c ② 딴곳임신 ③ 포상기태

(2) 임신 후반기(20주 이후) 출혈 원인

① 전치 태반(placenta previa)   ② 태반 조기 박리(placental abruption)

③ 자궁목암, 폴립, 미란   ④ 자궁 파열(uterine rupture)

⑤ 혈성 이슬(bloody show)   ⑥ 전치 혈관(vasa previa)

2) 분만 중 출혈 : 산전 출혈과 거의 동일

3) 분만 후 출혈

(1) 분만직후(조기) 산후 출혈 : 태반 만출 시부터 24시간 이내에 >500 mL의 출혈

① 자궁이완증(m/c)   ② 질 또는 자궁목 찢김

③ 잔류태반   ④ 태반유착

⑤ 자궁내번   ⑥ 자궁파열

⑦ 혈액응고장애

(2) 분만후 지연(만기) 산후출혈 : 출산 24시간 이후부터 산후 6주 사이에 발생한 출혈

① 잔류태반(m/c)

② 회음절개부의 큰 혈종

③ 임신성 고혈압, 팽창된 자궁, 태반자궁착상부위 퇴축부전

II. 산과적 출혈의 처치

● 산후 출혈 시 단계적으로 생각해야 할 것

① Uterine atony(자궁이완)의 유무

② Retained placental fragments(잔류태반 절편)의 유무

③ Genital tract(생식로)의 외상 유무

1. 과도한 혈액 손실의 측정

1) 육안으로 실혈량평가

2) Blood pressure & Pulse rate

3) Tilt test

- Bleeding이 있을 때 Hypovolemia를 detect하는 방법

- Recumbent position(횡와위)에서는 BP, Pulse가 정상이나, Sitting position에서 측정했을 때, BP가 감소하고 Pulse가 증가하는 경우 저혈압을 시사

- 주의 사항

  ① Recumbent position에서 이미 저혈압이면 시행 금기

  ② Conduction anesthesia에 의한 Sympathetic blockage로부터 완전히 회복이 안된 경우 심각한 출혈없이도 저혈압이 된다.

  ③ 정상적으로 혈액량이 증가된 임신부는 상당량의 출혈을 하여야 Orthostatic hypotension 이 나타난다.

4) Urine flow – 수액 및 수혈 요법 시행 시 가장 중요한 landmark

- 주요 장기에 공급되는 혈액량을 반영

- 이뇨제 사용의 문제점

  ① Urine flow와 Renal perfusion의 관련성이 없어진다.

  ② Diuretics의 Venous return이 감소하여 심박출량 감소

  ③ Fluid & Electrolyte의 손실

2. 수액과 혈액 보충

- ● 일반적 원칙

  - Fluid : Crystalloid solution (Lactated Ringer's Solution, Whole blood)

    ① Urine flow - 적어도 > 30 mL/hr

    ② Hct - 30% 유지

  - 대량의 Fluid therapy에도 Urine flow의 개선이 없으면 Central venous pressure를 Monitoring하여 더 많은 양의 Fluid을 투입한다.

산과에서 흔히 수혈되는 혈액 성분			
산물	적응증	내용물	효과
1. 전혈(450 mL)	다량 혈액 부족에 의한 빈혈 증상	모든 성분 포함	Hct 3~4 vol%/U 증가
2. 농축 적혈구(250 mL)	빈혈 증상	적혈구	Hct 3~4 vol%/U 증가
3. 신선 냉동혈장(250 mL)	모든 응고인자 결핍	모든 응고 인자	섬유소원 150 mg/U와 다른 응고인자 공급
4. 냉동 침전(50 mL)	저섬유소원 혈증	Factor Ⅷ, vWF, XIII, 섬유소원, Fibronectin	선택 응고인자 공급
5. 혈소판(50 mL/U)	혈소판 감소증에 의한 출혈	혈소판	혈소판 5000~8000/μL 증가

III. 소모성 혈액응고 장애(Consumptive coagulopathy)

Overview

- 임신 중에는 Platelet activation, Clotting, Fibrinolytic mechanism이 증가됨

정상 임신중 혈액 응고 기전의 변화	
증가	감소
1. Fator Ⅰ, Ⅶ, Ⅷ, IX, X 2. Plasminogen 3. Fibrinopeptide A 4. β-thromboglobulin 5. Platelet factor 4 6. Fibrinogen-fibrin degradation product	Plasmin

- 임상적 결과

  - 산과적 질환중 DIC를 유발하는 m/c cause ☆ : 태반 조기 박리(Placental abruption)

    ① 출혈 성향

    ② 장기의 Hypoperfusion과 Ischemic damage 유발

    ③ Microangiopathic hemolysis와 동반될 수 있다.

- Heparin & Epsilon-aminocaproic acid

  : DIC를 막기위한 Heparin의 사용과 Fibrinolysis를 조절하기위한 EACA의 사용은 금기 ☆

- 섬유소원(fibrinogen)은 적어도 100 mg/dL 되어야 한다.

1. 태아 사망과 지연 분만(Fetal death and Delayed delivery)

- 조기분만이 필요한 이유 ★
  ① 임신부가 죽은 태아를 자궁 내에 가지고 임신을 지속한다는 정신적 충격
  ② 혈액응고 장애(Blood coagulation defect) 발생의 위험
  ③ 최근 효과적인 유도분만 방법의 발달

1) 응고 기전의 변화

- 1개월 이상 사망된 태아가 잔류할 경우 : 25%에서 유의한 응고 이상
- Fibrinogen↓, FDP↑, Platelet↓
- Consumptive coagulopathy의 원인
  : 태아산물로부터 유리된 Thromboplastin

2) 다태 임신 시 태아 사망

- 사망한 태아의 태반에 섬유소가 부착됨으로써 Thromboplastin의 유리가 중단되어 자연적 응고 이상의 교정이 이루어지고, 생존 태아가 만삭 때 건강하게 분만할 수 있다.
  → 생존 태아를 보존적으로 치료하는 것이 바람직

3) 임신 중절 방법

- 자궁 내 태아 사망 시 질식분만을 시행한다(제왕절개 아님).
  ① Oxytocin을 이용한 유도분만 시행
  ② Oxytocin 사용 전에 Laminaria tents를 사용함으로써 자궁경관의 확대와 태아산물을 효과적으로 만출시킬 수 있다.
  ③ Prostagladin E_2 질정
    cf) Hypertonic saline: Not recommended
      (응고장애 유발, 태아 사망에 의한 양수량 감소로 인해 독성이 강한 고장액 주입이 어려움)

2. 양수 색전증(Amnionic fluid embolism)

- 양수에 대한 Anaphylactoid reaction
- Oxytocin의 사용과는 관련 없다.

1) **임상 양상** ☆ : 저혈압, 폐부종 분만 직후의 호흡곤란, 경련, 심폐정지, DIC, 손상부위의 대량출혈, 사망

2) **진단** : 특징적인 징후 및 증상을 토대로 임상적 관점에서 진단(다른 원인을 주의 깊게 배제함으로써 진단 가능)

3) **치료**

- 원칙적으로 치료 불가능
- 생존한 임신부에서는 산소공급 및 위축된 심장기능 유지

  ① 필요하다면 심폐 소생술을 시작

  ② 임신부는 심정지 상태이고 자궁내 태아 생존한다면 응급 C-sec 고려

  ③ 고농도의 산소를 투여

  ④ Crystalloid solution을 빠르게 주입

  ⑤ 필요하다면 Dopamine으로 BP 유지

  ⑥ 응고장애 발생이 뚜렷하면 석응에 따라 Platelet, FFP, Cryoprecipitate와 함께 Whole blood 투여

4) **예후**

- 모성 사망률 60%
- 전반적인 신생아 생존률 70%(절반 이상에서 신경학적 합병증 동반)

IV. Antepartum Hemorrhage(분만 전 출혈)

1. 태반 조기박리(Placental abruption)

1) **정의** : 태아 만출 이전에 태반이 착상부위에서 박리되는 것을 태반 조기박리라 하며, 이 과정에서 자궁벽과 태반사이를 연결하는 혈관들이 터져 태반과 자궁벽 사이에 출혈이 일어난다.

- 빈도 - 1/200 deliveries(재발율 - 5~17%)
- Concealed hemorrhage(은폐성 출혈)

  - Placenta는 완전히 분리되었으나 membrane은 wall에 일부가 attachment 되어 있어서 Detached placenta와 Uterus 사이에 출혈이 저류되는 것

  - 분만부와 태아 모두에서 위험이 매우 높다.

① Intensive consumptive coagulopathy 가능성이 높다.

② Hemorrhage 정도가 정확히 파악되지 않으므로 진단이 지연되어 치료가 부적절해질 수 있다.

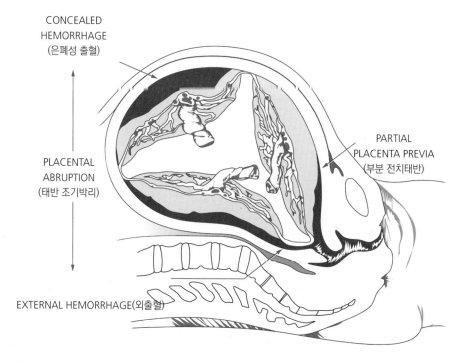

▶ 태반 조기박리에 의한 출혈

2) 원인

(1) m/c : 고혈압(자간전증, 임신성 고혈압, 만성고혈압 모두 해당)

태반 조기박리의 위험요인	
모체측	**태아측**
태반 조기박리 과거력(가장 중요) 다산 35세 이상, 20세 이하 인종 ; 흑인 불량 산과력 : 자간전증, 자궁내 태아 발육제한, 사산, 조산 임신 중 흡연, 음주, 혈관수축제 장기복용, 고호모시스테인혈증, 혈전성향증 임신 중 고혈압(만성 고혈압, 자간전증), 임신 중 복부 외상, 거대 자궁근종	다태임신 조기양막파수 융모양막염 태반 이상(전치태반, 성곽태반) 양수 이상 산과적 시술 : 양수감압술, 역아 외회전술

3) 임상 증상 ⭐

(1) 증상

- Painful bleeding (cf. Placenta previa - Painless)

  : 임신 후반기 복통을 동반한 질출혈과 전자간증이 있는 임신부 경우 의심, 자궁은 아주 딱딱하다.

  : 출혈을 예측할 수 없다.

Sign and Symptom
1. 질출혈
2. 자궁동통 및 요통
3. 태아 절박가사
4. 원인불명 조기진통
5. 잦은 자궁수축
6. 자궁 긴장항진
7. 태아사망

(2) Ultrasonography

  : 25%에서만 초음파로 진단가능함

  초음파에서 negative finding 나왔다해도, 태반 조기박리를 배제할 수 없음

4) 합병증

(1) Shock : placental thromboplastin이 모체혈관 내로 들어가 유발

(2) Consumptive coagulopathy

- m/c cause : 태반 조기박리

(3) Renal failure : 75%에서는 reversible!

- 원인

  ① 심한 출혈에 의한 심박출량의 감소가 주 원인

  ② 흔히 preeclampsia가 동반되어 신장 내 vasospasm을 악화시킴

  ③ 급성 및 만성 고혈압에 따른 심한 신장 혈액 공급의 장애

- 치료 : 즉시 vigorous blood & crystalloid solution 공급

(4) Uteroplacental apoplexy(자궁태반 졸중)

  ① 정의

  : 자궁근층과 장막하로 하방으로 혈액이 광범위하게 Extravasation 된 것(때로 주변 조직

이나 복강 내로 유출)

② 임상 양상 : 자궁이 멍이 든 것처럼 푸르스름하게 보임

③ 치료 ☆

- 심한 분만 후 출혈을 유발할 정도로 자궁 수축을 방해하지는 않는다.

→ 자궁적출술의 적응증은 아님!!

- 자궁수축제, 용수마찰로 대부분 회복

(5) 시한씨증후군 : 과도한 출혈로 인하여 수유상애, 무월경, 유방의 수축, 지모와 액모의 손실, 갑상선기능저하증, 부신피질호르몬결핍증 등이 특징이다.

5) 치료

(1) 태아 상태에 따른 분만 방법의 결정 : 지속적으로 태아 심장박동 감시해야 함

① 태아가 생존해 있고 mature하면서 Distress 상태인 경우 → 즉각 C-sec

② 태아가 Immature 하지만 stable 한 경우 → delayed delivery

③ 태아가 사망한 경우 → Vaginal delivery

(2) 되도록 빨리 양막 파열술(Amniotomy)을 시행

→ 출혈을 감소시키고, Thromboplastin과 activated coagulation factor의 모체 혈액의 유입을 감소

(3) Oxytocin의 투여

(4) Hypovolemia의 교정

• Hct가 30% 이상, Urine flow가 30 mL/hour 이상이 되도록 Blood & Balanced salt solution을 공급

좋아지지 않으면 CVP 측정해서 Blood 공급

• Oliguria 시에도 이뇨제 사용은 하지 않는다(폐울혈 시에만 사용).

• 모성사망률 감소에 빠른 분만보다 중요

(5) 응고 장애의 교정

(6) 자궁 적출술의 적응증

① 심한 자궁의 손상

② 자궁 수축이 안되어 지혈되지 않는 경우

• 출혈을 최소화하기 위해 예방 목적으로 자궁 적출술을 시행하지는 않음

• Uteroplacental apoplexy 시 시행하지 않음

● placental abruption 시에 금기 약물

　① Heprain (DIC가 조장될 수 있음)

　② Tocolytics : Terbutaline, Magnesium sulfate, Ritodrine

● Preeclampsia 치료에 사용하는 Magnesium sulfate의 양으로 Hypertonicity를 저하시키지 못

함 ☆

● 모성 사망률 감소는 분만 시간 단축보다는 빠르고, 충분한 수액 요법에 영향 받음

2. 전치태반(Placenta Previa) ☆

1) 정의

• Placenta가 Internal os를 가로 덮든지 그 부근에 부착한 것

• 빈도 - 0.3~0.5%

● Four degrees of the abnormality

　(1) Total placenta previa(전 전치태반) : Internal os가 태반에 의해 완전히 덮여져 있는
　　경우

　(2) Partial placenta previa(부분 전치태반) : Internal os가 태반에 의해 부분적으로 덮여져 있
　　는 경우

　(3) Marginal placental previa(변연성 전치태반) : 태반의 끝부분이 Internal os의 Margin에 위
　　치하는 경우, 대개 2 cm 이내를 기준으로 한다.

　(4) Low-lying placenta(하위 태반) : 일반적으로 자궁경부 내구와 태반끝부분의 거리가 3내
　　지 3.5 cm 이내인 경우

※Williams 24판에서는
Low-lying placenta : 태반의 끝부분이 자궁하부분절에
있으나 internal os의 주변 2 cm 바깥에 위치, Mar-
ginal previa(변연성 전치태반)은 이전의 용어이며
태반이 internal os의 끝에 있으나 덮고 있지는 않은
상태.

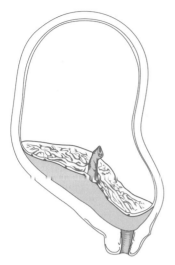 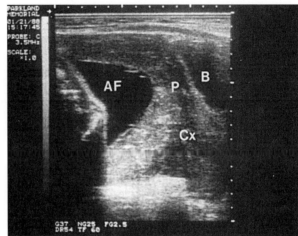

▶ 전 전치태반

Right : Total placenta previa at 34-weeks' gestation. Placenta (P) completely overlies cervix (Cx).
Bladder (B) and Amnionic fluid (AF) are also visualized clearly

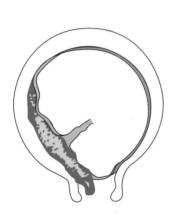 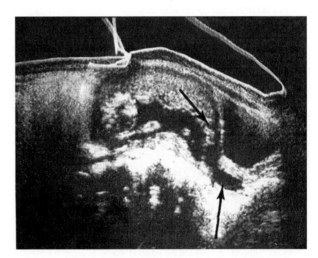

▶ Partial placenta previa(부분 전치태반)

* the Gray scale longitudinal midline sonogram
  • upper arrow: partial placenta previa
  • lower arrow: amnionic sac bulging through the cervix

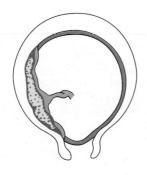
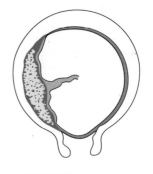

▶ 변연성 전치태반(Marginal placenta previa)　　　▶ 하위태반(Low-lying placenta)

2) 원인

(1) 만 35세 이상

(2) Multiparity

(3) Multifetal gestation

(4) Previous C-sec delivery

(5) Smoking (∵ 저산소증으로 인한 자궁 비대)

(6) 자연유산 및 인공유산 시술력

3) 임상 증상

(1) 특징

① Painless bleeding

② 보통 임신 2분기 후반 이후에 출혈

(2) 출혈의 특징 ★

① Without warning. 예고 없는 선홍색 출혈

② 첫 출혈은 과히 심하지 않음

③ 자연 중지되나 recur 잘 함

(3) 간혹 분만 후 심한 출혈을 동반

① Placenta accreta 동반

② 자궁하절은 수축력이 없는 점

③ 자궁경관 laceration 받기 쉬움

• Coagulation defects는 태반 조기박리 시는 흔하나, 전치 태반 시에는 드묾

4) 진단

(1) Clinical symptom

- 2nd trimester 이후의 Painless bleeding
- 분만이 계획되지 않은 경우 내진은 금기!!(급격한 출혈을 일으킬 수 있으므로, C-sec 준비된 수술실 이외에서는 금기

(2) Ultrasonography

- 가상 산변, 새애 없고 성확성 93~98%
- 초음파를 볼 때 주의할 점

  ① Transvaginal US가 Transabdominal US보다 internal cervical os를 더 잘 볼 수 있으나, Transabdominal US가 simplest, most precise, saftest method 임

  ② 방광을 완전히 비운 상태에서 초음파로 관찰한다(위양성 문제).

  ③ 임신 초기에서 후기로 갈수록 전치태반의 빈도는 적어진다.

  따라서 초기에 관찰한 것을 가지고 전치태반이라고 하면 안 됨

  (※ Placental migration의 빈도가 임신 후반부로 갈수록 증가)

cf) Placental migration

- 임신 중기에 Internal os를 덮고 있는 태반 중 약 40%는 분만 시까지 전치 태반으로 지속
- 임신 2분기나 3분기 초에 Internal os를 덮지 않고 Internal os에 가까이 위치한 태반은 Uterine fundus로 이동할 가능성이 높다.
- 즉, 임신 30주 이전에 초음파로 인지된 전치 태반이 지속되는 빈도는 5% 미만이므로 태반의 이동을 추적하기 위해 초음파 검사를 자주 할 필요는 없다.
- 임신 30주 이상 전치 태반이 지속되거나, 그 이전에 임상적인 증상이 나타날 경우에만 임신부의 활동을 제한한다.

5) 감별 진단

전치 태반과 태반 조기박리의 감별		
	Placenta previa	placenta abruptio
1. Onset	Quiet	Sudden
2. Pain	(−)	(+)
3. Hemorrhage	Mild, Several external hemorrhage	Severe, Only one (20% − internal hemorrhage, 80% − external hemorrhage)

4. 출혈량	증상에 비례	비례하지 않는다(Concealed hemorrhage).
5. Fetal movement	(+)	(−)
6. Uterus	Soft	Board-like
7. Vaginal examination	Placenta palpable	Not palpable
8. Coagulopathy	Rare	Frequent
9. 소변검사	Normal	Proteinuria

→ 통증이 없는 출혈에 복부에서 자궁이 딱딱하게 만져지지 않고 soft할 경우 전치태반을 의심

6) 치료

(1) 치료의 일반적 기준

① 심한 출혈, 진통 계속 시 → 급속 수혈

→ 임신기간에 관계없이 C-section

② 미숙아(preterm fetus)인 경우 → 출혈 or Pain이 없거나, 개선되면 분만 연기시켜 대기치료(절대 안정과 관찰)

③ 전신마취하에서 실시(척수마취는 금기)

Halothane, Fluthane은 사용하지 않는다(자궁이완, BP↓).

(2) 치료의 방법 ☆

① C-sec delivery

: Placenta previa의 모든 경우에서 모체의 안녕을 위해 인정되는 분만 방법이다.

● 자궁 절개의 방법

- Posterior placenta인 경우는 Transverse uterine incision

- Anterior placenta인 경우는 Vertical incision

• 실제 Placenta를 절개한 경우라도 분만부 및 태아의 예후가 나빠지지는 않는다.

② 하부 자궁출혈 시 지혈

- Placenta와 동반되어 통상적인 방법으로 지혈하기 어려우면 lower segment suture, Suture, Bilateral uterine artery ligation, Internal iliac artery ligation 등을 시행

- Hysterectomy - 위의 모든 방법 실패 시

7) 예후

(1) 조기 분만(조산에 의한 태아사망이 가장 큰 문제) ★

(2) 태아 기형 빈도 증가

(3) 태아 발육지연

(4) 주산기 사망 증가

VI. Postpartum hemorrhage(산후 출혈)

Overview

1) 정의 : 분만 제3삼분기 완료 이후 500 mL 이상의 출혈, 제왕절개 분만 후 1,000 mL 이상의 출혈

2) 원인

: 산후 출혈 3대 원인 ① uterine atony, ② placental remnant, ③ birth canal injury

조기 산후 출혈의 원인

A. Trauma to the Genital tract
  1. Large episiotomy, including extensions
  2. 회음부, 질, 자궁경부의 열상
  3. 자궁파열
B. 태반착상부위의 출혈
  1. Hypotonic myometrium - 자궁이완(m/c)
    ① Some general anesthetics - Halogenated hydrocarbons
    ② Pooly perfused myometrium – Hypotension, Hemorrhage, Conduction analgesia
    ③ 자궁이 과대하게 팽창된 경우– 거대아, 상태아, 양수과다증
    ④ 지연된 분만
    ⑤ 급속분만
    ⑥ Oxytocin–induced or augmented labor
    ⑦ High parity
    ⑧ 이전 임신에서 자궁이완
    ⑨ 융모양막염
  2. 잔류 임산물
    ① Abulsed cytyledin, succenturiate lobe
    ② 침습태반형성– 유착태반, 감입태반, 천공태반
C. 응고 장애

→ 분만 후 과다 자궁출혈이 있는 산모에게 응급으로 internal iliac artery를 묶어 주면 출혈을 줄일 수 있다.

3) 분류

(1) Immediate postpartum hemorrhage(조기 산후 출혈)

- 태반 만출 시부터 24시간 내에 총 출혈량이 500cc을 초과할 때

① Uterine atony

② Vaginal or cervical laceration

③ Retained placenta

④ Placenta accreta

⑤ Uterine rupture

⑥ Coagulopathy

(2) Delayed postpartum hemorrhage(만기산후 출혈) → 1차적으로 자궁수축제 사용

- 24시간 이후부터 산후 6~12주 사이에 발생한 출혈

① Retained placenta (m/c)

② Hematoma in episiotomy site

③ 임신성 고혈압 및 팽창된 자궁

④ 태반부착부위 태축부전

1. 자궁 이완증(Uterine atony) ★

1) 위험인자

- Uterine overdistention - Large fetus, Multiple fetuses, Hydramnios, Retained clots
- Labor induction
- Anesthesia or analgesia - Halogenated agents, Conduction analgesia with hypotension
- Labor abnormalities - Rapid labor, Prolonged labor, Chorioamnionitis
- Previous uterine atony

2) 임상 증상

- 배꼽 상방에서 uterus가 말랑말랑하게 촉지, 검붉은색 혈액(cf. laceration : 단단하게 촉지, 선홍색 혈액)
- 산후 출혈 시는 상당량의 실혈이 있기 전까지는 혈압, 맥박의 변동이 크지 않다.
  - 혈압의 임신부는 초기에는 다소의 혈압 상승이 오게되며, 고혈압 임신부는 많은 실혈이 있

더라도 정상혈압으로 나타날 수 있다.

- Severe preeclampsia
  - 정상 임신에서 볼 수 있는 Hypervolemia가 없으므로 Blood loss 시 영향이 크다. → 신속한 수액 요법과 수혈을 시행해야 함

3) 진단

- Vagina, Cervix, Uterus를 시진하여 Laceration 유무를 감별

4) 치료

(1) 태반 용수 박리술(Manual removal of Placenta)

① 적절한 마취 시행 및 소독된 장갑의 착용

② 한 손으로는 복벽 위로 Uterine fundus를 잡고, 다른 한손을 질 내로 넣은 후 Umbilical cord를 따라 자궁 속으로 넣는다.

③ 태반의 가장자리를 확인하고, 태반과 자궁벽 사이로 손을 밀어 넣는다.

④ 이 때 손을 Uterine wall 쪽으로 향하게 하여 서서히 태반을 분리한다.

(2) 태반 만출 후 처치

① Uterine fundus를 촉지하여 자궁 수축 여부 파악

② 수축이 좋지 않으면 Uterine fundus를 강하게 마사지

Oxytocin 또는 Prostaglandin E_2의 투여

실패 시 Ergonovine, Methylergonovine을 주의하여 투여 → but 고혈압 환자에게 methylergonovine 투여는 금기

③ 위의 방법 실패 시 다음의 조치를 취한다.

   a. Bimanual uterine compression ☆

   b. 다른 의료인에게 도움을 청한다.

   c. 수혈 시작

   d. Uterine cavity 내의 잔류 태반이나 열상의 유무 확인

   e. 자궁 경부와 질의 검진

   f. 2개 이상의 IV route를 확보하여 Oxytocin, Blood를 동시에 투여할 수 있도록 준비

   g. Foley catheter를 삽입하여 Urine output 추적 관찰

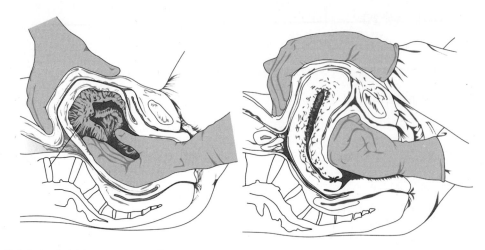

▶ 태반 용수 박리술(Manual removal of Placenta)   ▶ Bimanual compression of Uterus

The fingers are alternately abducted, adducted, and advanced until the placenta is completely detached

④ 외과적 치료

• 내과적 처치로 성공하지 못하는 경우

a. uterine artery ligation

b. internal iliac artery ligation

c. uterine compression suture

d. uterine packing

e. 자궁 적출술

• 분만 직후에 Gauze packing은 자궁이 확대되고, 치명적인 출혈이 은폐될 수 있다(금기). ☆

2. 잔류 태반 조직에 의한 출혈

• 크지 않은 잔류 태반 조직은 대부분 조기 산후 출혈보다는 산욕기 후반에 출혈(부태반에 의한 경우가 많다)

• 태반 만출 후 태반의 결손 부위를 검사

• Dx : 초음파 검사

3. 태반의 유착, 감입, 침투(Placenta Accreta, Increta, Percreta)

1) 정의

- 원인 - Decidua basalis의 결손과 Fibrinoid layer의 불완전한 발달

(1) Placenta accreta(유착 태반)

: Placental villi가 Myometrium에 부착된 것(태반이 자궁벽에 비정상적으로 단단히 유착)

(2) Placenta increta(감입 태반)

: Myometrium을 Invasion 한 것

(3) Placenta percreta(침투 태반)

: Myometrium을 Penetration 한 것

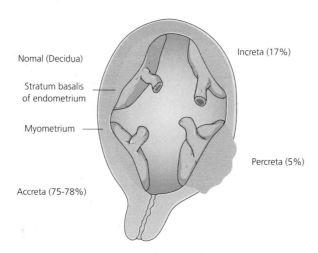

▶ placenta Acoreta, Increta, Perareta

2) 임상적 의의

- 심한 출혈, 자궁 천공, 감염으로 인한 Morbidity, Mortality의 증가

3) 원인

(1) Lower uterine segment에의 착상

(2) Previous C-sec scar나 Previous uterine incision에의 착상

(3) Uterine curettage 후

• 1/3에서 전치 태반(Placenta previa)과 동반(m/c)

4) 임상 증상

(1) 동반된 전치 태반에 의한 분만 전 출혈

(2) 자궁 파열 : 이전 C-sec scar에 태반융모가 부착되어 자궁근층 침범할 때

(3) 분만 직후 또는 산욕기 후반기 출혈, 태반용종 형성

5) 산전 진단

: placenta increta의 경우 초음파로 예측가능, Doppler color 초음파를 이용하면 방광 같이 근접 기관에 태반혈관이 이상하게 확산되는 소견을 볼 수 있다.

6) 치료

: 유착 부위가 크면 태반 만출 시 출혈이 심하고, 수혈과 자궁 적출술이 필요

4. 자궁 뒤집힘(Uterine inversion)

1) 원인

① 대부분 Umbilical cord를 강하게 잡아당기는 경우 발생(즉, Cord traction은 금기)

② 이완된 자궁의 Uterine fundus에 무리한 압력을 가할 때

③ 태반 유착

2) 임상 증상

① Immediate life-threatening hemorrhage

② Hypotension

③ Cervix를 통해 적갈색의 종괴가 보임 : 즉시 치명적인 출혈이 시작

3) 진찰 소견

① 복부 촉진 - 분화구 같은 함몰이 만져짐

② 내진 - 자궁 경부와 하부 분절에서 Uterine fundus가 만져짐

4) 치료

태반 만출후 자궁수축이 강하게 이루어지기 전에는 주먹이나 거즈를 잡은 집게를 이용하여 위쪽으로 밀어 올려 정복할 수 있다. 만약 자궁수축 때문에 정복이 어렵다면 다음의 조치가 필요하다.

① 마취과 의사를 포함한 의료팀을 즉시 모은다.

② 태반이 분리된 경우 → Uterine fundus를 손가락과 손바닥으로 질의 장축 방향으로 밀어 넣으면서 정복할 수 있다.

③ 2개의 IV route로 수액 투여와 수혈을 시작한다.

④ 태반이 분리되지 않은 경우 → 수액과 마취제 투여 전에는 태반 제거를 시도하지 않는다. Ritodrine이나 Magnesium sulfate 등도 정복시 자궁 이완을 위해 사용할 수 있다.

⑤ 태반을 제거한 후에는 손바닥을 Uterine fundus의 중앙에 받치고, 손가락으로 자궁 경부의 경계를 확인한 후, 사강 경무를 통해 Uterine fundus를 위쪽으로 올린다.

⑥ 자궁 위치가 제대로 될 때까지 Oxytocin은 투여하지 않는다. 자궁 위치가 정상이 된 후에는 자궁이완제 사용을 중단하고, Oxytocin 투여와 Bimanual compression으로 자궁 수축을 정상화시키고, 자궁 내번의 재발을 주시한다.

⑦ 수술적치료 : 상기치료가 실패 시 개복술(uterine fundus를 질을 통하여 밀어올리고, 복강 쪽의 fundus에 traotion suture하여 끌어올림)

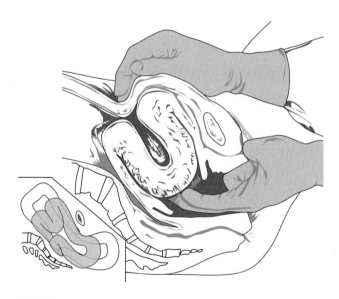

▶ Uterine inversion의 진단

5. 생식로 열상(Genital tract laceration)

1) 회음부 열상(Perineal laceration)

● 치료

: 회음부 열상을 원상복구시켜 봉합(각 Layer를 Approximation)

- 이 때, Perineal, Vaginal fascia & muscle를 함께 접근봉합하지 않고 질의 외피만 봉합하면, 시간이 지남에 따라 질구의 이완이 생겨 직장루와 방광루, 자궁탈이 생길 수 있음

2) 질 열상(Vaginal laceration)

- 주로 종단면상으로 발생
- 겸자 분만, 흡입분만 시 주로 발생

3) 항문거근(Levator ani)의 손상

- 골반 이완 및 요실금 발생

4) 자궁 경부의 손상

- 질식 분만시 50% 정도에서 발생, 대부분 0.5 cm 이하
- 겸자 분만 시에 잘 발생한다.

(1) 원인

① 겸자분만

② 자궁경부의 완전개대분만

③ 급산

④ 자궁 경부 수지 확장 시도

⑤ 반흔

⑥ 과숙아

⑦ oxytocin 과도 투여

(2) 임상 양상

- 자궁 경부를 포함한 산도의 모든 외상성 손상은 출산 전에는 뚜렷한 출혈이 없다가 출산 후 다량의 출혈이 발생할 수 있다.
- 분만시 자궁경부의 2 cm 정도의 열상은 흔히 발생하여, 이런 열상은 회복이 빠르고 별다른 후유증을 남기지 않는다. → 추적관찰 해줌
- 열상의 결과로 생긴 경관선의 노출과 경부의 외번 때문에 산후에 지속적인 대하증 발생

(3) 진단

① 임상적인 소견

- 분만 제3기 전후에 확실한 자궁수축이 있었고 만출된 태반이 육안적 이상 소견이 없음에도 심한 질출혈이 있는 경우 의심 ☆

② 자궁 경부의 Inspection(시진)이 필수적

- 노출 방법

- 소수로 하여금 Right-angle vaginal retractors를 사용하게 하고 수술자는 Ovum forceps로 자궁경부를 잡고 봄

③ 난산 후에는 반드시 자궁 경부를 관찰

(4) 치료

- Deep cervical laceration은 즉시 봉합해야 한다(2 cm 이상).
- 대부분 손상 부위의 상부에서 출혈이 발생하므로 상부에서 아래쪽으로 봉합
- 원래의 자궁 경부 모습을 보존하기 위해 지나치게 봉합하면 후에 경부 협착 유발 가능

6. 산욕기 혈종(Puerperal hematoma)

- 생식기의 혈종 시 Blood loss는 예상보다 상당히 많음을 고려해야 한다.

● Vulvar hematoma

(1) 증상

: 외음부의 심한 통증

(2) 치료

① 혈종의 크기가 작은 경우는 기다려 보고, 통증이 심하거나 혈종 크기가 커지는 경우는 신속히 절개하여 혈액을 배출시키고 지혈

② 적절한 수혈 및 항생제 요법의 병행

● Late postpartum hemorrhage의 원인

① 태반 부위의 비정상적인 수축

② 태반 조직의 잔류

③ Placental polyp - 태반 잔류 조직에 섬유소가 부착하여 형성

7. 자궁 파열(Uterine rupture)

1) 정의

(1) complete rupture : 자궁 파열이 직접 복강을 관통

incomplete rupture : broad ligament나 visceral peritoneum에 의해 복강과 구별된 경우

(2) 파열과 피열

① 파열(Rupture)

- 자궁절개부 대부분이 분리되어 태아막 파열과 함께 자궁내막이 복강과 연결된 경우
- 태아의 전부 혹은 일부가 복강내로 노출
- 반흔의 가장자리나 새로 신장된 파열부위로부터 출혈이 동반.
- 증상이 속히 나타나며, 치명적일 수 있다.

② 피열(Dehiscence)

- 태아막은 파열되지 않고 태아 역시 복강내로 노출되지 않으며 출혈은 없거나 소량이며 점진적으로 발생

파열(Rupture)과 피열(Dehescence)의 비교 ☆		
	파열(rupture)	**피열(dehiscence)**
1. Onset	Sudden	Gradual
2. Pain	Shooting pain	Painless
3. Factor	Classic C/S	Low segment C/S
4. Bleeding	Massive	No bleeding
5. Fetus	Shock, Extruded	Not extruded
6. Communication	(+)	(-)
7. Mortality	High	None

2) 원인 ☆

① Previous C-sec scar의 separation- m/c ☆

Classic C-sec scar의 경우 자궁 파열의 빈도가 높다.

(Lower-segment scar는 자궁이 수축하지 않는 부위이므로 압력을 적게 받아 파열은 드물다.)

② Previous traumatizing operation or manipulation- Currettage, Myomectomy, Adhesiolysis

③ Excessive or inappropriate uterine stimulation with oxytocin

자궁파열 원인의 분류	
현 임신 전에 자궁 손상 혹은 기형이 존재	현 임신 동안에 자궁손상 혹은 기형이 발생
1. 자궁근층을 포함한 수술 　C-sec or 자궁절개술 　자궁파열 교정 기왕력 　자궁내막 통과하는 자궁근 절제 절개선 　Deep cornual resection of interstitial oviduct 　자궁성형술 2. 공존하는 자궁 손상 　Abortion with instrumentation 　예리하거나 둔한 손상(사고, 총상, 칼) 　Silent rupture in previous pregnancy 3. 선천성 기형 둔위만출 　Pregnancy in undeveloped uterine horn	1. 분만 전 　지속적인 강항, 연속성 자궁수축 　진통자극 - oxytocin or prostaglandins 　양막 내 주입 　자궁 내 압력 카테터에의한 자궁천공 　외적손상 　외회전술 2. 분만 중 　내회전술 　Difficult forceps delivery 　둔위만출 　자궁하분절을 확장시키는 태아기형 　분만시의 심한 자궁압력 　Difficult manual removal of placenta 3. 분만 후 　감입태반, 침투태반 　임신성 융모종양 　자궁선종 　후굴된 자궁의 난상자궁형성

3) 임상 증상 ☆

① Sharp shooting abdominal pain (1st Symptom)

② Sharp pain 이후로는 분만 진통 소실되고 편안해짐

③ Uterine contraction은 지속 ⇒ 자궁내압 측정은 불필요

④ Systemic effects of Hypovolemia

⑤ Abdominal or Vaginal examination 시 태아가 쉽게 만져짐(태아 선진부의 산도 이탈)

⑥ Hemoperitoneum noted by abdominal paracentesis or culdocentesis

⑦ 태아 심장박동 감소

(A) Rupture of Cesarean section scar (m/c)

• classical C-sec scar(수직 반흔) : 주산기사망율 및 이환율 증가, 1/3이 진통 전에 자궁파열 발생

• lower segment C-sec scar : 진통 중 자궁파열 발생, dehiscence(피열)이 흔함

(B) Rupture of Unscarred uterus

(1) Traumatic rupture의 원인 ☆

① Breech presentation

② Forceps, intrauterine procedure

③ Oxytocin overdosage

(2) Spontaneous rupture

- 다산의 경산부에 호발

(3) 임상 증상 ★

① Pain(Shifting pain) : Rupture 후 Pain 소실

- 무엇인가 안에서 찢어지는 것 같은 느낌

② Uterine Contraction 없어짐

③ 소량의 External Hemorrhage

④ 태아감시장치 상 Severe Variable Deceleration, 자궁긴장도 증가, 지속적인 자궁수축

4) 치료 → 응급개복수술 필수적

① Treatment of hypovolemia → 정맥수사경로 확보

a. lactated Ringer's solution

b. whole blood

c. oxytocin

d. clamping the ovarian vessels

② Hysterectomy

③ Hypogastric artery ligation : broad ligation에 혈종이 있는 경우

④ Primary suture

진통제는 투여하지 않는다.

5) 예후

- 태아사망률 : 50~70%

- 태아 생존 시 즉시 개복술로 분만

조기 진통과 조기양막파수

Power Obstetrics

I. 조기 진통(Preterm labor)

- 조산은 신생아 사망률의 가장 많은 원인을 차지(⅔)

1. 조산의 정의 : 20주 이상 37주 이전의 분만(cf. 유산 : 20주 이하의 태아 만출)

① 20주 ≤ 이른 조산 < 34주

② 34주 ≤ 늦은 조산 < 37주

2. 원인 ☆

1) 자연적인 진통

① 생식기계 감염 – *Ureaplasma urealyticum*, *Mycopllasma homonis*, *Gardnella vaginalis* 등
(※ *Chlamydia trachomatis*, *Trichomonas sp*, *E. coli*, group B *Streptococcus* 등은 덜 발견
됨)

② 다태임신

③ 임신 2, 3분기 출혈

④ 태반경색

⑤ 자궁경부 무력증

⑥ 양수과다증

⑦ 자궁저부 이상

⑧ 태아기형

2) 조기양막파수 – 임신 〈 37주에 진통이 있기 전에 양막파수 발생

① 자궁내 감염 : 대부분

② 낮은 사회경제적 지위

③ BMI < 19.8

④ 영양결핍

⑤ 흡연

3) 임신부나 태아의 적응증

① 전치태반

② 임신부의 고혈압

③ 태아사망

④ 태아발육부전(FGR)

⑤ 선천성 기형

⑥ 태반조기박리

4) 기타

① 절박유산

② 유전적 요인

③ 융모양막염 by 감염

④ 생활양식 – 흡연, 임신부 과체중 등

2. 예측 및 진단

1) 위험도 예측 – 정확한 임신주수를 알아야 분만의 예후를 결정할 수 있다.

(1) 위험도 점수평가 방법

: 임신에 영향을 주는 다양한 요소에 대해 점수를 매겨 조산의 위험성을 예측하는 것(But, no benefit)

(2) 조산의 기왕력이 있을 때 가능성이 높다.

(3) 임신 중기 이후의 무증상 자궁 경부의 개대 시 위험도가 증가한다.

그러나, 산전 자궁 경부의 진찰이 PROM을 증가시키지는 않는다.

(4) 자궁 수축, 골반 압력감, 생리통과 유사한 복통, 질분비물, 하부요통 등은 조산이 임박하

였음을 시사하는 징후이므로 주의 깊게 관찰

(5) Cervicovaginal secretion에서 Fetal Fibronectin의 검출은 조기진통을 예측하는 표식자로서 의미가 있다.

- ELISA로 측정하여 500 ng/mL 이상이면 양성

(6) Ambulatory uterine contraction test

2) 진단

- 조기 진통의 진단기준

임신 < 37주에 자궁경부의 변화를 동반하는 규칙적인 자궁수축

참고) 37주 ≤ 이른 만삭 < 39주
39주 ≤ 완전 만삭 < 41주
41주 ≤ 늦은 만삭 < 42주

3. Antepartum management

1) 처치 원칙

① 양막 파수시(PROM 처치 참조) → 분만

② 양막 파수가 없을 때 - 34주 이전에 분만되는 것을 피히도록 함(Tocolytic agents- Mg sulfate, Ritodrine, Terbutaline, etc)

2) 방법

(1) 산전 Steroid의 투여 - 태아 폐성숙을 위함

- 일반적인 산전 steroid 투여 방법

① 대상 - 임신 24~31주 사이의 조산 위험성이 있는 조기 진통 임신부 및 조기 양막파수 임신부

② 방법

- Dexamethasone 5 mg/12 hr(총 4번, IM)

- 과거에는 1주일 이내에 조산하지 않는 경우 1주마다 반복 투여

(But, 현재 Steroids의 weekly course는 single dose에 비해 adverse effect가 많아 더 이상 추천되지 않음.)

(2) 산전 Phenobarbital과 비타민 K 투여 : 뇌실 내 출혈을 감소시킨다는 보고가 있으나 추천되지는 않음.

(3) 자궁경부 봉축법(Cerclage)

- 자궁 수축 억제제 사용과 입원 기간을 증가시키므로, 임신 37주 이전에 임신 종결된 산과

력이 3회 이상인 경우에만 시행(조산의 빈도는 감소시키나 사망률 감소 효과는 없음)

  (4) Bacterial vaginosis의 치료

   • Metronidazole or EM(Clindamycin은 no effect)

   cf) 태아 폐 성숙을 위한 Thyrotropin releasing hormone의 투여는 추천되지 않음.

4. 조기 진통을 억제하는 방법

1) Bed rest - 1차적

 • 왼쪽으로 눕는다.

 • But, hydration과 sedation은 도움이 되지 않는다(시행하지 않은 group과 차이가 없음).

2) β-adrenergic receptor Agonists IV or(Ritodrine, Terbutaline, Fenoterol 등)

 • 아토시반 : 옥시토신 유사물질로서 옥시토신 길항제로 작용함.

 • 금기증 - 심장 질환, 당뇨병, 임신성 고혈압, 심한 빈혈, 태아발육 지연, 자궁 내 감염, 갑상
선 질환, 발열 시

3) Magnesium sulfate

 • 기전 : 칼슘 길항제로서 높은 혈중 농도에서 자궁 수축 억제

4) 칼슘통로차단제(Nifedipine)

Tocolytic의 부작용	
A. Beta-adrenergic Agent ★ 1. Hyperglycemia 2. Hypokalemia 3. Hypotension 4. Pulmonary edema 5. Cardiac insufficiency 6. Arrhythmia 7. Myocardial ischemia 8. Maternal death B. Magnesium Sulfate 1. Pulmonary edema	2. Respiratory depression 3. Cardiac arrest 4. Maternal tetany 5. Profound muscular paralysis 6. Profound hypotension C. Indomethacin 1. Hepatitis 2. Renal failure 3. Gastrointestinal bleeding D. Nifedipine Transient hypotension
A. Effect is rare ; seen with toxic levels B. Effect is rare ; associated with chronic use	

5. Intrapartum management

1) 진통 시 처치

⑴ 지속적 전자태아 감시 장치를 사용

- 태아빈맥- 패혈증을 시사하는 소견

- Umbilical a. pH < 7.0 - Intrapartum acidosis

⑵ 신생아의 Group B streptococcus 감염 예방

- 임신 37주 이전에 분만할 임신부에게 예방적 목적으로 Ampicillin 2 g을 분만 시까지 6시간 마다 정맥주사

2) 분만 중 처치

⑴ 충분한 회음 절개

⑵ 기관지 삽관과 인공환기 요법 등의 응급처치 준비를 완벽하게 한 뒤 시행

6. Preterm labor의 장기적 예후

: 사망, 뇌장애(뇌성마비), 성장 이상, 시력 장애, RDS와 ICH, Sepsis

* 예후 결정에 가장 중요한 것 : 정확한 임신 주수

II. 조기 양막 파수(Premature ruptune of membrane, PROM)

1. 정의

> 만삭이더라도 진통 전에 양막파수(ROM)되면 premature ROM입니다. Preterm과 Premature를 구별해야 합니다.

1) 정의

- 임신 주수에 상관없이 진통 전에 양막이 파수되는 것

  cf) 만삭 전 조기양막파수 : 임신 37주 전의 양막의 파수

2) 빈도

- 3~18.5%(만삭 임신부의 8~10%)

- 만삭 전 조기 양막파수(preterm premature ROM)는 전 조기 양막파수 경우의 1/4에 해당

  → 조산으로 인한 태아 및 신생아 이환과 사망이 증가

  융모양막염(중요한 모성 합병증)

2. 원인

●위험인자

① Preceding preterm labor

② Amnionic fluid infection

③ Multiple fetus

④ Placental abruption

⑤ 영양 이상 - Vitamin C, 아연, Cu 결핍

⑥ 흡연

⑦ 출혈

⑧ 국소적 태아막 손상과 태아막의 생리적 해부학적 이상

3. 진단

1) 1st step ☆ – sterile speculum examination

: 자궁경관에서 나오는, 또는 질 내에 고여 있는 양수를 관찰하고, 자궁 경부의 상태 파악(자궁 경부의 확장, 소실 정도로 확인, digital intracervical exam은 금기)

2) Nitrazine 검사 방법(2nd step)

- 질 내 산도측정

• 정상 pH : 정상 질 내 pH 4.5~5.5

정상 양수 pH 7.0~7.5

Nitrazine test의 색상 변화			
Membrane rupture		Intact membrane	
청-녹색	(pH : 6.5)	황색	(pH : 5.0)
청-회색	(pH : 7.0)	올리브-황색	(pH : 5.5)
짙은 청색	(pH : 7.5)	올리브-녹색	(pH : 6.0)

Nitrazine test의 false positive : 혈액오염, 정액오염, bacterial vaginosis

3) 자궁 경관 점액의 ferning pattern 확인

4) 초음파상 양수과소증 참고

5) 진단이 불분명할 경우 Evans Blue, Methylene Blue 또는 Fluorescein 등의 Dye를 복부 양수천자를 통하여 양막내 주사하여 확인

4. Management

Recommended Management of Preterm Ruptured Membranes	
Gestational Age	**Management**
34 weeks or more	Proceed to delivery, usually by induction of labor Group B streptococcal prophylaxis is recommended
32 weeks to 33 completed weeks	Expectant management unless fetal pulmonary maturity is documented Group B streptococcal prophylaxis is recommended Corticosteroids-no consensus, but some experts recommend Antimicrobials to prolong latency if no contraindications
24 weeks to 31 completed weeks	Expectant management Group B streptococcal prophylaxis is recommended Single-course corticosteroid use is recommend Tocolytics-no consensus Antimicrobials to prolong latency if no contraindications
Before 24 weeks[a]	Patient counseling Expectant management or induction of labor Group B streptococcal prophylaxis is not recommended Corticosteroids are not recommended Antimicrobials-there are incomplete data on use in prolonging latency

[a]The combination of birthweight, gestational age, and sex provides the best estimate of chances og survival and should be considered in individual cases.

1) 즉각적인 분만의 적응증 ☆

(1) 진통 중인 임신부

(2) 태아의 폐성숙이 확인된 임신부

(3) 태아가 기형아인 경우

(4) 태아 곤란증(Fetal distress)이 있는 경우

(5) 명백한 감염이 있는 경우

(6) 불현성 양막염(Subclinical amnionitis)가 있는 경우

(7) 임신부가 감염의 위험성이 높은 경우

　① 면역억제제 복용

　② Rheumatic Heart disease의 기왕력

　③ IDDM

　④ Sickle cell anemia

　⑤ 인공 심장 판막

　⑥ PROM 후 잦은 내진 후

5. 예후 ☆

조기 양막 파수의 합병증 ☆	
① 조산	⑥ 주산기 사망률 증가
② 모체 및 신생아 감염	⑦ 태아/신생아 감염
③ Fetal distress	⑧ 저산소증 및 주산기 태아가사
④ 태아 발육에 대한 영향	⑨ Fetal deformation syndrome
⑤ 제왕절개술의 빈도에 대한 영향	

(1) 재태 연령이 낮을수록 주산기 사망률이 증가한다.

(2) 감염

　- 재태 연령이 낮을수록 감염률이 높고, 분만이 PROM 후 24시간 이상 지속시 감염률이 높다.

(3) 태아 곤란증

　- 제대 탈출, 양수과소증에 의한 이차적인 제대 압박 발생

(4) 태아 변형 증후군(Fetal deformation syndrome)

　: PROM이 아주 이른 시기에 발생하면 발육부전, 태아 안면, 사지의 압박 기형, 폐 발육부전 등이 발생할 수 있다.

27 태아 과도 성장

I. 지연 임신(Prolonged pregnancy), 만기 후 출산(Postterm birth)

1. 정의

: 최종 월경 시작일(LMP)로부터 42주 이상 지속되는 임신

(cf. 조산은 GA 37주 이전, 유산은 GA 20주 이하의 태아만출)

2. 역학

① 임신이 42주 이상 지속되면 될수록 주산기 사망률이 증가하기 때문에 정확한 임신 주수를 확인하여 적절한 시기에 분만시키는 것이 중요

② 3~15%

③ 재발하는 경향, 가족력(+)

④ Prenatal mortality 증가

3. 원인

① 무뇌아(anencephaly)

② 태아의 부신형성 부전증(adrenal hypoplasia)

③ 태반의 placental sulfatase 결핍증에서 흔히 동반

④ Ectopic pregnancy

⑤ 태아 뇌하수체 결손

→ 이들은 일반적으로 정상 임신에서의 높은 에스트로겐이 나타나지 않음

4. 병태생리

1) 과숙증후군(postmaturity syndrome)

: 피하조직의 감소, 건조하고 주름지고(손발바닥), 껍질이 벗겨지는 피부, 태변 착색, 길고 마른 체형, 손톱 길고, 눈뜨고 있거나 각성되어 보임, 나이 먹어 보이거나, 걱정있는 표정이 특징

2) 태반기능장애(placental dysfunction)

3) 태아 절박가사(fetal distress), 양수과소증, 태아 발육부전

: 지연임신의 태아절박가사의 원인 - 양수과소증으로인한 cord occlusion, 태변 착색

5. Management

※ 확인해야 할 중요한 사항 : 임신 나이, 태아의 예상체중, 태아의 움직임, 양수지표, 자궁경부 상태

1) 자궁 경부가 부적절한 경우 → 자궁 숙화(Ripening) - PGE₂ 투여

2) 태아 및 임신부 상태에 따라 유도분만 또는 태아 감시

: 태아 감시 방법 - NST, CST, Biophysical profile(BPP) 등

3) 양수 과소증의 진단

• 임신성 고혈압, 당뇨병, 제왕 절개의 기왕력이 있을 때는 42주까지 연장시키는 것은 좋지 않으며, 각각의 합병증에 따라 적절한 시기에 분만을 계획한다.

• Postterm에서의 fetal distress의 주 원인은 Oligohydramnios와 관련된 cord compression이다.

• 즉각적인 제왕절개술을 고려해야 할 경우

① 미분만에서 태변이 착색된 양수가 확인될 때

② Cephalopelvic disproportion이 의심될 때

③ Hypotonic or Hypertonic uterine dysfunction

6. 예후

만기 후 임신의 처치 ★

Outcomes in Postterm pregnancies		
Factor	40 weeks (%)	Postterm (%)
1. Meconium	19	27
2. Oxytocin induction	3	14
3. Shoulder dystocia	8	18
4. Cesarean delivery	0.7	1.3
5. Macrosomia (〉 4500 g)	0.8	2.8
6. Meconium aspiration	0.6	1.6

• 과숙아에서는 전체 임신기간과 분만중 및 분만 후까지도 위험이 크며, 특히 분만 중에 위험이 크다.

• 제대 압박, 태변 흡인 증후군, 양수 과소증의 위험이 크다.

(태아 신장으로의 혈류 감소로 소변 생성 감소)

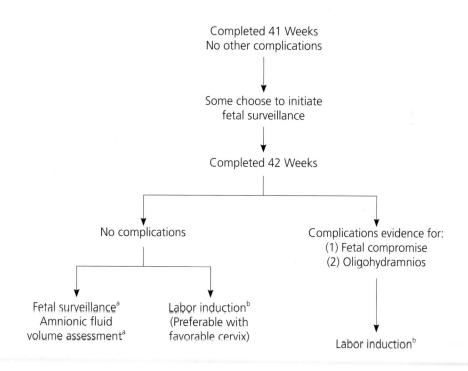

Completed 41 Weeks
No other complications

↓

Some choose to initiate
fetal surveillance

↓

Completed 42 Weeks

No complications   Complications evidence for:
                                     (1) Fetal compromise
                                     (2) Oligohydramnios

Fetal surveillance[a]   Labor induction[b]
Amnionic fluid   (Preferable with
volume assessment[a]   favorable cervix)   Labor induction[b]

※ 요약

① 42주 지난 것이 확실

② 양수과소증(Oligohydramnios)

③ 태동의 감소(decreased fetal movement)

  ⇒ 3가지의 경우에는 유도 분만

28 태아 발육부전

P o w e r   O b s t e t r i c s

1. 정의

1) 조산아 – 임신 37주 이전에 출생한 신생아

2) 태아 발육부전(Fetal growth restriction : FGR)

① 재태 연령에 따른 신생아의 체중이 10 percentile 미만인 경우

② 재태 연령에 따른 신생아의 체중이 2 SD(표준편차) 이하 또는 3백분위(percentile)

→ 임상적으로 더 의미있음

2. 분류

태아 발육부전의 분류		
	대칭형(Type I)	비대칭형(Type II)
1. 빈도	20%	80%
2. 발생 기전	세포수 증가의 이상	세포 크기의 이상(수는 정상)
3. 원인	염색체 이상, 선천성 감염 (Rubella, Toxoplasma, CMV)	태반 혈류 감소 (고혈압, 태반 경색, 당뇨병)
4. 신체 계측치	신장, 체중, 두위가 모두 감소	신장, 체중 감소(두위는 정상)
5. 장기 크기	모든 장기의 크기 감소	뇌의 크기는 정상
6. 출생후 성장	느리다	빠르다
7. on set	early onset	late onset

3. 원인

• 75% - 특별한 원인없이 체질적으로 작은 경우

• 15~20% - 태반 혈류 감소

• 5~10% - 선천성 감염이나 선천성 기형

Risk factors for Fetal growth restriction	
1. 임신부의 저체중	9. 혈관 질환(e.g. Eclampsia)
2. 임신부 체중 증가 감소 및 영양 결핍	10. 만성 신질환
(특히 임신 2기의 체중증가가 없을 때)	11. 만성 저산소증(Asthma, COPD)
3. 사회적 빈곤	12. 모체 빈혈(Sickle cell anemia)
4. 태아 감염(CMV, Rubella, Toxoplasmosis, etc)	13. 태반 및 제대 이상
5. 선천성 기형	14. 다태 임신
6. 염색체 이상(Trisomy)	15. Antiphospholipid antibody syndrome
7. 연골 및 골의 일차성 질환	16. 딴곳임신
8. 기형 유발 물질 (항경련제, 항암제, ACEi, 흡연,	
β-blocker, Opiate, 음주, 각성제)	

4. 진단

1) 분만 후 확인법 ☆

• Ponderal index (PI) - 주로 Asymmetrical type에 사용

$$PI = B.W(g) \times 100 / (Crown\text{-}Heel\ length\ (cm))^3$$

(정상 2.32~2.85)

2) 분만 전 확인법

(1) 자궁저의 측정

• Uterine fundus에서부터 Symphysis pubis 상부까지의 길이를 cm로 측정

• 임신 주수와 2~3 cm 이상 차이가 나면 태아 발육 부전을 의심(임신 18~30주 : 자궁저 (HOF) = 임신 주수, 대략 일치)

(2) 초음파의 이용

• Abdominal circumference가 태아 무게 측정에 가장 좋다.

(3) Doppler velocity의 이용 - 제대혈의 흐름 관찰 ⟶ '제대 도플러'...어쩌구 하면 거의 FGR문제...

- FGR 있으면 동맥 이완기 혈류가 소실 or 역방향

→ 태아저산소증 & 주산기사망률이 상승

① GA ≥ 34주이고 양수과소증 → 즉시 분만

② GA < 34주이고 양수량 정상 → 임신 유지

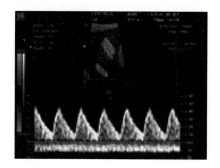

▶ 정상 제대동맥. 도플러초음파

혈류파형에서 이완기에도 혈류가 잘 유지되는 정상 성장 태아의 소견

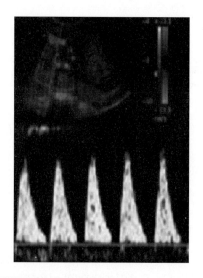 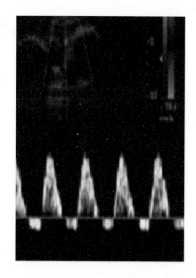

▶ 비정상제대동맥 도플러초음파 ★

이완기 혈류가 소실(왼쪽)되거나 이완기 혈류가 역방향(오른쪽)을 보이는 소견으로 발육지연태아(FGR)에서 주로 보이며 태아저산소증과 주산기사망률이 증가

5. Management

: 의심되면 (1) FGR의 confirmation

(2) Fetal conditions 평가

(3) Fetal anomalies 확인

• Initial management

(1) 집중 감시

(2) 발육부전의 형태 및 원인 규명

: 양수과소증과 FGR은 밀접한 관계(양수과소증의 85%에서 FGR 동반)

(3) Ultrasonography

① 선천성 기형 유무 파악

② 임신 주수 확인

③ 아두둘레, 복부둘레, BPD, 대퇴골 길이, 아두둘레/복부둘레의 비, 양수량 측정

1) Growth restriction Near term(만삭에 가까운 경우)

(1) 만삭시 즉각 분만 시도(Vaginal delivery) ☆

(2) 심한 양수 과소증이 있을 경우 → 34주 이상만 되면 즉시 분만

: 태아 심박동 양상이 양호하면 질식 분만을 시도할 수 있으나, 태아 가사가 초래되어
C-sec하는 경우가 많다.

2) Growth restriction Remote from term(34주 이전)

(1) 양수량과 산전 진찰이 정상이면 2~3주마다 초음파를 실시하여 지속적인 태아 성장 유무
관찰

(임신부는 절대안정, 충분한 영양 섭취 시행하고, 음주, 흡연은 금한다)

① 지속적인 태아성장이 있을 경우

→ Fetal lung maturation이 이루어질 때까지 임신 유지(Amniocentesis로 확인)

② 지속적인 태아성장이 없는 경우 → 분만

(2) 양수량과 산전 진찰시 비정상(양수과소증)인 경우에는 즉시 분만(RDS의 비율은 낮다)

(3) 염색체 이상이 의심되면 제대천자(Cordocentesis)하여 염색체 검사

(4) 절대 안정과 충분한 영양 섭취를 권장하고 마약, 음주, 흡연을 삼가도록 함

(5) 폐 성숙과의 관계

: 심한 발육 부진아는 Stress에 의해 폐 성숙이 촉진되어 호흡 곤란의 발생이 드물고, 발생
하여도 심하지 않다(그렇다고 glucocorticoid를 주지 않는 것은 아니다).

즉, 태아상태 위험해지거나 모체의 건강이 위험하게 될 경우, 비록 양수 내 L/S ratio가 2
미만이더라도 즉각적인 분만을 시도

3) 분만 시 고려사항

(1) 분만기간 내내 철저한 태아 감시를 시행해야 한다.

(2) 발육 부전이 동반된 태아는 흔히 자궁태반 혈류량이 저하된 상태이므로, 양수량의 감소로 인한 제대 압박으로 인해 진통중에 악화된다.

즉, 심한 태아 발육부전이 예견되는 경우 즉각적인 제왕절개술을 시행함이 바람직하다.

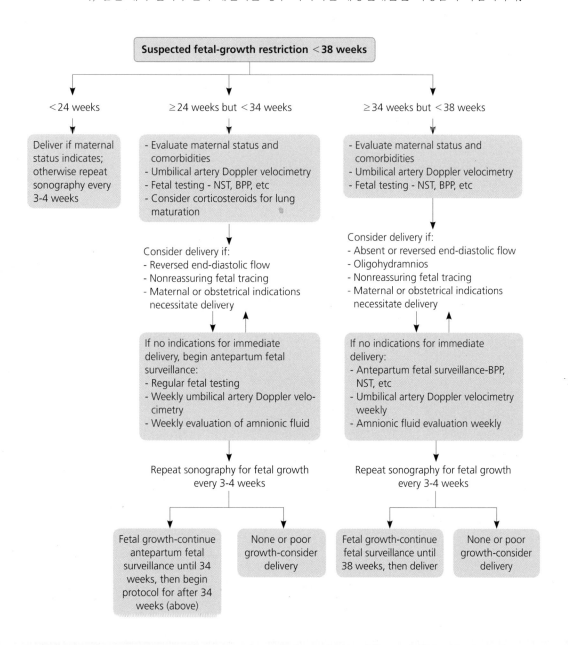

▶ Algorithm for management of fetal-growth restriction at Parkland Hospital. BPP = biophysical profile; NST = nonstress test. ★

6. Prognosis

    (1) Low apgar score, asphyxia

    (2) Intracranial hemorrhage

    (3) Hypothermia에 감수성 증가

    (4) Metabolic disorder에 감수성 증가(저혈당증, 저칼슘혈증, etc)

    (5) Meconium aspiration syndrome

다태임신

I. 다태임신의 원인과 빈도

1. 원인

1) 일란성 쌍둥이의 발생(Monozygotic twinning)

● 일란성 쌍둥이의 생성기전

Incidence: 1:250 pregnancies
Fetal Sex: same(except merotic non-disjunction. eq. xo. xy)
Fertillzation: 1 sperm. 1 egg

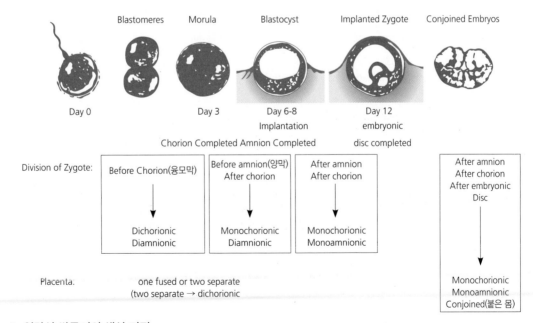

▶ 일란성 쌍둥이의 생성 기전

●쌍둥이 임신의 태반 형태

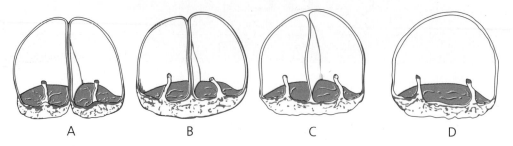

A   B   C   D

▶ Placenta and Membranes in Twin pregnancies

• A : 2 placentas, 2 amnions, 2 chorions(수정 후 3일 이내에 분할된 이란성 쌍둥이 혹은 일란성 쌍둥이)
• B : 1 placenta, 2 amnions, 2 chorions(수정 후 3일 이내에 분할된 이란성 쌍둥이 혹은 일란성 쌍둥이)
• C : 1 placenta, 1 chorion, 2 amnions(수정 후 4~8일 이내에 분할된 일란성 쌍둥이)
• D : 1 placenta, 1 chorion, 2 amnion(수정 후 8~13일 이내에 분할된 일란성 쌍둥이)

●시기에 따른 형성의 차이

분할 시기에 따른 양막 및 융모의 차이			
수정 후 시간	Embryo의 변화	Amnion	Chorion
수정 후 3일 이내	Before the inner cell mass (morula) is formed and the outer layer of blastocyst is not yet committed to become chorion (chorion이 아직 형성 안된 시기)	Diamnion	Dichorion
수정 후 4-8일	After inner cell mass is formed and Cells distined to become chorion have already differentiated, but those of the Amnion have not (chorion의 형성은 끝났으나 amnion은 아직 형성이 안된 시기)	Diamnion	Monochorion
수정 후 8-13일	Amnion has already become established (amnion 형성)	Monoamnion	Monochorion
수정 후 13-15일	After the Embryonic disk is formed (embryonic disk 형성)	Conjoined twins	

2) 이란성 쌍태의 발생(Dizygotic twinning)

• 2개의 다른 난자와 2개의 다른 정자의 수정에 의한 것, 전체 쌍태의 2/3

3) 키메라 현상(Chimerism)

• 한 난자에 이중 수정이 일어난 것

4) 복수태와 복임신 ☆

(1) 복수태(Superfecundation)

• 똑같은 시기에 배란된 두 개의 난자와 서로 다른 2회의 성교에 의하여 수정이 이루어진 것

(2) 복임신(Superfetation)

• 서로 다른 시기에 배란된 2개의 난자가 수정된 것

● 일란성과 이란성의 분만 시 구분

	일란성	이란성
Placenta	하나	둘
Sex	동성	동성이 아닐수도 있다.
중격	없다. 있다면 chorion 1, amnion 2	chorion 2, amnion 2
Finger & Foot Print	동일	다름
Blood	동일	다름
Skin Rejection	(−)	(+)

2. 빈도

• 쌍둥이의 빈도 - 약 1%

1) 일란성 쌍둥이의 빈도

- 인종, 유전적 요인, 모체 연령, 출산력과 무관, 전세계적으로 발생빈도 일정

2) 이란성 쌍둥이의 빈도

- 인종, 유전적 요인, 모체 연령, 출산력과 관련, 특히 배란 유도 치료와 밀접한 관계

이란성 쌍둥이의 발생 빈도에 영향을 미치는 인자 ☆
① 인종 : 흑인 〉 백인 ② 유전적 요인 : 모계측 유전자형과 관련성 ↑ ③ 임신부의 연령과 분만력 : 연령이 증가할수록, 분만력이 증가할수록 증가 ④ 모체의 영양 상태 : 영양이 좋을수록(키가 큰 임신부에서 증가) ⑤ Pituitary gonadotropin ⑥ 불임 치료 약제 : Clomiphene, hCG, FSH ⑦ 보조 생식술

3. Sex ratio

• 임신된 태아의 수가 증가함에 따라 남아의 백분율은 감소

II. 접합성(Zygote)의 결정

태반 및 태아막의 검사

● 유형에 따른 특징

① 단일 융모막(Monochorion)과 단일 태반(Single placenta)의 쌍태는 일란성

② 융합 쌍둥이(Conjoined twin)와 단일 양막강(Monoamnion) 안에 있는 쌍태는 모두 일란성

③ 쌍둥이는 성(sex)이 다른 경우는 아주 드문 경우를 제외하고는 이란성이지만 동일한 성인 경우는 접합성이 확실하지 않다.

④ 이양막 이융모막 태반(Diamnion, Dichorion)일 경우는 일란성인 경우도 있지만 이란성일 경우가 훨씬 많다.

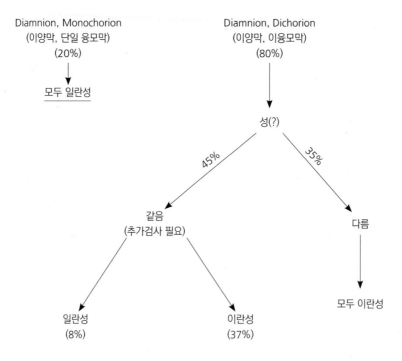

▶ Determination of Zygosity

III. 다태임신의 진단

1. 병력

① 가족력의 경향(모계측의 영향)

② 클로미펜 또는 성선자극 호르몬제 사용의 기왕력

③ 경구 피임약 중단 후 첫 달에 이루어진 임신

2. Clinical examination

1) 자궁저 높이(Fundal height)

- 임신 22주에서 34주 사이의 자궁저 높이 cm는 임신 주수와 일치한다.

- 그러나 자궁저 높이가 임신 주수의 수치보다 4 cm 또는 그 이상일 경우에는 다태임신을 의심

신주수에 비해 자궁저 높이가 큰 경우
① 다태 임신
② 방광이 차서 자궁이 밀려 올라간 경우
③ 부정확한 최종 월경일
④ 양수 과다증
⑤ 포상기태
⑥ 자궁근종
⑦ 자궁부속기 종양
⑧ 임신 말기의 거대아

2) 태아 촉진

- 임신 후반기 임신의 복벽을 통하여(Leopold's maneuver) 태아의 극 (Pole)이나 배부가 둘 이상 또는 소부분(Small parts)이 많이 촉진되면 다태임신 의심

3) 태아 심음 청취

- 임신 제1분기 말기

- Doppler 초음파 검사

  - 임신부의 맥빅과 다른 뚜렷한 태아 심음이 두 곳 이상에서 청취되고 그 심박동수 차이가 분당 10박동 이상이면 다태 임신 진단의 주요한 소견

3. 초음파 검사 ☆ = 초기 진단에 가장 유용함

① 분리된 여러 개의 태낭, twin peak sign(> 2 mm, chorion 2개), T sign (< 2 mm, chorion 1개)

* twin peak sign (lambda sign) : 분리막의 기저부에서 태반 조직이 삼각형 모양으로 이어

지는 경우

② 둘 이상의 태아 심박동, 태아극 (Fetal pole), 아두, 척추 등이 확인

③ 소실 쌍둥이(Vanishing twin)이 발생하기 때문에 정기적 검사

④ 자궁 내 태아 발육 지연 등을 관찰

⑤ 둘 이상의 태아 심박동, 태아극(Fetal pole), 아두, 척추 등을 확인

⑥ 소실 쌍태(Vanishing twin)이 발생하기 때문에 정기적 검사

⑦ 자궁 내 태아 발육 지연 등을 관찰

⑧ 태위·결합쌍둥이의 진단

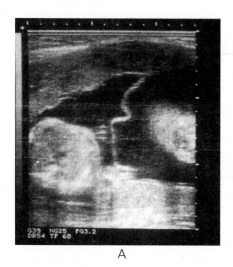
A

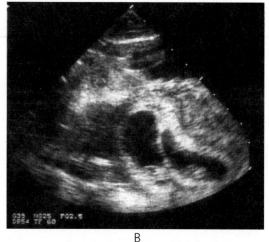
B

- A : Sonogram of twins at 18 weeks gestational age. Two fetal poles are separated by intervening membranes that devide the amnionic sacs.
- B : Longitudinal sonogram demonstrating Two gestational sac, each containing a fetus, at 7 weeks menstrual age

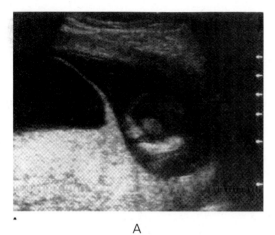
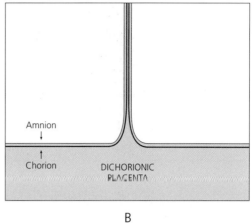

- A : Ultrasound image of "twin peak" sign
- B : Schematic diagram of the "twin peak" sign

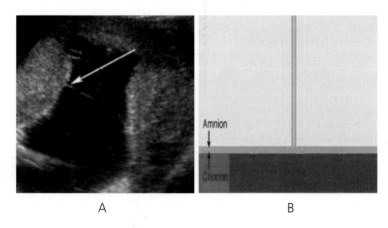

- A : Ultrasound image of "T" sign
- B : Schematic diagram of the "T" sign

4. 방사선학적 검사

- 무분별한 사용은 되도록 피해야 한다.

- 초음파 검사상 의심이 갈 경우, 마지막 수단으로 특히 태아가 둘 이상이라는 의심이 있을 경우, 또 임신부가 분만 진통이 있는 상태로 내원하였을 경우 태위를 알기 위하여 시행

5. 생화학적 검사(biochemical tests)

- hCG, Estriol, α-fetoprotein, Alkaline phosphatase, Leucine aminopeptidase

  → but 정확히 구별할 수는 없다.

IV. 다태 임신의 예후 ★

·다태임신의 합병증	
1. 빈혈	7. 조기 양막파수
2. 자간전증	8. 조기 분만
3. 양수과다증	9. 자궁내 태아 퇴화
4. 태아기형	10. 이상태위, 이상태향, 제대탈출
5. 자궁내 성장 지연	11. 증가된 주산기 사망률과 이환율
6. 소실쌍둥이	12. 심적문제

→ 전치태반과는 무관하다.

1. 일반적인 예후

1) 유산 증가

2) 주산기 사망률 증가

① preterm labor↑ : major cause

② malformation↑

③ vascular communication

3) 기형

: 일란성에서 흔하며, 특히 Monoamnionic twin에서 가장 빈도가 높다.

4) 저출생 체중아[LBWI]

: IUGR과 Preterm delivery 때문

5) 재태 기간의 감소

: 태아의 수가 증가할수록 재태 기간이 감소한다.

6) 미숙아

: 조산의 원인　　① 임신성 고혈압(Maternal hypertension)

② 태아 발육부전(Fetal growth restriction)

③ 태반 조기박리(Placental abruption)

7) 과기 임신(prolonged pregnancy)

: 쌍둥이 임신에서 임신 40주가 지나면 과기 임신이라고 한다.

→ 다태아 경우 38주가 적정 임신기간이다.

2. 다태임신의 특이한 합병증

1) 단일 양막성 쌍둥이(Monoamnionic twins)

- 매우 높은 태아사망률을 보인다.

- 원인　① 제대가 서로 꼬임

　　　　② 분할막의 파열

2) 결합 쌍둥이(Conjoined twins)

3) 무심 쌍둥이(Acardiac twin)

4) 태아간의 혈관 교환(Vascular communications)

5) 쌍둥이 간 수혈 증후군(Twin-to-twin transfusion syndrome) ☆

(1) 빈도 및 증상

- 단일 융모막(Monochorional placenta) 쌍태아의 약 1/4 이상

- 특징적으로 Midtrimester에 발생

① Donor twin : 혈색소 농도가 8g/dL 이하의 빈혈, 저혈압, 소심증, 전신왜소증, 양수 과
소증

② Recipient twin : 고혈압, 심장비대, 양수 과다, 과혈량증 및 다혈구혈증

- 뇌손상 - 뇌성마비, 소뇌증, 다발성 뇌실질 연화증

(2) 진단

① 단일융모막 이양막 임신의 존재

② 한 쌍둥이에서 양수과다증(가장 큰 수직 포켓 > 8 cm)이고 다른 쌍둥이에서 양수과소
증(가장 큰수직 포켓 < 2 cm)

- I 단계

　- 수혈자 태아 양수(최대수직공간 > 8 cm)와 공혈자 태아 양수(최대수직공간 < 2 cm)

　- 공혈자 태아의 방광이 보임

- II 단계

　- 공혈자 태아의 방광이 보이지 않을 경우

- III 단계

　- 심각한 도플러 초음파 이상 소견(하나 이상)

　　1) 제대동맥에서 이완기 혈류속도가 없거나 역류

2) 정맥관(ductus venosus)의 역류

3) 파동성 제대정맥(pulsatlie umbilical vein) - 공혈자 태아의 방광이 보여도 진단 가능

•IV 단계

- 태아에서 복수 혹은 태아 수종이 의심될 경우

•V 단계

- 한 태아 이상 사망했을 경우

(3) 예후

•매우 나쁘다 - 뇌손상의 가능성 뿐만 아니라 일측 태아의 사망 및 조산으로 인한 신생아 사망 등의 위험성도 증가

- I 단계의 3/4에서 치료가 필요없을 수도 있다.

- 양수감압술, 태아경하 레이저 소작술, 선택적 낙태술, 사이막 제거술

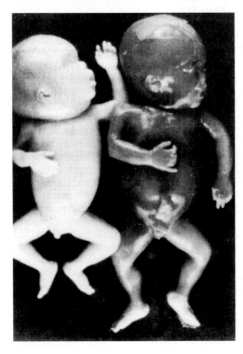

▶ Twin-to-twin transfusion syndrome

6) 불균형 쌍둥이(Discordant twins)

(1) 원인

- 자궁 내 태아가 많을수록 태아 불균형이 많다.
- 불균형이 일찍 진단될수록 후유증이 심함

(2) 진단

- 주기적인 초음파 검사

(3) 예후

- 25~34주 사이에 분만한 쌍태아의 출생 체중의 차이가 30% 이상 될 경우 신생아 사망, 선천성 기형, 태아 발육 지연 등이 의미있게 증가
- 큰 쌍둥이가 태아 사망의 위험이 크다.

7) 일측 태아의 사망

(1) 일측 태아 사망의 원인

- 단일 융모막 태반과 중증 자간전증과 관련

(2) 경과 및 예후

① 일측 태아가 사망했으나 나머지 태아가 생존해 있는 경우 DIC가 자연적으로 교정

② 출생시에 이들의 혈장 섬유소원 수치, FDPs, 혈소판 등은 정상

③ 일측 태아 사망의 진단 이후 다태 임신 유지와 관련된 위험보다는 조산의 위험이 더 크다

(3) 처치

① 생존태아를 보존적 치료하는 것이 바람직

② 주기적 검진

  a. 모체측 - 소모성 응고장애에 대한 검사

  b. 태아측 - Nonstress test

      폐성숙도를 추정하기 위한 양수 검사

V. 다태임신의 산전 관리

● **주산기 사망 및 이환율을 감소시키기 위한 요소** ★

· 선천성 기형의 유무 검사 및 모체측 질환 파악, 적절한 영양 공급

① 조산을 방지

② 일측 또는 양측 태아의 생존 여부 확인하며 태아가사(fetal distress)를 동반하는 태아는 사망하기 전에 분만

③ 진통 및 분만 중에는 태아의 손상을 예방

④ 출생 후에도 계속해서 신생아 간호를 잘 하여야 함.

1. 식이

· 1일 300~600 kcal 더 증가

· 철분 60~100 mg/day, 엽산 1 mg/day

· 나트륨의 제한은 도움이 안 된다.

2. 산전 검사

1) 초음파 검사(ultrasonography)

: 태아의 성장은 단태 임신에 비해 느리고 각 태아 사이의 성장의 차이가 종종 나타나기 때문에 임신 제3분기의 초음파 검사 필요

2) 산전 태아 박동검사(fetal heart rate monitoring)

3) 도플러 검사(Doppler velocimetry)

- 혈류 속도로 측정한 혈관저항의 차이 이용

3. 조산방지(prevention of preterm delivery)

1) 안정(bed rest)

· 운동 제한 필요

· 임신성 고혈압이나 조산의 위험 징후가 있는 경우 등 합병증이 있는 경우는 즉시 입원을 시키는 것이 바람직

2) 조산의 예방 ⭐

① 안정, β-agonist, Synthetic progesterone의 반복 주사, 자궁경관주위 봉합술(Cervical cer-clage)

② 분만이 임박했을 때 태아의 폐성숙을 촉진시키기 위해서 스테로이드 사용

③ 폐성숙도 검사 - L/S ratio가 임신 32주면 2이상(단태아는 36주에 2 이상)

④ 조기 파막된 경우 - 단태 임신과 마찬가지로 관찰 치료

cf) 예방적 β-agonist, Tocolytics 사용은 별 도움이 되지 않음

VI. 다태임신의 분만

1. 고려 사항

1) 쌍둥이의 분만 시 선진부

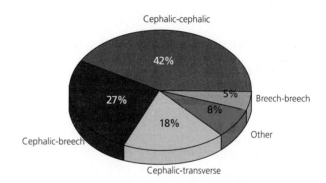

▶ Presentations of twin fetuses on admisson for delivery.
(Data from Divon and colleagues, 1993)

① Ccphalic Cephalic (42%)

② Cephalic-Breech (27%)

③ Cephalic-Transverse (18%)

④ Breech-Breech(5%)

⑤ Other(8%)

2) 분만 간격

•첫째아와 둘째아의 분만 간격은 대개 30분 이내가 적당

2. 분만 방법

1) 첫째아의 분만

•보통 적절한 외음 절개술하에서 자연 분만 또는 보조 분만을 시도

•그러나 첫째아가 둔위일 경우에는 제왕 절개술을 하는 것이 더 효과적

2) 둘째아의 분만 ⭐

① 만일 두부 혹은 둔부가 산도에 고정되어 있다면 → 중등도의 자궁저부 압박을 가하여 파막 시켜야 한다.

② 자궁 출혈은 태반 박리를 의미하며 이는 모체 및 태아에 위험하므로, 자궁수축이 10분 이

내에 일어나지 않으면 자궁 수축제로써 유도해야 한다.

③ 만일 후두와 둔부가 산도에 고정되어 있지 않으면 → 자궁저부에 한 손을 대고 중등도로 압박을 가하면서 질내에 한 손을 넣고 골반내로 선진부를 끌어냄. 그 후 양막 파열시킨 후 진통과 분만을 시도

④ 첫째아가 분만된 후 5~20분 이내에 둘째아가 분만되지 않고 지연될 때는 → 태반 조기 박리, 경관 퇴축 또는 제대 탈출 등의 위험률 증가

⑤ 자궁 내 족회전술에 숙련된 의사가 없거나, 자궁이완을 충분히 시킬수 있는 마취가 안되는 경우는 → 제왕절개술을 신속히 시행하여 둘째아를 분만

3) 첫째아 질식 분만 후 둘째아를 C-sec 해야 하는 경우

① 둘째아가 첫째아보다 많이 크거나, 둔위 또는 횡위인 경우

② 첫째아 분만 후 자궁 경부가 바로 달혀 다시 개대되지 않는 경우

③ 태아 심박 수에 이상이 있는 경우

4) 쌍둥이 임신의 C-sec 적응증

① 일측 혹은 양측 태아가 두위가 아닐 경우

② Hypotonic uterine dysfunction

③ Gestational HTN

④ 태아 장애

⑤ 태아 크기의 육안적 불균형 및 제대 탈출

5) 자궁 내 족회전술(Internal pondalic version)

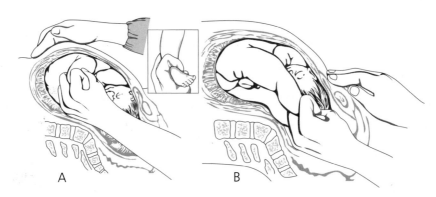

▶ Internal podalic version

• A. 태아의 양쪽 발을 정확하게 잡고 자궁저에 압박을 가한다.
• B. 태아의 두부는 상방으로 밀어 올리면서 양측발을 아래로 잡아 당긴다.

6) 제왕 절개술

- 자궁 절개 방향 - 태아가 횡위이면서 팔이 먼저 나온 경우에는 수직 자궁절개(Classical incision)가 더 좋다.
- 첫째아를 질식 분만 후 둘째아를 제왕절개술하는 빈도 - 15%(가장 많은 원인은 태위 이상)

7) 세쌍둥이 이상의 분만

- 제왕 절개술이 추천
- 태아가 매우 미숙아이고, 수술 시에 모체에게 위험한 경우는 질식 분만 가능

3. 선택적 중절 및 감축술(Selective Termination or Reduction)

1) Selective termination

: 쌍태 임신 또는 그 이상의 다태 임신에서 임신 제2분기 또는 그 이전에 태아의 기형이 있어 선택적으로 태아를 유산시키는 것을 의미

2) Selective reduction

: 삼태아 이상의 임신에서 초음파 검사하에 KCl을 주입하여 태아를 선택적으로 유산시키는 것

30 태아와 신생아의 산과적 관리

Power Obstetrics

I. 신생아의 간호

1. 신생아 호흡의 관리

1) 분만 시 처치

① 신생아의 머리가 분만되면, 즉시 얼굴을 타월로 닦고 부드러운 Rubber ear syringe 등으로 입과 코를 흡인한다.

② 제대를 자른 후에 즉시 머리를 낮춘 자세로 눕히고, 보온기에서 보온해주며, 열손실을 최소화 하기위해 몸을 닦고 건조시킨다.

③ 만약 호흡이 불규칙하면 구강 내와 인두를 흡인하고, 발바닥을 가볍게 때리거나 등을 문질러 호흡을 자극할 수 있다.

④ 계속 호흡을 못하는 경우, 적극적인 소생술을 실시한다.

2) 호흡 결핍의 원인

① 태아의 저산소혈증, 산혈증

② 모체에의 약물 투여

③ 태아의 혈액량 저하(Fetomaternal hemorrhage, 태반 외상, 제대 압박, 쌍태아간 수혈 등)

④ 태아의 미성숙

⑤ 상기도 폐쇄

⑥ 기흉

⑦ 태아의 내인성, 외인성 폐질환(폐형성 부전, 횡격막 탈장)

⑧ 태변으로 오염된 양수 흡인

⑨ 중추 신경계 손상

⑩ 패혈증

2. 발육 평가

1) 만삭 임신에서 출생 체중에 영향을 주는 요인

① Sex - 남아 > 여아

② 분만 횟수 - 분만 횟수가 증가할수록 출생 체중증가

③ Race - 백인 > 흑인

2) 신체 및 신경학적 평가

(1) 신체 검진

 : Sole crease, 유두의 크기, 머리카락, 귓볼 형성, 자세, 고환의 크기, 음낭 주름

(2) 신경학적 평가

 : 분만 1일 후 검진

3. 신생아 상태의 평가

1) Apgar score

Apgar scoring system			
Sign	0	1	2
1. 심박수 2. 호흡 3. 근육 긴장도 4. Catheter에 대한 자극반응도 5. 피부 색조	없음 없음 축 늘어져 있다. 반응 없다. 창백·청색	100회 미만 느리고, 불규칙 사지를 약간 굴곡 찡그린다. 동체는 분홍색, 사지는 청색	100회 이상 규칙적, 운다 활발히 움직인다. 잘 운다. 전신이 분홍색

• Gestational age가 Apgar score에 가장 중요한 요인

(1) 1분 Apgar 점수

 : 출생 후 응급 소생술의 필요 여부를 결정

① 7~10점 : Nasopharyngeal suction 이외에 다른 도움을 필요로 하지 않음

② 4~6점(Mild to moderately depressed infant) : Suction, 100% O_2 mask

③ 0~3점(Severely depressed infant) : 즉시 인공 호흡 등의 소생술 실시

(2) 5분 Apgar 점수

: 소생술의 효과 및 향후 신경학적 후유증의 유무

① 7~10점 : 정상

② 4~6점 : 중등도(추후 신경학적 기능 이상이 생길 고위험의 지표는 아니다)

③ 0~3점 : 신경학적 위험도 증가(0.03~1%)

(그러나, 실제 위험도 증가가 크지 않으므로, 5분 Apgar 점수가 낮다는 것만으로 향후 뇌성마비가 주산기 가사에 의한 것이다라는 증거가 될 수는 없다)

(3) 10분, 15분, 20분 Apgar 점수

: 계속해서 0~3점인 경우 향후 신경학적 예후와 관련성이 높다.

• 분만시의 저산소증에 의해 뇌성 마비가 발생했음을 진단하기 위한 조건

① 제대동맥 혈액검사에서 Metabolic or Mixed acidosis (pH < 7.0)가 나타날 때

② 5분 이상에서 Apgar 점수가 0~3점

③ 신생아의 신경학적 이상이 있는 경우(경련, 혼수, 저긴장증)

④ 여러 장기의 이상

→ 이 중 3가지 조건을 만족시키면 저산소증에 의해 신경학적 이상이 초래했음을 시사하는 증거가 된다(즉, 낮은 Apgar 점수만으로는 증거가 될 수 없다).

Prenatal and Perinatal Risk factors in Children with Cerebral palsy

1. Long menstral cycle	6. Breech, Face, Transverse lie
2. Hydramnios	7. Severe birth defect
3. Premature placental separation	8. Nonsevere birth defect
4. Interval between pregnancies	9. Time to cry more than 5 min
〈 3 months or 〉 3 years	10. Low placental weight
5. Birthweight 〈 2,000 g	

• 태아 저산소증 또는 가사의 진단

: 제대 혈액내 대사성 산혈증이 있으면 확진할 수 있다. 즉, 제대 혈액 내 대사성 산혈증이 없다면, 분만중 가사는 없다고 볼 수 있다.

2) Umbilical cord blood Acid-base study

(1) 산혈증의 정의

: 제대 동맥혈 내 pH가 7.2 이하인 경우

(2) 제대 혈액의 채취 방법

　① 분만 직후 신생아에 가까운 부위에 Clamp를 사용하여 제대를 절단

　② Heparin 처리한 주사기로 1~2 mL의 제대혈 채취

II. 태아와 신생아의 질환 및 손상

1. Hyaline Membrane Disease ★

1) 신생아 호흡곤란 증후군의 발생기전

　① 미숙에 의한 폐 내 표면 활성제의 생성 및 분비의 부족

　② 폐호흡 구조의 미 발달에 의한 가스 교환 부족

　③ 흉벽이 약하며 폐의 collapse가 잘 됨

　　※ 발생빈도 : 재태기간이 짧을수록 출생 체중이 작을수록 발생빈도가 높다.

2) 병태생리

　① 표면활성제의 부족으로 인한 무기폐

　② 폐포에서 공기 교환 부족으로 저산소증, 고탄산혈증

　③ 폐 compliance 감소, 저항의 증가

　④ 여러 가지 합병증 유발

3) HMD의 진단

　(1) 양수천자 : Surfactant-active Phospholipid의 농도 측정에 이용

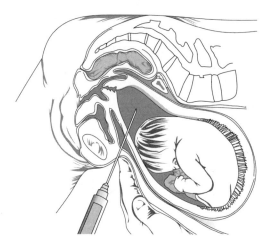

▶ Amniocentesis late in pregnancy, performed Suprapubically

Methods for Estimate Fetal lung maturity using Amnionic fluid ☆
1. Lecithin-to-Sphingomyelin (L/S) ratio 2. Measurement of Phosphatidylglycerol 3. Foam stability (Shake) test 4. Lumadex-FSI test 5. Fluorescent polarization (Microviscometry) 6. Amnionic fluid absorbance at 650nm 7. Surfact-Albumin ratio 8. Lamella body count

(2) Lecithin/Sphingomyelin ratio (L/S ratio)

① 특성

　a. 임신 34주 이전 - Lecithin과 Sphingomyelin 비율이 비슷

　b. 임신 34주 이후 - Lecithin 농도가 상승하기 시작

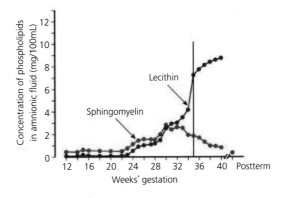

② 임상적 의의: L/S ratio < 2인 경우 호흡 곤란증의 위험이 증가

　• 예외적인 경우

　　a. 당뇨병이 있는 임신부에서 혈당 조절이 잘 안된 경우

　　　- L/S ratio > 2이더라도 호흡곤란증이 일어날 수 있다.

　　　(∴ 당뇨병 임신부는 철저한 혈당 조절 필요)

　　　→ 당뇨병 임신부는 Phophatidylglycerol의 측정을 추천

　　b. 임신성 고혈압성 질환

　　　- L/S ratio가 낮더라도 호흡곤란증이 나타나지 않거나, 경하게 나타난다.

(3) Phosphatidylglycerol

   : 신생아 호흡 곤란 증후군 예방에 가장 중요한 Surfactant 성분 ☆

    • 혈액, 태변, 질분비물 등에서 검출 안됨 → 오염되어도 결과에 영향 안줌

(4) 포말 안정 검사(Foam stability (Shake) test)

   : 양수에 적당량의 Ethanol을 넣고 흔들었을 때 포말이 없어지지 않고 계속 있으면 태아 폐

   성숙을 의미(but 위음성이 많다)

● 치료

  ① Oxygen supply with positive pressure

  ② surfactant 투여

2. 동종 면역에 의한 용혈

1) ABO 부적합에 의한 용혈의 진단 기준

(1) 모체 - Major blood group O(with anti-A, B or AB.)

   태아 - A, B, AB형

(2) 생후 첫 24시간 이내에 황달

(3) 다양한 정도의 Anemia, Reticulocytosis, Erythroblastosis.

(4) 다른 원인에 의한 Hemolysis를 배제해야 한다.

(5) direct Coombs test

   : 대부분 음성, indirect : 양성

   cf) Rh 부적합은 direct, indirect 모두 양성

2) Rh 부적합증에 의한 용혈의 Management

(1) D-negative, Nonsensitized woman에서의 Immune globulin prophylaxis

  ① 적응증 ☆

    a. D-Negative 여성이 임신하였을 때

    b. D-Negative 여성이 유산, 딴곳임신, 포상기태, 양수천자, 질출혈, 외전향술(External version) 후

  ② Immunoglobulin prophylaxis 방법

    a. 임신 28~32주 사이에 Immunoglobulin 300 μg을 근육주사하고 태아 출생 후 72시간

이내에 다시 300 μg을 근육 주사

 b. 임신 28~32주 사이에 투여받지 않은 경우에도, 출생 후 72시간 이내에 300 μg만을 근육 주사

 c. 대량의 Fetomaternal hemorrhage 시 용량 증가

 d. 임신 초기 반복적인 자궁 출혈 등으로 Immunoglobulin을 반복적으로 투여할 필요가 있는 여성에서, Indirect Coombs test가 양성이면 과거 Immunoglobulin 투여로 인해 충분한 양이 존재함을 의미하므로 추가 투여는 불필요하다.

(2) 주산기 사망률 감소를 위한 방법

 ① 양수천자를 통한 조기 진단

 ② 제대 천자에 의한 태아혈액 감시

 ③ 반복적인 초음파 검사

 ④ 자궁 내 수혈

 ⑤ 조기 분만

• Coombs test를 시행해서 얻어진 항체가가 1:16보다 높지 않으면, 태아가 자궁 내에서 용혈성 질환으로 사망하지는 않을 것을 의미

(3) 태아 수혈의 방법

 ① 혈관 내 태아 수혈(Intravascular fetal transfusion)

 ② 복강 내 태아 수혈(Intraperitoneal fetal transfusion)

(4) 중대뇌동맥(middle cerebral artery: MCA) 도플러 검사

 ① 태아 빈혈 시 peak systolic velocity가 증가(∵ 심박출 증가와 혈액 점성 감소)

 ② peak systolic velocity > 1.5 MoM이면 태아 빈혈 의심.

 ③ MCA 도플러 검사가(태아 빈혈 측정을 위한) 양수천자검사를 거의 대치함(도플러 검사가 불가능할 때에만 양수천자 검사 시행).

(5) 양수천자를 통한 양수의 광학농도(Optical density)의 측정

 ① 원리

  : 용혈이 일어나면 빌리루빈이 양수 내로 유입되고, 양수 내에 Bilirubin이 존재할 경우 450 nm 파장에서 기준선위로 광학농도(Optical density, OD)가 증가하는 양상을 보이는데, 이 때 ΔOD는 용혈성 질환의 심한 정도와 상관관계를 갖는다.

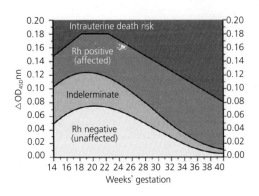

▶ Liley graph use to Severity of Fetal hemolysis with Red cell isoimmunization
(ΔOD가 증가할 수록 용혈이 심함을 의미)

(6) 만삭 전 분만

- 태아가 성숙된 경우에는 자궁 내 수혈보다 분만이 바람직

- 분만 방법

: 만기(Term)로부터 멀리 있는 경우 C-sec이 바람직

3) Rh 및 ABO 부적합증의 임상 및 검사소견 비교

구분	Rh 부적합증	ABO 부적합증
임상 소견		
안면 창백	심함	경함
황달	심함	경함
태아수종증	흔히 동반	거의 없음
간비종대	심함	경함

구분	Rh 부적합증	ABO 부적합증
검사 소견		
혈액형		
모체	Rh (−)	O형
태아	Rh (+)	A형 or B형
빈혈	중증	경증
직접 Coomb's test	양성	흔히 음성
간접 Coomb's test	양성	양성
고빌리루빈혈증	중증	일정치 않음
적혈구 형태	유핵 적혈구	구형 적혈구

3. 비면역성 태아수종(Nonimmune hydrops fetalis)

1) 원인 ☆

① 심장 이상(20~45%)

② 염색체 이상 및 기형(35%)

③ 쌍태아간 수혈(10%)

④ 특발성(22%)

2) 동반 기형 ☆

① Cystic hygroma (41%) = m/c

② Heart anomaly (27%)

③ Multiple malformation (21%)

3) 진단

① 초음파로 Hydrops 진단

② 모체 혈액 분석 - 혈색소 전기영동, Indirect Coombs test, 매독 검사, Toxoplasmosis, CMV, Rubella, Parvovirus B19 검사

③ 제대천자 - 염색체검사, 혈색소수치, Liver transaminase, ABGA, 여러 감염에 대한 IgM 특이 항체검사, 전기영동

④ 심초음파

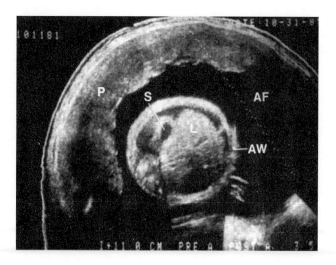

▶ Transverse sonogram of a Hydropic fetus

Edematous fetal Abdominal wall (AW) and fetal Liver (L) and Stomach (S) are shown. Increased Amnionic fluid (AF) is apparent, and There is also a Large palcenta (P).

4) 처치

① Hydrops가 지속되고, 태아 성장이 충분하면 분만

② 태아의 Supraventricular tachyarrhythmia가 원인인 경우는 임신부에게 Digoxin, β-blocker,

　Verapamil 투여해 볼 수 있다.

③ 자궁 내 수혈

5) 모체측 합병증

① Preeclampsia의 빈도 증가

② 양수과다증(50%) 및 이로 인한 조기 진통

③ 자궁의 과팽창, 잔류 태반으로 인한 산후 출혈

4. 산류와 두혈종

산류와 두혈종의 비교		
	Caput succedaneum(신류)	Cephalohematoma(두혈종)
1. 원인	두피 압박에 의한 출혈성 부종	두개골 골막하 출혈
2. Suture line 통과	(+)	(−)
3. 호발 부위	Periosteum 상부, Presnting part	Periosteum하부, Parietal bone
4. Skull fracture	없음	Linear fracture와 동반
5. 임상 경과	생후 수일 이내에 사라짐	생후 2주~3개월 정도 지속
6. 출생 후 크기 증가	없음	있음
7. onset	분만 중	분만 몇 시간 후
8. 치료	기대요법	skull X-ray, 응고인자 검사

● 치료

① 대개는 치료하지 않고 관찰

② 황달을 초래할 경우 광선요법 실시

③ 두혈종의 절개나 배혈(drain)은 감염의 위험이 크므로 하지 않음

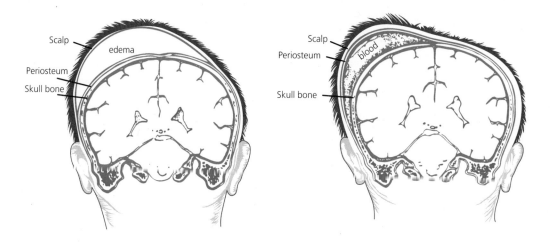

▶ Difference between a large Caput succedaneum(Left) and Cephalohematoma(Right)

31 임신과 동반된 모성 질환

Power Obstetrics

I. 외상 및 심폐정지

1. 외상

1) 역학

- 임신 중 외상의 빈도 : 6~7%
- 원인

① 자동차사고(m/c)

② 가정폭력 및 성폭행

③ 낙상

2) 외상의 산과적 결과

(1) 태반 조기박리

- 외상에 의한 태아사망 원인의 50~70%를 차지

① 증상 - 조기진통, 조기분만, 내출혈, 소모성 응고장애, 태아모체성 출혈

② 진단

a. 전자태아감시장치 : 태아 심박수와 자궁수축 여부 확인

b. 초음파 검사 : 태아 상태 확인, 임신주수 확인, 태반 위치 파악, 양수양 측정 등 영상학적 진단

(2) 자궁 파열

- 호발 부위 - Uterine fundus

(∵ 태반 착상 부위에 혈관 분포가 증가되어 가장 약함)

(3) 태아 - 모체출혈

　　진단 - 모체혈액의 kleihauer-Betke 염색

3) 외상 후 처치

(1) 순환 혈액량의 유지 - 측와위

　　cf) 임신부는 혈액량이 증가된 상태이므로 30~35%의 혈액량이 감소되어도, 증상이 없을
　　수 있다.

(2) Rh-Negative인 경우 Anti-D immunoglobulin의 투여

(3) 태아 감시(Electrical fetal monitoring)

(4) Feto-Maternal hemorrhage의 발견

　　• Kleihauer-Betke 염색 ☆

　　: 태아 혈액을 염색하는 것으로, 임신부의 혈액을 채취하여 태아 혈액세포의 비율을 구하
　　여 F-M hemorrhage의 양 평가

$$\frac{염색세포}{비염색세포} \times 임신부\ 혈액량 = 태아모체혈액량(mL)$$

　　: Kleihauer-Betke 염색에 양성인 경우 24시간 후에 검사를 반복하여, 만성 출혈 또는 출혈
　　량의 증가를 확인한다.

2. 화상

1) 예후

(1) 모체에의 영향 : 임신했다는 이유만으로 임신부의 생존율이 변화하지는 않는다.

(2) 임신에 대한 영향 : 수일~1주일 내에 자연 진통이 올 수 있고, 사산되는 경우도 있다.

2) 처치

(1) 50% 이상 화상이 있을 경우 임신 2기 or 3기에 분만시킨다.

(2) Shock의 치료

(3) 흡인 손상의 치료

(4) 분만 방법의 결정

　　• C-sec 해야 할 경우

　　　① 화상이 외음부에 포함될 경우

② 임신부의 조건이 좋지 않아서 생존한 태아가 위태로울 경우

3. 성폭력

- 임신 중 성병, 비뇨기계 염증, 질염, 약물 남용, 입원 빈도의 증가
- 희생자 및 임신부 가족의 정신과적 면담이 중요

4. 심폐 정지 ☆

(1) 쐐기를 오른쪽 엉덩이 아래에 받쳐서 자궁을 위치 변경시킨다(비임신 시에는 CPR로 심박출량의 30%까지 유도할 수 있으나 임신 말기에는 대동맥·대정맥이 압박을 받아 훨씬 적다).

(2) 임신부가 심폐 정지된 경우, 5분 내 Vital sign이 돌아오지 않으면서 태아 생존의 가능성이 있으면(임신 32주 이상), 즉시 제왕 절개술에 의해 태아 분만 실시

II. 심혈관계 질환

overview

임신 후반기 Hemodynamic change (Postpartum 시와의 비교)	
1. Cardiac output	+43
2. Heart rate	+17
3. Lt' ventricular stroke work index	불변
4. Vascular resistance	
① Systemic	−21
② Pulmonary	−34
5. Mean arterial pressure	불변
6. Colloid osmotic pressure	−14
7. Pulmonary capillary wedge pressure	불변

임신 중 심장질환을 암시하는 지표들	
Symptoms	**Clinical findings**
1. Progressive dyspnea or orthopnea 2. Nocturnal cough 3. Hemoptysis 4. Syncope 5. Chest pain	1. Cyanosis 2. Clubbing of fingers 3. Persistent neck vein distension 4. Systolic murmur (grade 3/6 이상) 5. Diastolic murmur 6. Cardiomegaly 7. Persistent arrhythmia 8. Apperance of Marfan's syndrome

• 임신 중 심장 질환의 원인 - 선천성 심장 질환이 m/c (50%)

cf) 선천성 질환을 가진 임신부는 유사한 질병을 가진 신생아를 낳을 수 있다.

1. 진단

1) EKG

: 정상적으로 15도 좌측 편위가 있고, Inferior lead에서 Mild ST change가 존재

2) Chest X-ray

• 복부에 Lead apron shield를 착용하여, 태아 방사선 노출량을 줄일 수 있다.

• 미미한 Heart enlargement는 배제할 수 없다(∵ 임신 시에는정상적으로 Heart silhouette이 더 크다).

3) Echocardiography

4) Catheterization without X-ray guidance

5) Ventriculography using 99m-Tc-labelled Albumin (or RBC)

: 태아에 방사선 노출이 있으나 기형이나 암을 유발하는 양보다 훨씬 적어서 사용 가능

2. Clinical classification

1) NYHA classification

(1) Class I (Uncompromised)

: 심장질환은 있으나 물리적 활동에 제약이 없는 경우

(2) Class II (Slightly compromised)

: 물리적 활동에 약간의 제약이 있는 경우

(3) Class III (Markedly compromised)

: 물리적 활동이 현저히 제한된 경우로 안정을 취하면 안락하나 미약한 활동에도 과도한 피로, 심계항진, 호흡곤란 등의 불편함이 나타나는 경우

(4) Class IV (Severely compromised)

: 어떠한 물리적 활동도 시행할 수 없는 경우

3. General management

1) Class I, II

● 임신 유지 가능

(1) 심부전의 예방 - 감염 방지, 금연, 심내막염의 예방

(2) 적절한 안정

(3) 진통, 분만의 관리

　① 분만 방법 - 질식 분만(Vaginal delivery)이 원칙 ☆

　　: 제왕 절개를 해야할 적응증이 아니면, 이환율과 사망률이 낮은 질식분만을 해야

　　한다.

　② 분만 중 자세

　　: Semirecumbent position with Lateral tilt(측와 반횡와 자세)

　③ 마취 방법

　　a. 음부 신성마취와 Intravenous sedation이 병용되면 충분하지만, 필요한 경우 경막외

　　마취(Epidural analgesia) 사용

　　　cf) Subarachnoid block (Spinal analgesia or Saddle block)은 시행하지 않음

　　b. C-sec의 경우 - 경막외마취(Epidural analgesia)가 좋으며, 필요한 경우 전신 마취를

　　시행할 수 있다.

　④ 산욕기의 관리 : 산후 출혈, 빈혈, 감염, 혈전색전증 주의

2) Class III, IV

● 임신 유지가 어려움

(1) 임신을 유지하려면 병원에 장기간 입원하거나, 자주 안정을 취해야 한다.

(2) 심한 심장질환을 가진 임신부는 임신중절도 고려

(3) 질식분만이 원칙

(4) 임신 1기 이후: fetal viability 보면서 면밀한 관찰

4. 특수 상황의 고려

1) Valve replacement 후

(1) 인공 판막 가진 여성 : 성공적인 임신 및 출산 가능

(2) 인공 판막에 의한 혈전 색전증, 항응고제에 따른 출혈 위험

(3) 임신부 사망률 : 3-4%, fetal loss 흔함

(4) Valve의 재질에 따라

① Mechanical valve prosthesis - 반드시 항응고 치료 필요

② Porcine tissue valve prosthesis - 항응고제가 필요없다.

(5) 항응고제의 사용

• Heparin or Warfarin으로 Full anticoagulation이 필요

① 임신 전 : Warfarin

② 임신 중 : Heparin을 PTT가 1.5~2.5배가 되도록 투여, Heparin은 태반을 통과하지 않으므로 두개강 내 출혈 가능성이 증가하지 않는다.

③ 분만 직전 : 4~6시간 전에 Heparin 사용 중단

cf) 사용하고 있던 도중 분만이 발생하고 과도한 출혈이 나타나면, Protamine sulfate 투여

④ 분만 후 : Anticoagulation 재개(Heparin + Warfarin → Warfarin)

• 질식 분만 - 6시간 후

C-sec - 24시간 후

⑤ Warfarin-teratogenic effect

⇒ 임신 3개월까지 금기, 태반통과해서 분만 시 태아 출혈 경향

2) 심장 판막 질환

(1) Mitral stenosis

① 활동 제한

② Epidural analgesia 시행

③ 수액 과부하 제한

(2) Mitral insufficiency

① Infective endocarditis가 없는 경우 Valve replacement는 필요없다.

② 임신 시 전신 혈관 저항의 감소로 역류가 감소하여 잘 견딜 수 있다.

③ 분만 시 심내막염 예방 필요

(3) Aortic stenosis

① 증상이 있을 경우 Beta-blocker, 산소 공급, 활동 제한

② 증상이 지속될 경우 판막 치환술 또는 판막 절개술 시행

③ 심한 경우 분만 중 폐동맥 도관술 시행

④ 분만 시 심내막염 예방 필요

3) 선천성 심장 질환

(1) Eisenmenger syndrome

: 임신은 절대 금기이며, 임신 시 치료적 유산 시행

(2) Cyanotic heart disease

• 임신에 악영향을 미친다.

• 질식 분만 시행

4) Pulmonary hypertension

• 중증인 경우 임신은 절대 금기

① 임신부의 활동을 제한하고, 임신 후반기에 앙와위는 피하도록 한다.

② Standard (Nonnarcotic) Epidural analgesia는 금기

(Intrathecal Morphine 투여는 가능)

5) Mitral valve prolapse

• 임신 시 크게 영향을 받지 않는다(실제로 임신 시 Hypervolemia에 의해 Mitral valve의 alignment가 호전).

① 증상이 있는 경우 β-blocker의 사용

② 예방적 항생제를 투여함이 좋다.

6) 감염성 심내막염

임신과 동반된 모성 질환

심장질환이 있는 임신부에서 분만 전후 세균심내막염의 발생 위험도 분류
고위험군
인공심장판막(생체인공판막 또는 동종이식판막)
세균심내막염의 이전 병력
청색증이 나타나는 복합 선천성심장질환(활로네징후, 대동맥전위)
수술로 만든 전신-폐 순환계 지름길 또는 통로
중등도 위험군
고위험군이나 저위험군에 속하지 않는 선천심장질환
후천 판막기능 이상(류마티스 심장질환 포함)
역류나 판막비후가 동반된 mitral valve prolapse
비대심장근육병증
저위험군
역류가 없는 승모판탈출증
생리적, 기능성 murmur
판막기능이상이 없었던 Kawasaki 병 또는 류마티스 열 병력
심장제세동기 또는 박동조절기를 가지고 있는 경우
Coronary bypass graft surgery 과거력

(1) 예방적 항생제 투여

    ① 고위험군, 균혈증 의심되는 경우 → 항생제 투여

      고위험군, 합병증 없는 경우 → 선택적

    ② 중등도 위험군, 균혈증 의심되는 경우 → 항생제 투여

      중등도 위험군, 합병증 없는 경우 → 투여 안함

    ③ 저위험군 → 투여안함

7) Arrhythmia

- 심부정맥은 임신 중, 분만 중, 산욕기 중 흔하다.

- 치료는 비임신 시와 동일

8) 대동맥 질환

(1) Marfan syndrome

  : Marfan syndrome 자체가 제왕 절개의 적응증은 아니지만, 대동맥을 침범한 경우 경막외

    마취를 사용한 제왕절개가 추천된다.

(2) 대동맥 축착증(CoA)

  : 임신 중 고혈압이 더 악화하므로, β-blocker를 사용한 고혈압 치료 필요

9) 허혈성 심질환

- 허혈성 심질환이 있는 경우 임신은 권하지 않는 것이 좋다(임신 중 예후가 좋지 않음).

•임신 중 관리 - 활동 제한 및 심실기능 부전 치료

•분만 방법 - 일반적인 적응증에 따라 결정하며, 제왕절개술도 가능하다.

Summary ☆

1. NYHA class Ⅰ, Ⅱ의 경우, 주의 깊은 관리하에 임신 유지 가능
2. NYHA class Ⅲ, Ⅳ의 경우, 입원이 필수적이며 입원 불가능시 치료적 유산 시행
3. 고혈압이 문제가 되는 질환의 경우 항고혈압제 투여(β-blocker)
4. Pulmonary edema 시 수분 과부하에 주의하고, 이뇨제 사용 가능
5. 감염성 심내막염을 위한 예방적 항생제 투여는 적응증에 따라 투여
6. 분만시 앙와위는 피하고, Lateral semirecumbent position을 취할 것
7. 분만 방법은 Vaginal delivery가 선호
8. 전신 마취를 통한 C-sec도 가능하나 산과적 적응증이 있는 경우만 시행
9. 분만중 통증 경감을 위한 마취 방법은 Epidural analgesia가 선호
  ·Subarachnoid analgesia는 일반적으로 금기

---

10) 심부정맥혈전증(deep vein thrombosis) ☆

(1) 위험인자

① 임신, 에스트로겐 사용, 수술, 거동 못함, 신생물

② 혈액응고가능성이 높은 상태 : 항인지질항체 증후군

(2) 진단

① 임상양상 : 장딴지 부기(swelling) & 압통, 온도 증가

② Homans 징후 (+) : 손으로 발을 잡고 발등 굽힘을 시켰을 때 장딴지 통증 유발

③ 도플러 초음파(첫 검사) : 혈류 없고 정맥 내 혈전 있고 압박 없음

(3) 치료/예방

① 내과적 치료 : 항응고제(헤파린, LMWH), 혈전용해제

분만할 달에 LMWH에서 비분획형(UFH)으로 전환(∵모체 출혈 방지)하고 분만 임박해서는 중단!

② 수술적 치료 : 혈전제거술

③ 예방 : LMWH(혈전의 확산, 폐색전증 예방), 술후 조기 보행, 공기다리압박(pneumatic compression)

III. 호흡기계 질환

Ventilatory function in Pregnant women	change
1. Respiratory rate	No change
2. Tidal volume	+39%
3. Minute ventilation	+42%
4. Minute O_2 uptake	+32%
5. Vital capacity	+1%
6. Inspiratory capacity	+5%
7. Maximal breathing capacity	−5%
8. Residual volume	−20%

1. 폐렴

- 건강한 임신부에게 예방 접종은 추천되지 않음

- 만성 심폐질환, 당뇨병, 신장 질환이 있을 경우는 예방 접종 시행

※ 흡인성 폐렴의 치료

① suction and bronchoscopy   ② oxygen and ventilation

③ corticosteroids : not recommended   ④ 항생제

⑤ saline lavage : 금기, aspiration 위험 증가

2. 천식

1) 임신과의 관계

(1) 임신이 천식에 미치는 영향

: 임신으로 인해 천식의 1/3은 호전, 1/3은 변화가 없으며, 3/1은 악화된다.

(2) 천식이 임신에 미치는 영향

: 조산, 저출생 체중아, 태아 저산소증, 주산기 사망, 자간전증, 자궁 출혈 증가

2) 치료

(1) 수액 요법, 산소 투여

(2) inhaled β-agonist

(3) inhaled corticosteroid

3) 진통과 분만 관리

(1) 진통, 분만 중에도 규칙적으로 계획된 천식 약제 투여

⑵ Fentanyl과 같이 Histamine을 분비시키지 않는 narcotics가 Morphine, Meperidine보다 좋다.

⑶ 전도 마취(Epidural analgesia)가 전신 마취보다 좋다.

　(전신 마취 시의 기관지 삽관은 심한 기관지 경련 유발)

⑷ 산후 출혈이 있는 경우 PGE$_2$ 또는 다른 자궁 수축제 사용 (PGF$_2$ α나 ergonovine는 천식 악화)

⑸ 유도분만 위해 oxytocin 사용, prostaglandin은 사용금기

2. 양수색전증

　• 모성 사망의 주요 원인

1) 증상

⑴ 대부분 진통과 분만 중 그리고 분만직후에 발생(분만 후 48시간 내에도 가능)

⑵ 갑작스런 심폐기능의 부전, 저혈압, 심부정맥, dysrhythmia, 청색증, 호흡곤란, 호흡정지, 폐부종, 성인호흡곤란증후군, 정신상태의 변화, 출혈

⑶ 가장 흔한 증싱 : 저혈압, 호흡곤란증후군, 청색증

2) 진단

⑴ 파종성 혈관내응고장애 소견, 심장효소수치 증가, 저산소증

⑵ 빈맥, 우심실 압박 소견, ST와 T wave의 비정상 소견

⑶ 흉부 X-선 : 비특이적인 폐부종

3) 치료

⑴ 산소포화도, 심박출량, 혈압의 유지와 혈액응고장애의 교정 등 보존적 치료

⑵ 심장정지 시 즉각적 심폐소생술

⑶ 분만전인 경우 응급제왕절개술

3. 결핵

1) 임신과의 관계

⑴ 임신이 결핵에 미치는 영향

　● 임신이 폐결핵 경과에 영향을 미치지는 않는다. ☆

　: 그러나, 임신이 진행되면 횡격막이 올라가고 폐가 어느 정도 압축되어 결핵 병소가 가려 질 수 있다(Mask effect).

(2) 결핵이 임신에 미치는 영향

- 활동성 결핵이라도 주산기 태아와 임신부의 예후는 양호하다.

- 합병증 : 태아 발육지연, 조산, 주산기 사망률의 증가, 선천성 결핵

2) 임신중 결핵의 치료

(1) 치료 약물의 선택

: Isoniazid, Rifampin, Ethambutol(9개월)

- 예외 ① Streptomycin - Congenital deafness(금기)

② Pyrazinamide - 임신 초기 투여 시 안정성 여부가 불확실하나, 일반적인 약제에

내성을 보이는 경우 투여를 고려할 수는 있다.

: 항결핵제 치료 동안 모유 수유 가능

(2) 치료적 유산의 적응증

① Disseminated Tbc(파종성 결핵)

② 심폐 기능의 심각한 저하

- 위와 같은 상황이 아니면 치료적 유산은 적응증이 안됨

IV. 신요로 질환

1. 임신 중 신요로계의 변화

Renal changes in Normal pregnancy	
Alteration	**Manifestation & Clinical relevance**
1. 신장 크기 증가	·X-ray 상 renal length 1 cm 증가 ·Postpartum decreases in size should not be mistaken for Parenchyamal loss
2. Pelvis, Calyx, Ureter 확장	·US or IVP 상 Hydronephrosis와 비슷한 소견(오른쪽이 더 심함) ·Not to be mistaken for Obstructive uropathy.
3. Renal hemodynamics 증가	·GFR, Renal plasma flow 증가 ·Serum creatinine and Urea nitrogen values decrease
4. Acid-Base metabolism 변화	·⟩ 0.8 mg/dL creatinine already suspect. ·Renal bicarbonate threshold 감소(∵ Progesterone이 호흡중추 자극) ·Serum bicarbonate and pCO_2 are 4~5 mEq/L and 10 mmHg lower ·pCO_2 of 40 mmHg already represents CO_2 retention
5. Renal water-handling	·AVP분비와 갈증에 대한 Osmotic threshold 저하 ·Serum osmolarity decreases -10 mOsm/L (Serum Na decrease -5 mEq/L) ·Increased metabolism of AVP may cause transient diabetes insipidus

●임신 시 Glucosuria가 반드시 비정상을 의미하지는 않는다(1/6에서 +).

●Proteinuria나 Hematuria는 비정상

2. 무증상 세균뇨 ★

1) 정의

: 요로 감염의 증상이 없이 지속적이고 역동적인 세균증이 있는 경우로서 의미 있는 세균뇨

(세균 $\geq 10^5/mL$)

•유병률 : 2~7%

•치료하지 않으면 25%에서 Acute symptomatic UTI 발생

•임신 중 무증상 세균뇨는 반드시 치료

2) 무증상 세균뇨의 중요성 ★   치료해야 한다.

⑴ 실제적인 요로 감염의 발생(25%)

⑵ 많은 경우 분만 후에도 세균뇨 지속

⑶ 세균뇨는 조기 진통의 원인이 된다.

3) 진단

•urine culture, leukocyte esterase- nitrite dipstick

4) 치료

•경구용 항생제의 투여

① 하루 한번 100 mg 씩 Nitrofurantoin 10일 투여

② Ampicillin, Cephalosporin, Nitrofurantoin 등의 1일 or 3일 요법

(cf. 정상인에서의 무증상 세균뇨는 항생제 투여 안 함)

•임신 시 항생제 사용 시 부작용

① Tetracycline : 태아 치아의 착색

② Chloramphenicol : Thrombocytopenia, Aplastic anemia

③ Aminoglycoside : Ototoxicity, Reanl toxicity

④ Sulponamide : Hyperbilirubinemia, Kernicterus

⑤ Nitrofurantoin : Hemolytic anemia

임신 시 무증상 세균뇨의 항생제 치료

Single-dose treatment
    Amoxicillin 3 g
    Ampicillin 2 g
    Cephalosporin 2 g
    Nitrofurantoin 200 mg
    Trimethoprim-sulfamethoxazole 320/1,600 mg
3-day course
    Amoxicillin 500 mg three times daily
    Ampicillin 250 mg four times daily
    Cephalosporin 250 mg four times daily
    <u>Ciprofloxacin 250 mg twice daily</u>
    Nitrofurantoin 100 mg, four times or twice daily
Other
    Nitrofurantoin 100 mg four times daily for 10 days
    Nirofurantoin 100 mg twice daily fo 7 days
    Nitrofurantoin 100 mg at bedtime for 10 days
Treatment failures
    Nitrofurantoin 100 mg four times daily for 21 days
    Suppression for bacterial persistence or recurrence
    Nitrofurantoin 100 mg at bedtime for remainder of pregnancy

3. 급성 신우신염

1) 원인

: 혈관, 림프관을 통해 방광에서 세균 감염이 퍼져 발생(Ascending infection)

- 대부분 임신 말기, 초기 산욕기에 발생

- 원인균 - *E. coli* (m/c)

2) 증상

(1) 방광 자극 증상

(2) 요통, 발열, 오한 ──────┐ 중요한 진단적 증상 ★

(3) Costovertebral angle의 동통 ──┘

(4) 식욕 부진, 구역, 구토

● 우측 신장의 침범이 많다.

    이유   ① uterus가 dextrorotation

           ② Rt. uterine vein이 ureter와 cross

           ③ Lt.는 sigmoid colon이 cushion 역할을 함

3) 임신 중 빈도가 증가하는 원인

(1) 자궁과 Ovarian vein에 의한 요관의 압박

(2) Progesterone의 영향에 의한 신배, 신우, 요관의 확장 및 연동 운동 감소

(3) 산욕기 초기에 방광의 감수성 감소

　　: 특히 Oxytocin 사용 후 중단했을 때의 이뇨 효과로 방광 팽창

4) 치료

Management of Pregnant woman with Acute pyelonephritis
1. 입원
2. Urine & Blood culture
3. CBC, serum Creatinine, Electrolyte의 측정
4. Urine output을 포함한 Vital sign의 측정(필요시 Indwelling catheter 사용)
5. IV crystalloid fluid 사용 – Urine output을 50 mL/hr 이상 유지
6. 항생제의 정맥 투여
① 감수성 결과 전 Ampicillin + Gentamicin 투여
② 감수성 결과가 나오면 감수성 있는 약제로 전환
7. 호흡 곤란시 Chest X-ray
8. 고열은 얼음주머니나 차가운 담요 또는 acetaminophen을 사용(임신 초기 고열 시 태아기형발생 위험)
9. 발열이 소실되면 경구용 항생제로 전환
10. 24시간동안 발열이 소실되면 퇴원시키고, 7~10일간 항생제 투여
11. 항생제 투여가 끝나고 1~2주 후 Urine culture 시행

4. 만성 신우신염

- 급성 신우신염과 달리, 요로 계통의 증상이 없을 수 있다.

- 고혈압없이 적절한 신기능을 갖는 경우, 심한 합병증 없이 임신 유지 가능

- 만성 신우신염은 급성 신우신염이 발생할 위험이 있어서 신기능이 악화될 수 있다.

5. 방광염, 요도염

- 임신 중 발생하는 급성 신우신염의 40%가 lower UTI 선행

- 증상 : 심한 배뇨곤란, 절박뇨, 빈뇨

- 치료 : 3-day course regimen이 효과적, cystitis치료 : ciprofloxacin

6. 신장 결핵

- 남은 신장이 감염 없이 좋을 기능을 할 때까지 약 2년간은 임신 금지

7. 요로 결석

1) 진단

(1) 첫번째 진단방법으로 신초음파 검사 - 임신 중 생리적 수신증으로 결석 진단에 어려움이 있을 경우 경정맥 요로촬영 고려

(2) 기타 MRI 고려

2) 치료

① 임신 중에 호르몬의 영향으로 요관이 확장되므로 자연적으로 배출될 수도 있다(65~85%).

② 보존적치료 : 적절한 수분공급 및 진통제 사용

③ 심한 통증이나 요로감염이 있을 때

: Ureteral stent or Percutaneous nephrostomy를 삽입하여 체외로 소변을 배출하도록 한다.

④ 위의 처치에도 증상이 지속되면 외과적 제거

• ESWL에 대한 정보는 거의 없어서 현재 ESWL은 추천하지 않음

8. 사구체 신염

• 사산, 조산, 고혈압 발생의 빈도가 높고, 임신 중 Proteinuria가 악화될 수 있다.

• 합병증이 없는 경우, 정상 임신과 같이 GFR, Renal plasma volume의 증가는 발생한다.

9. 신증후군

• 임신에 의해 단백뇨가 악화된다.

• 고혈압이 없고 심한 신기능 저하가 없으면 성공적인 임신 가능

• 신부전이 발생하면 치료적 유산 시행

• 치료 : 정상적인 양의 고단백 식이, 원인 및 기저질환 치료, 예방적 항생제 사용

10. 만성 신질환

• 만성 신질환에서는 신기능이 정상이고, 혈압이 높지 않아도 임신 결과가 좋지 않다.

• Preeclampsia나 심한 태반 조기박리가 없으면 임신에 의해 만성 신질환이 악화하지는 않는다.

• 만성 신질환의 관리

① 일반사항 : 안정하며 적당한 활동이 필요.

② 항고혈압제 : 주로 methyldopa, hydralazine, labetalol, 칼슘통로차단제 등으로 조절. 이 뇨제는 주의하여 사용

③ 신장기능의 추적검사 : 혈청 크레아티닌과 단백뇨를 4~6주 간격으로 추적검사

④ 태아정기검사 : 정기적 초음파 검사, 산전 진찰

11. 신 이식 후 임신

• 신 이식 후 최소한 1~2년간 심한 고혈압 없이 양호한 건강 상태가 유지된 후 임신하도록 한다.

12. 임신 중 혈액 투석

• 만성적인 투석에 의해 Fertility가 회복될 수 있다.

13. 급성 신부전

1) 임신 중 급성 신부전의 원인

(1) 임신 초 : 입덧, 패혈유산

(2) 임신 3분기 : 자간전증-자간증, 출혈, 용혈성 요독증후군, 출혈성혈소판감소성자반증, 급성 지방간, 폐쇄성 신부전증

2) 진단

- 48시간 내 혈청 Cr의 수치가 1 mL/dL 이상이 되거나 기준수치보다 0.5 mg/dL 이상 올라가는 경우

3) 치료

- 순환 혈류량의 확장

- 응급 혈액 투석 : 폐부종, 심전도상 peaked T wave, 심한 대사성 산증, 심한 고질소혈증 등의 경우

- 분만 : 핍뇨성 혹은 무뇨성 급성 신부전의 경우

V. 소화기 질환

1. 위장관 질환

1) Hyperemesis gravidarum

(1) 원인

: hCG, Estrogen의 상승

(2) 증상

① 구역, 구토, 체중 감소, 탈수

② 기아에 의한 Acidosis, 구토에 의한 Alkalosis, Hypokalemia

③ 일시적인 간 기능장애

(3) 치료

① 탈수의 방지 - 수분, 전해질 보충

② 진토제의 사용

③ 비타민 공급 : 포도당 주기전 티아민 보충으로 Wernicke 뇌병증 예방

2) 위식도역류와 소화성궤양

① 소화성궤양 : 증상이 호전 - 프로게스테론 증가로 위산 분비가 감소, 점액 분비가 증가, 위 운동 감소

② 위식도역류성질환 : 임신 중 흔히 발생 - 하부식도 괄약근의 수축저하, LH에 의한 위장관 운동성 저하, 자궁의 물리적 압박

3) Inflammatory bowel disease (IBD)

① 임신이 염증성 장질환 발생을 증가시키지는 않는다.

임신 초기에 염증성 장질환이 정지 상태이면 갑자기 악화되는 일은 드물며, 만약 악화되면 증상이 매우 심해질 수 있다.

② Conception 시 활동성 질환이면 임신 예후가 불량하다.

③ 진단 결과가 치료에 영향을 줄 경우, 제한된 방사선 검사를 포함한 모든 진단 검사는 연기 되어서는 안 된다.

④ Corticosteroid를 포함한 일반적인 치료 약제는 임신 기간동안 사용할 수 있고, 적응증이 되면 수술을 시행해야 한다.

4) 임신 중 급성 충수염 ⭐

(1) 임신 시 급성 충수염 진단이 어려운 이유 ⭐

① 임신에 수반되는 식욕 감퇴, 오심, 구토 증상이 급성 충수염에서 흔하다

② 자궁이 비대해 짐에 따라 충수가 옆구리 쪽으로 우측, 외측 방향으로 이동하여, 흔히 보는 우측 하복부에서의 통증과 통각이 저명하지 않게 된다.

③ 정상 임신 시 leucocytosis가 있을 수 있다.

④ 임신 시 신우신염, Renal colic, 내만 그시막니, 사징근송의 변성 능과 혼논말 수 있나.

⑤ 특히 임신 후반기에서 전형적인 충수염 증상을 볼 수 없다.

● 임신 마지막 3개월 동안의 예후는 불량(Mortality - 5%)

: Appendix가 상방으로 이동함에 따라 Omentum에 싸여있지 않게되므로, 파열 시 Panperitonitis 초래

(2) 임신 결과에 미치는 영향 ⭐ : 유산, 조기진통의 빈도를 증가시킨다.

(3) 진단

① 초음파 - 충수돌기 두께 증가, 주변 액체 저류, 압박되지 않는 충수돌기 내강이 6 mm 이상

② MRI : 100% 민감도, 93% 특이도

(4) 치료

① 임신 주수에 상관없이 즉시 수술한다.

② Hypoxia 및 Hypotension에 특히 주의를 요한다.

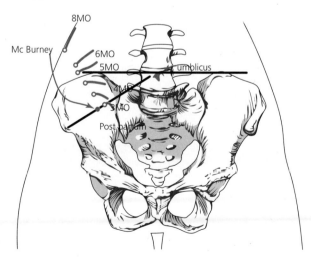

▶ Changes in Position of the Appendix as Pregnancy advances

At 5th month, Appendix is located at level of Umbilicus

2. 간질환

Liver function during Pregnancy				
A. Enzyme 1. Alkaline phosphatase 2. Aminotransferase (GOT, GPT) 3. Lactic acid dehydrogenase	↑↑ Unchanged Unchanged	**D. Lipid** 1. Triglycerides 2. Cholesterol		↑ ↑ (×2)
B. Bilirubin	Unchanged	**E. Clotting factors** 1. Fibrinogen 2. Factor Ⅶ, Ⅸ, Ⅹ 3. Clotting times		↑ ↑ Unchanged
C. Protein 1. Albumin 2. Globulin 3. Ceruloplasmin 4. Hormone binding proteins 5. Transferrin	↓ (1 g/dL) ↑ (slightly) ↑ ↑ ↑			

1) 임신에 의해 발생하여 출산 후 소실되는 질환

● 종류

① Intrahepatic cholestasis of pregnancy with or without Icterus gravidarum

② Acute fatty liver of pregnancy

③ Hepatocellular damage consequence of Severe preeclampsia and Eclampsia

④ Hepatic dysfunction associated with Hyperemesis gravidarum

(1) 임신성 간내쓸개정체

① 임신 예후가 불량한 경우가 많다.

② 양수 태변 착색, 조기 진통, 주산기 사망률의 증가

(2) 임신성 급성지방간

: 모성 사망률, 태아 사망률이 높다. 즉시 분만을 시행.

(3) Preeclampsia-Eclampsia에서의 간세포 손상

• HELLP syndrome

① Hemolysis

- AST/ALT 상승(60~1,500 IU/L), LDH > 600 IU/L, 빌리루빈 > 1.5 mg/dL
- 미세혈관성 용혈빈혈(MAHA) (혈색소 < 30%), 혈소판 < 100,000/mm³

② Elevated liver enzyme

③ Low platelet

• 원인 - Hepatic artery의 Arterial spasm에 의한 Ischemia

• 증상이 심할수록 간손상의 위험이 높다.

• 치료 : 즉각적인 분만(분만 후 2~3일 후 회복)

● Hepatic hematoma & Rupture in gestational hypertension

• Preeclampsia, Eclampsia 시에 Hepatic rupture의 빈도 증가

• 치료

① Hematoma - Intrahepatic & Intact 하면 Observation

② Hepatic rupture - 응급 수술

2) 바이러스성 간염(Viral hepatitis)

(1) Hepatitis A

• HAV가 태아 기형을 유발하지는 않는다.

• 조기 진통의 위험도는 증가

→ HAV 환자와 접촉한 임신부에게 예방적 γ-globulin 투여

(2) Hepatitis B

• 임신에 의해 병의 진행이 영향 받지 않음

• 전파 경로 : 경태반 감염(드물다), 분만과정 중 감염(m/c), 모유수유 통한 감염

• 임신부가 HBsAg, HBeAg 양성이면 신생아에게 전파 가능성이 높다.

But) HBeAg 양성이면서 Anti-HBe를 보유하면 신생아에게 전파하지는 않는 것으로 생
각됨

• 신생아 감염의 예방

① 임신부가 HBsAg 양성이면, 출생 즉시 Hepatitis B immunoglobulin을 주사하고, Hepa-
titis B vaccine을 투여(0,1,2 or 0,1,6 schedule)

② HBsAg 음성인 고위험 임신부에게는 임신 중에 Vaccination 할 수 있다.

(3) Hepatitis C

: Anti-HCV 보유한 임신부에서 태어난 신생아에게는 Immunoglobulin을 투여

(4) Hepatitis E

: 경태반 감염을 포함하여 수직 감염의 가능성이 높다.

3) 간경화

- 간경화를 가진 여성은 불임 성향을 갖는다.
- 임신한 경우, 주산기 사망률이 높고 모성 예후도 불량

3. 담낭과 췌장 질환

1) 담낭 질환

- 임신 중 담석의 위험도 증가(Cholesterol stone)
- 수술이 필요한 경우 임신 중기(2nd trimester)가 수술 적기

2) 췌장 질환

- 임신 중 췌장염의 위험 인자 - 담석증(비임신 시는 만성 알콜섭취)
- 비임신 시와 동일하게 치료

VI. 혈액 질환

1. 빈혈

- 임신 시에는 혈액이 50%까지 증가하며 상대적으로 적혈구 증가가 완만

  → 일종의 생리적 빈혈

- 빈혈의 정의 ☆

  ① 비임신 시 - Hb 12 g/dL 미만

  ② 임신 시 - 임신 1, 3분기에는 11 g/dL, 2삼분기에는 10.5 g/dL 미만으로 정의

- 임신과 산욕기에 일어나는 빈혈의 가장 흔한 2가지 원인 ☆

  ① 철결핍성 빈혈

  ② 급성 실혈

임신 시 빈혈의 원인	
Acquired	**Hereditary**
Iron defeciency anemia Acute blood loss Inflammation or malignancy Megaloblastic anemia Acquired hemolytic anemia Aplastic or hypoplastic anemia	Thalassemias Sickle-cell hemoglobinopathies Other hemoglobinopathies Hereditary hemolytic anemias

1) 철결핍성 빈혈

⑴ 임신 중 철분 요구량

: 1,000 mg(태아, 태반 : 300 mg, 임신부 Hb 증가 : 500 mg, 위장, 피부, 소변으로 소실 : 200 mg)

- 임신 2nd & 3rd trimester에 요구량 증가
- 태아에서 철결핍성 빈혈이 발생하지 않는다.

  (모체의 철분 저장량보다는 제대 결찰 시기에 영향을 받음)

⑵ 치료 - 철분 복합제제의 경구 투여(Ferrous sulfate/fumarate/gluconate)

- 철의 흡수 증진을 위한 Vitamin C, 과일 쥬스, 금식 등은 불필요
- 일반적으로 적혈구 성분수혈, 전혈 수혈은 실시하지 않는다.

2) 급성 실혈

● 치료

① 중등도 빈혈이라도 혈역학적으로 안정되고 패혈증이 동반된 것이 아니면 수혈하지 않는다.

② 철분 제제 치료 최소 3개월 시행

2. Thrombocytopenia

- 임신시 혈소판 수의 정상 범위 : 100,000~150,000/mm^3
- 혈소판 감소증은 임신 후반기에 많이 나타난다.

● Idiopathic Thrombocytopenic Purpura (ITP)

1) 임신 중 문제점

① 항혈소판 항체인 IgG autoantibody가 태반을 통과

→ 태아에게도 혈소판 감소증을 일으켜 두개 내 합병증등을 야기할 수 있다.

② 모체의 혈소판 수와 태아의 혈소판 수와 상관 관계가 없으므로 태아 상태를 예측하기 어렵다.

2) 임상양상

: 점상출혈, 멍듬, 비출혈, 월경과다, 혈뇨

3) 진단기준

① 말초혈액 혈소판 감소(≤ 5만/mm^3), 골수에서 정상 혹은 증가된 거대핵세포

② 자반, 반상출혈

③ 간비대(-), 비장비대(-)

④ BT↑, PT와 PTT 정상

⑤ 항혈소판 항체 검출

4) 임신 중 ITP의 치료

: 혈소판수가 50,000/mm^3 이하일 때, Corticosteroid therapy 시작

→ Prednisone 1 mg/kg(태반은 잘 통과하지 않으므로 사용 가능)

- 면역 억제제는 사용하지 않는 것이 좋다.

5) 분만 중 관리

(1) 고려사항

① 모체의 혈소판 수로는 태아 혈소판 수를 알 수 없다.

② 분만 방식은 태아의 혈소판 수를 평가하여 결정

(2) 분만 방법

① 임신부 혈소판수가 100,000/mm^3 이하이면 분만중 태아두피 혈액이나 제대 혈액을 채취

하여 태아 혈소판 수가 50,000/mm^3 이하이면 C-sec

② 혈소판 감소가 심하지 않으면 주의하면서 질식 분만 시도

- 혈소판 수혈은 장기적인 효과를 얻기 어렵다.

VII. 내분비계 질환

1. 당뇨병

1) 분류

(1) 임신성 당뇨병(Gestational DM)

(2) 현성(임신 전) 당뇨병(Overt DM, Pregestational DM)

Classification of Diabetes complicating pregnancy				
1. 임신성 당뇨병(Gestational DM)				
Class A1 A2	Onset Gestational	Fasting plasma glucose 105 mg/dL 이하 105 mg/dL 이상	2-hour Postprandial glucose 120 mg/dL 이하 120 mg/dL 이상	Therapy Diet Insulin
2. 현성 당뇨병(Pregestational DM, Overt DM)				
Class B C D F R H	Age on Onset 〉20 10~19 〈10 Any Any Any	Duration (Years) 〈10 10~19년 〉20 Any Any Any	Vascular disease None None Benign retinopathy Nephropathy Proliferative retinopathy Heart	Therapy Insulin Insulin Insulin Insulin Insulin Insulin

현성 당뇨병(Pregestational DM)	임신성 당뇨병(Gestational DM)
1. 모성 당뇨병 형태 　① 1형 : Ketone 혈증 　② 2형 : 비만, 고혈압 **2. 대사 조절 및 시간** 　① 임신 초기 : 출생 시 결림 및 자연유산 　② 임신 후기 : 과인슐린증, 과성장, 사산, 진성 적혈구증, 호흡곤란 **3. 모성 혈관 합병증** 　① 망막 병변 : 임신중 악화 　② 신장 병변 : 부종, 고혈압, IUGR	**1. 태아 위험** 　•고인슐린증 및 거대아 : 사산 **2. 모성 사망** 　① 임신중 고혈압 질환 　② 임신 후 당뇨병 **3. 대사 조절** 　① 공복 혈당 〈 105 mg/dL (Class A1) 　② 공복 혈당 〉 105 mg/dL (Class A2)

2) 임신성 당뇨병(Gestational DM)

(1) 임신성 당뇨병(Gestational DM)의 진단

A. 선별검사

a. 위험인자

임신성 당뇨병의 위험도에 따른 선별검사
저위험군(screening 필요하지 않음) 　GDM 유병률이 적은 민족 　1차 직계가족에 DM없는 경우 　25세 이하 　임신 전 체중 정상 　당대사이상의 병력없는 경우 　불량한 산과적 병력 없는 경우 중등도 위험군(24-28주 사이에 screening 시행) 　스페인계, 아프리카, 미국인, 동아시아인, 남아시아인 고위험군 (임신 진단 후 가능한 빨리 screening 시행 　고도비만 　Type 2 DM의 가족력 　GDM, 내당능장애, 요당의 과거력

b. 방법 ☆

- 50 g - Oral glucose tolerance test (OGTT)를 24~28주에 시행(식사 여부에 상관없음)

  → 1시간 후 140 mg/dL 이상이면 Positive

  → 이 때 100 g OGTT 시행(확진 검사)

B. 확진검사 ☆

- 100 g-3-hour Oral glucose tolerance test로 진단

- 비정상 OGTT 결과를 보이는 임신부의 70%에서 출산후 영구적인 당뇨병 발생

- 당부하 검사의 적정 시기 : 임신 말기

100 g OGTT에 의한 GGDM 진단기준(단위: mg/dL)		
당 측정시간	NDDG (1979)	Carpenter and Coustan (1982)
공복	105	95
1시간 후	190	180
2시간 후	165	155
3시간 후	145	140
2개 이상이 기준 이상 수치인 경우 진단		

(2) GDM이 태아에 미치는 영향

① 태아 기형은 증가하지 않음(cf. 현성 당뇨병에서는 증가)

② 원인 불명의 사산

③ 고혈압

④ C-sec↑

⑤ 거대아 : 분만 손상, 어깨난산, C-sec↑

(3) GDM 치료

① diet, exercise

② insulin : 식이요법, 운동으로도 공복혈당이 95 mg/dL, 식후 1시간 혈당이 140 mg/dL, 식후 2시간 혈당이 120 mg/dL 이상인 경우

(4) 출산 후 DM 검사

① 75 g OGTT 시행 → overt DM 판단

② GDM 임신부의 50% 이상이 20년 이내에 overt DM

3) 현성 당뇨병(Overt DM)

(1) 진단

① Random plasma glucose level > 200 mg/dL Plus

② Polydypsia, Polyuria, Weight loss

③ 공복혈당이 125 mg/dL를 초과하는 경우, 당화혈색소가 6.5% 이상인 경우

(2) 임신이 당뇨병에 미치는 영향

• 임신은 당뇨병의 형성 인자가 된다.

① Placental lactogen, Estrogen, Progesterone에 의한 Insulin 길항작용

② 태반의 Insulinase의 작용

• 분만 후 인슐린 요구량은 감소

(3) 당뇨병이 임신에 미치는 영향 ☆

모체에 미치는 영향	태아에 미치는 영향
자간전증 신장병증 망막병증 신경병증 감염 케톤산증	자연유산 태아사망 태아기형 양수과다증 큰몸증 자궁 내 태아성장제한 조산

(4) 산전 관리

① 철저한 혈당 조절이 매우 중요

② 임신 전 당화혈색소(HbA1c)를 7% 미만으로 낮출 것을 권장

③ 신경관 결손증 예방을 위해 임신 전부터 하루 400 mcg 엽산 복용 권장

④ 신경관 결손증 선별검사 : 16~20주에 maternal serum AFP 측정

⑤ 임신 20~22주에 태아 심장초음파 검사를 포함한 정밀 초음파 검사 시행

⑥ 임신 32~34주 사이부터 태아 안녕 검사 시행

(5) 분만 시기 ☆

① 일반적으로 임신 39~40주 사이에 분만할 것을 권장

② 혈당조절이 잘 안되거나, 전자간증, 태아발육지연, 신장병증이 있는 경우 조기분만 고려

③ 초음파 예상 체중이 4.5 kg 이상인 경우 제왕절개수술 고려

(6) 분만 방법

- **제왕 절개술이 선호** : 거대아(Macrosomia) 분만으로 인해 분만 손상을 방지하고, 태아의 효과적인 분만을 위해 분만일에는 Insulin 용량을 감소시켜야 한다.

(7) 피임 방법

- Barrier 방법을 추천(condom이나 diaphragm)

  더 이상 자녀를 원하지 않으면 영구 불임술 실시

- 경구 피임제, 자궁 내 피임장치(IUD)는 금기

2. 갑상샘 질환

- 임신 중 갑상샘 기능 변화

임신 중 갑상샘 기능 변화		
증가	정상	감소
TBG (estrogen 증가에 기인) Total T_3, T_4	Free T_3, T_4 (임신초반기에 약간 증가 후 정상으로 회복) TSH, TRH	T_3 resin uptake

1) 갑상샘기능항진증(hyperthyroidism)

(1) 임상증상

① 빈맥(≥ 100회/분)

② 갑상샘 종대

③ 안구 돌출, 눈꺼풀내림 지체(lid lag)

④ 임신에 따른 체중증가가 없는점

(2) 진단

① TSH↓

② free T_4↑

(3) 치료 ☆

① Prophythiouracil (PTU)

- Methimazol보다 태반을 적게 통과해서 더 선호

- $T_4 \rightarrow T_3$ 전환 억제

• PTU와 Methimazol 모두 모유수유가 가능

② 치료에 대한 반응은 혈중 free T_4로 판단

③ 수술(subtotal thyroidectomy) - 약제에 반응하지 않거나 환자가 약물복용을 잘 하지 않는 경우, 임신 중기 초~임신 말기 초에 실시

④ 임신 시 방사선 동위원소를 이용한 치료는 금기

(4) 합병증

Pregnancy outcomes in 207 women with Overt thyrotoxicosis		
Factor	Treated and Euthyroid	Uncontrolled Thyrotoxicosis
A. Maternal outcome		
1. Preeclampsia	17 (11%)	15 (17%)
2. Heart failure	1	7 (8%)
3. Death	0	1
B. Fetal outcome		
1. Preterm delivery	12 (8%)	29 (32%)
2. Growth restriction	11 (7%)	15 (17%)
3. Stillborn	59	6/33 (18%)
4. Thyrotoxicosis	1	2
5. Hypothyroidism	2	0
6. Goiter	4	0

(5) Thyroid storm & Heart failure

① Severe preeclampsia, Infection, Anemia가 있을 때 Thyrotoxicosis가 악화

② Thyroxine의 Myocardial effect에 의해 Heart failure가 발생

③ 치료 - Supportive therapy와 Serious hypertension, Infection, Anemia에 대한 aggressive therapy가 필요

  a. ICU에 입원

  b. Fluid & Electrolyte balance 유지

  c. Fever control with Acetaminophen

    : Salicylate는 금기(Plasma protein으로부터 Thyroid hormone을 유리시킴)

  d. Propylthiouracil 1 g을 투여하고, 8시간마다 150~200 mg 씩 투여

  e. Iodide 투여(Potassium iodide or Lugol solution)

    : Thyroid hormone release 억제

f. Dexamethasone 투여

g. Propranolol or Esmolol의 투여

(6) Effect of Thyrotoxicosis on Neonate

① Maternal thyroid-stimulating Ab (LATS)의 통과로 Thyrotoxicosis 발생

② Propylthiouracil의 태반 통과로 인한 Hypothyroidism

2) 갑상샘기능저하증(hypothyroidism)

(1) 진단 : 혈중 T_4 감소 & TSH 증가

(2) 치료 : Levothyroxine (Synthyroid) 하루 0.05~0.2 mg을 투여

(3) 합병증

① Preeclampsia

② Low-birth weight infant

③ Placental abruption

④ Stillbirth

⑤ Cardiac dysfunction

⑥ Postpartum hemorrhage

⑦ Anemia

⑧ Cretinism & Goiter of Newborn infant

• But) 일반적으로 갑상샘기능저하증의 임신부에서 태어난 신생아는 갑상샘기능장애가 없다.

3) 산후 갑상샘염(postpartum thyroiditis)

(1) 5~10% 산모, 산후에 일과성으로 발생

(2) painless lymphocytic thyroiditis

(3) 이후 갑상샘기능저하증이 발생할 가능성 25%, thyroid peroxidase antibody(+)인 경우 더 높은 확률

(4) 치료 : 대개 필요하지 않음(self-limited)

3. 뇌하수체 질환

1) Prolactinoma

- 젖흐름증, 무배란에 의한 무월경, 불임이 초래 - 임신이 되지 않는 경우가 흔함

- Bromocriptine으로 치료를 받아 혈중 프로락틴치가 정상으로 감소 - 배란이 회복, 임신 가능

2) Sheehan syndrome(시한 증후군)

(1) 원인

: 산과적 출혈의 결과로 발생한 뇌하수체의 허혈 및 괴사

(2) 증상

① 가장 흔한 초기 징후 - 유즙 분비의 소실

② 만성 피로, Oligomenorrhea or Amenorrhea, 한냉 불내성, 거친 피부와 머릿결, 주의 집중장애, 저혈당, 체중감소

- 평균 5년 후에 증상이 나타난다.

- Hormone 소실 순서

  a. Prolactin

  b. Gonadotropin (LH, FSH)

  c. Growth hormone

  d. TSH

  e. ACTH

(3) 치료

: 갑상선 호르몬과 부신피질 호르몬의 보충(Mineralocorticoid는 불필요)

4. 부갑상샘 질환

1) 부갑상샘과다증

- 임신 중 합병 드물다.

2) 부갑상샘저하증

- 대부분 부갑상샘 또는 갑상샘 수술을 받은 후에 발생

VIII. 결합조직계 질환

cf) 임신 중 결합조직계 질환에 쓰이는 약물

① Steroid, Salicylate, 면역억제제 등은 사용 가능

② 금기 - Antimalarial drug, Gold salt, Penicillamine

1. 전신홍반루푸스(Systemic Lupus Erythematosus, SLE)

1) 증상 및 진단

•임신 중 동반되는 가장 흔한 결체조직 질환

Criteria For Classification Of Systemic Lupus Erythematosus	
1. Malar rash	malar erythema
2. Discoid rash	Erythematous patches, scaling, follicular plugging
3. Photosensitivity	
4. Oral ulcers	Usually painless
5. Arthritis	Nonerosive involving two or more peripheral joints
6. Serositis	Pleuritis or pericarditis
7. Renal disorder	Proteinuria greater than 0.5 g/day or 〉 3+ dipstick, or cellular casts
8. Neurologic disorder	Seizures or psychosis without other cause
9. Hematologic disorder	Hemolytic anemia or leukopenia or thrombocytopenia
10. Immunologic disorder	anti-dsDNA or anti-Sm antibodies or false-positive VDRL, IgM or IgG anticardiolipin antibodies, or lupus anticoagulant
11. Antinuclear antibodies	An abnormal titer of ANAs

If four of these criteria are present at any time during the course of disease, a diagnosis of SLE can be made with 75 percent specificity and 95 percent sensitivity.

2) 임신과의 관계

(1) 임신이 SLE에 미치는 영향

•1/3은 호전, 1/3은 악화(lupus flare), 1/3은 변화가 없다.

(2) 합병증

- 유산, 조산, 자궁 내 태아 발육지연, 자간전증, 조기진통의 위험도 상승

- 루푸스 신장 질환이 있는 경우 중복 자간전증이 더 잘 합병

● 성공적인 임신을 기대할 수 있는 조건

① 임신 전 최소 6개월 이상의 완화 기간

② 단백뇨 또는 신기능 저하 등을 동반하는 루푸스 신장염이 없는 경우

③ 항인지질항체 또는 루프스항응고인자가 없는 경우

④ 중복자간전증이 발생하지 않은 경우

(3) SLE가 태아에 미치는 영향

① 자궁 내 성장 장애

② 신경학적 후유증

③ 신생아에서 SLE 발생 : 원인 - IgG anti-SSA (Ro), anti SSB (La) 등의 항체 통과

④ 심상과 혈액 이상 - 가상 낳은 증상

3) Management

(1) 임신 중 SLE의 monitoring

: 임신 기간동안 및 산욕기에 주기적인 혈액 검사, 신기능 검사, 간기능 검사를 시행

(2) 임신 중 태아 관리

① 주기적인 초음파 검사

② 제대 혈액에서 LE cell의 발견

(3) 치료

: 비임신부와 동일 - Corticosteroid, Azathioprine, Hydroxychloroquine

(4) IUD나 estrogen은 피한다.

2. Antiphospholipid antibody syndrome

• Antiphosphilipid antibody에는 Lupus anticoagulant, Anticardiolipin antibody가 있다.

1) 역학

- 전신홍반루푸스와 동반되어 나타나기도 한다.

2) Antiphospholipid antibody syndrome의 진단기준(임상기준 1개 이상과 검사기준 1개 이상 이 존재할 때 진단) ☆

임상적소견	검사소견
1. 1회 이상의 정맥, 동맥, 혹은 작은 혈관 내 혈전증 2. 임신관련이환 　1) 임신 10주 이후 1회 이상의 원인불명의 외견상 정상인 　　태아의 사망 병력 　2) 자간증, 중증 전자간증 혹은 태반기능부전으로 인한 　　임신 34주 이전의 1회 이상의 조기 분만 　3) 임신 10주 이전 3회 이상 원인불명의 반복유산	1. 루푸스 항응고인자 : 12주 간격으로 2회 이상 양성 2. 항 카디오리핀 항체 IgG : 12주 간격으로 2회 이상 중간 　이상의 역가로 양성 3. 항 베타당단백 1 항체 : 12주 간격으로 2회 이상 중간 이 　상의 역가로 양성

3) 임신에 대한 영향

- 습관성 유산, 자궁 내 태아발육 부전, 조발형 자간전증, 자궁 내 태아사망, 태반 경색 등

4) 치료 ☆

① 저용량의 아스피린

② Unfractionated heparin 또는 LMWH

IX. 신경 및 정신 질환

1. 신경 질환

● 임신과 신경 질환과의 관계

: 신경학적 질환이 임신에 대해서 큰 영향을 미치지 않고, 임신 또한 기존의 신경학적 질환을 악화시키지는 않는다.

● 임신 중 신경 질환의 진단

: 여러 진단 기기의 사용이 임신 시 금기가 되지는 않는다.

① CT - 복부 차단을 한 상태에서 촬영 가능

② MRI

③ Cerebral angiography - 금기가 아니며, 복부 차단을 잘해야 함

1) 간질(Epilepsy)

- Eclampsia와 감별해야 함(※ History가 중요 : HTN, edema)

(1) 임신과의 관계 ☆

① 임신이 간질에 미치는 영향

: 임신 중 구역, 구토, 위장관 운동 감소, GFR 증가로 인한 항간질제의 혈중농도 감소로 경련의 발생 위험 증가

② 항간질제가 태아에 미치는 영향

a. 임신유발성 고혈압

b. 제왕절개 분만

c. 조산

d. 저체중아

e. 선천성 이상 발생증가

f. 주산기 사망률이 2~3배 증가

(2) 치료 시 고려사항 ★

① 치료 원칙 - 가장 최소의 유효 용량을 단독으로 투여(임신 시 약물을 중단해서는 안됨)

② Epilepsy Patient가 임신 시 Convulsion이 많은 이유

a. 임신 초기에 나타나는 오심, 구토로 인한 약물 흡수 장애

b. 임신부가 약물 복용 중단

③ 임신 중 약물 용량을 증가시킬 필요는 없다.

: 약물 대사가 증가하여 약물의 Serum level은 감소하지만, Free or Nonprotein-bound

drug의 양이 증가하기 때문

(즉, 임신 중에는 약물의 serum level monitoring이 의미가 없다)

(3) 항경련제가 태아 및 유아에 미치는 영향

① Phenytoin±Phenobarbital

: 신생아의 비타민 K-dependent coagulation factor의 결핍 초래

• 예방 → 신생아에게 비타민 K (IM)를 투여하거나, 임신부에게 비타민 K 투여

• Fetal Hydantoin Syndrome

a. Craniofacial Malformation (Cleft palate, Cleft lip)

b. Mental Retardation

c. 사지 이형증 Dysmorphosis

d. 선천성 심장 기형 증가

② Carbamazepin ± Phenobarbital : Microcephaly, Spina bifida

③ Valproic acid : 안면, 사지, 골격계의 기형, 태아 발육지연, Neural tube defect

④ Trimethadione : 강력한 기형 발생물질로 임신 시 금기

2) 뇌혈관 질환

• 두개강 내 출혈 및 지주막하 출혈

① 만삭에 가까우면 제왕 절개 분만 후 수술

② 임신초기의 뇌출혈 - 치료적 유산

③ Antifibrinolytic agent는 임신 중 금기

3) 척수 손상

- 외상이나 종양에 의한 병변이 있더라도 임신이 가능하고 임신경과도 좋은편

- 병변이 위쪽에 있다면 분만이 시작되었다는 것을 느끼지 못하므로 28주부터는 일주일 간격으로 내진을 권한다.

- 분만 방법 - 골반 기형이 없으면 <u>질식 분만</u>이 좋다.

2. 정신 질환

1) 산후 우울기분장애(Postpartum blues)

- 분만 3~6일 내 임산부 50%에서 나타나는 정서(Mood)장애

- 원인 - Progesterone의 영향

- 치료 - 안정, 정신질환 예방을 위한 관찰

2) 산후 우울증(Postpartum depression)

(1) 분만 후 1~3개월 내 시작

(2) 원인

① 임신중 및 분만중에 경험한 흥분과 두려움에 따른 정서적 불안감

② 산욕기 초기의 불편감

③ 수면 부족으로 인한 피로

④ 퇴원 후 양육에 대한 걱정

⑤ 매력 저하에 따른 불안감

(3) 치료 - 대부분 약물치료 필요

(4) 치료받지 않는 경우 25%에서 우울증이 일년 후에도 지속

3) 산후 정신병(Postpartum psychosis) ☆

(1) 정의 : 출산과 시간적 연관성을 가진 망상과 극심한 우울증을 동반하는 정신병

- 빈도 - 1/1,000

- 발병시기 - 출산 2~3주 후

- 출산 후 30일 이내 증상 시 진단

(2) 원인 ☆

① 기존의 양극성 장애, 정신분열증

② 출산 시 감염

③ 약물

④ 임신중독

⑤ 출혈

(3) 예후가 좋은 경우

① 병전 성격이 좋은 경우

② 정신분열증이나 우울증이 없을 때

③ 가족들의 지지가 있을 때

(4) Treatment - 입원치료

① 항우울제, Lithium, 항정신병 약물

② 특히 자살, 영아살해 등을 예방해야 함

X. 피부 질환

1. 임신 중 생리적 피부변화(★)

1) Hyperpigmentation

(1) 빈도 : 모든 임신부 90%(특히, 검은 피부를 갖는 임신부에 두드러짐)

(2) 원인 : Melanin Stimulating Hormone (MSH)과 Estrogen 증가

(3) 형태

① 유륜, 회음부, 배꼽, 액와, 대퇴부 내측의 색소 침착

② 기미(Chloasma or Melasma)

③ linea nigra(흑선) : linea alba(백선)에 색소가 침착된 것

(4) 치료

① 2~5% Hydroquinone

② 0.1% Tretinoin ointment or cream

③ 자외선 차단제

2) 모반(Nevi)

3) 모발 성장의 증가

• Estrogen과 Progesterone의 영향으로 모발의 성장/정지 비율이 증가

※분만 후 비율이 역전되어 탈모 가능 But, 6-12개월 내 정상회복

• 경미한 다모증이 흔히 나타나며 안면에 뚜렷

4) 혈관변화

(1) Spider Angioma

(2) Palmar Erythema

(3) Capillary Hemangioma

(4) 임신성 치은염(Gingivitis)

(5) Varicosities

2. 임신 중 피부 질환의 종류 ★

1) 임신성 간내 쓸개즙 정체(Intrahepatic cholestasis of pregnancy)

① 증상 : 가려움을 동반한 황달과 황달은 동반하지 않고 가려움증만 보이는 두가지 양상

② 진단 : 혈청 담즙산의 농도 증가

③ 치료 : 피부연화제나 국소적인 가려움약, 콜레스티라민, UDCA

2) 임신 소양성 두드러기성 구진과 발진

① 증상 : 심한 가려움증을 동반하는 발진

② 치료 : 항히스타민제, 피부연화제, 코티코스테로이드 연고 또는 크림, 경구 코티코스테로이드

3) 임신 아토피 발진

① 임신 중 습진, 임신가려움발진, 임신 소양성 모낭염을 포함하는 명칭

② 치료 : 항히스타민제, 국소코티코스테로이드 연고, 심하면 단파장 자외선 광선요법, 경구
코티코스테로이드나 cyclosporine

4) 임신 유사 천포창(Pempigoid gestationis)

① 증상 : 매우 심한 가려움을 동반한 발진성 병변

② 치료 : 초기-항히스타민제, 코티코스테로이드 연고, 진행시-경구 코티코스테로이드제

3. 기존의 피부질환과 임신

1) 여드름, 건선, 습진

: 임신 중 경과를 예측할 수 없다(좋아지거나 나빠질 수 있음).

2) 결절홍반(Erythema nodosum)

: 1~5 cm 정도의 압통이 있는 붉은 결절이나 판으로 팔다리의 신전부위, 특히 정강뼈 앞에 흔히 발생

3) 화농성 한선염(Hidradenitis suppurativa)

: 임신에 의해 호전, 분만 후 다시 악화

4) 고름육아종(Pyogenic granuloma)

: 주로 잇몸 점막에 발생, 보통 자발 출혈이 있는 궤양성 병변을 보인다.

XI. 종양

1. 서론

1) 임신 중 암발생의 빈도

① 양성 종양 : 자궁근종과 난소낭종이 가장 흔함

② 악성 종양 : 흑색종, 자궁경부암, 림프선종, 유방암, 난소암 및 백혈병

2) 임신 중 암의 진단이 늦어지는 원인 ☆

① 암으로 인한 증상이 임신때문인 것으로 생각되기 쉽다.

② 임신으로 인한 생리적, 해부학적 변화로 진찰이 어렵다.

③ 많은 혈중 종양 표지물(β-hCG, α-fetoprotein, CA-125)이 임신 중 증가

④ 임신 중에는 Imaging study나 Invasive diagnostic procedure를 시행하기 어렵다.

3) 임신 중 암치료의 원칙

(1) 수술

: 임신부의 안녕이 위태로울 경우에는 임신주수에 관계없이 치료를 위한 수술을 시행하여야 한다.

(2) 방사선 치료

① 진단적 X-ray 시술 - 적응증이 되고, 얻어진 정보가 직접적으로 치료에 영향을 준다면

연기하지 말아야 함

② 치료적 방사선 - 기형 발생과 태아 후유증을 야기하므로, 치료 목적의 Abortion induction이 아니면 피한다.

③ 산전 Radiotherapy 후 6~12개월 동안은 임신을 하지 않도록 한다.

: RT or CT 후 1년 이내에는 자연유산 또는 저체중아 빈도 증가

④ High-dose radiation의 특징적 부작용(가장 결정적 시기 : 8~15주)

　a. 소두증

　b. 정신발육지연(mental retardation)

⑤ 태아 발육의 시기별로 본 방사선 조사의 효과

　a. 착상전기와 착상초기 - 수태 후 첫 10일간

　　: 자궁내 사망

　b. 기관 형성기(organogenesis) - 발생 10일~발생 7주

　- 태내 발육지연

　- 중추신경 기형(소두증, 심한 정신발육 지연, 눈의 기형)

　c. 태아기(Fetal stage) - 발생 8주~임신 말기

　　: 육안적 이상은 적지만, 영구적인 발육 지연 발생 가능

(3) 화학요법(Chemotherapy)

　•가장 민감한 시기 - 임신 5~10주(Organogenesis 시기)

　a. 1st trimester에 높은 기형을 보이는 약물(가장 민감한 시기)

　　- Folic acid antagonists등의 Antimetabolite

　　　: Methotrexate, Aminoprotein

　　- Alkylating agent

　　　: Busulfan, Chlorambucil, Cyclophosphamide, Nitrogen mustard

　b. 2nd & 3rd trimester

　　: 저체중, 태내 발육지연, 자연유산, 조산

　c. 수유 중 금기인 항암제

　　: Hydroxyurea, Cyclophosphamide, Cisplatin, Doxorubicin, Methotrexate

　d. 암치료 후 난소 기능

- ovarian fibrosis가 발생하거나 난포 성숙의 약화

  → 수정 능력 저하

- 유산, 태아 염색체 손상, 태아 기형과는 무관

2. 각론

1) 유방암

(1) 임신과 유방암의 관계

: 임신이 유방암의 경과에 영향을 미치지는 않는다.

(2) 진단과 치료

① 진단

a. 전이에 대하여 Chest X-ray를 포함한 최소한의 조사 실시

b. 뼈와 간으로의 전이에 대한 동위원소검사는 임신 중 금기

→ MRI & US으로 대치

② 치료

a. 임신때문에 수술적 치료가 연기되어서는 안된다. ☆

b. Lymph node 양성인 경우는 즉시 보조적 항암요법 시행

c. 방사선 치료는 임신 중에는 시행하지 않는다.

d. 수술로 난소를 절제하는 것은 임신 중에는 시행하지 않는다.

(3) 유방암 치료 후 임신

: 재발여부를 보기위해 2~3년 정도 관찰 후 임신하도록 한다.

2) 자궁 경부암

(1) 상피내암(Intraepithelial neoplasia)

① 진단

; Colpo-direct biopsy

• 금기 ☆

a. 자궁 경관 내 소파 - 출혈, 양막파수

b. 원추 절제술 - 양막파수, 출혈, 유산, 조산

② 치료 ☆

: 임신을 만삭까지 지속시켜 질식분만 시킨 후, 분만 후 적절한 치료 시행

American Society for Colposcopy and Cervical Pathology (ASCCP) Guidelines for Initial Management of Epithelial Cell Abnormalities in Pregnancy		
Abnormality	Adults	Adolescents[a]
ASC-US HPV positive HPV negative HPV unknown	Colposcopy 6 wk pp Repeat cytology 6 wk pp Repeat cytology 6 wk pp	Repeat cytology 6 wk pp
LSIL	Colposcopy during pregnancy (preferred) May defer until 6 wk pp	Repeat cytology 6 wk pp
ASC-H HSIL SCCA AGC AIS adenoCA	Colposcopy during pregnancy[b]	

[a]Adolescents = < 21 years
[b]Endocervical curettage and endometrial sampling are contraindicated in pregnancy.
adenoCA = adenocarcinoma; AGC = atypical glandular cells; AIS = adenocarcinoma in situ;
ASC-H = atypical squamous cells, cannot exclude high-grade squamous intraepithelial lesion;
ASC-US = atypical squamous cells of undetermined significance; HPV = human papillomavirus;
HSIL = high-grade squamous intraepithelial lesion; LSIL = low-grade squamous intraepithelial lesion; SCCA = squamous cell carcinoma

　　(2) 침윤성 자궁경부암(Invasive cervical cancer)

　　　① 진단

　　　　•임신 중에는 병기 결정이 어렵다.

　　　　　: Parametrial induration이 뚜렷하지 않음

　　　　•골반에 대한 제한적 CT, MRI, 방광경, 직장경 검사 시행

　　　② 치료

　　　　•즉시 치료하는 것이 원칙 ☆

　　　　A. 임신 전반부 : 즉각적 치료

　　　　　　a. 수술 방법 - 태아를 자궁 내에 둔채로 자궁 적출

　　　　　　b. 방사선치료 방법 - 태아를 자궁 내에 둔채로 체외조사

　　　　B. 임신 후반기

　　　　　　a. 수술 방법 - 자궁 절개하여 태아 분만 후 수술

b. 방사선치료 방법

- 태아 성숙을 기다려 태아 폐성숙이 확인되면 제왕절개 분만 후 방사선치료 시행

임신 중 침윤성 자궁경부암의 치료 ☆	
수술적 치료	**방사선 치료**
1. First trimester & Early second trimester • 자궁 내 태아가 있는 상태에서 광범위 자궁절제술 및 골반 내 림프절 절제술 시행 2. Late second trimester • 태아가 생존력이 생길 때까지 기다렸다가 고전적 제왕절개술을 시행한 후 즉시 광범위 자궁절제술 및 골반 내 림프절 절제술을 시행 3. Third trimester • 고전적 제왕절개술 후 광범위 자궁절제술 및 골반 내 림프절 절제술을 시행 4. Postpartum • 광범위 자궁절제술 및 골반 내 림프절 절제술을 시행	1. **태아가 생존력이 없을 때** (First & Second trimester) • 치료는 비임신 시에 준하여 시행. 골반에 체외 방사선조사 시행. 태아는 자연적으로 배출됨이 좋음 2. **태아가 생존력이 있을 때(Third trimester)** • 고전적 제왕절개술 후 체외 방사선 조사 시행을 마친 후 Cesium implant 시행 3. Postpartum • 비임신 시기에 준하여 방사선 치료 시행. 체외 방사선 조사 후 자궁강내 방사선 치료 시행

3) 난소 종양

(1) 임신 중 난소종양의 치료 원칙

① Small (< 6 cm) Benign asymptomatic tumor

→ Observation

② Large tumor (> 6 cm)

a. Early pregnancy

㉠ 1st trimester 후까지 연기(ovary에서 placenta로 progesteron 합성 이동 후)

→ 16주에 수술(4개월)

㉡ Complication, 10 cm 이상, Malignant 의심 시 즉시 수술

b. Late pregnancy

㉠ Vaginal delivery 후까지 Operation 연기

㉡ C-section delivery 시는 같이 수술

c. Mid-trimester

: Non-pregnant 시와 같이 chemotherapy 할 수 있음

③ Luteoma of pregnancy

: 임신 14주 전에 대부분 저절로 없어짐

(2) 임신과 난소암과의 관계

- 임신이 난소암의 예후를 변화시키지는 않는다.

- 단 염전, 파열같은 합병증에 의해 자연 유산이나 조산의 빈도를 증가시킬 수 있다.

(3) 치료

임신 중 난소암의 치료 ☆

1. 비임신상태(Non-pregnant state)와 같이 치료
2. 탐색 개복술(Exploratory laparotomy)을 시행
3. 골반강과 복강으로부터 세포진 검사를 위한 체액(복수)을 흡인, 채취
4. 종양의 분화도가 낮고(Low grade), 편측성(Unilateral)이며, 피막(Capsule)이 잘 형성되어 있을 경우
    a. 편측성 난소난관 절제술을 시행
    b. 반대측 난소의 조직검사를 시행하여, 종양 조직이 없으면 적절한 치료로 간주
    c. 임신은 만삭까지 유지
5. 종양이 난소를 넘어서 파급되어 있는 경우
    a. 세포진 검사(Cytology)를 위한 복수의 흡인, 채취
    b. 전자궁적출술을 시행
    c. 양측 난소난관 절제술을 시행
    d. 충수절제술(Appendectomy)을 시행
    e. 대망절제술(Omentectomy)을 시행
    f. 적응증에 따라 항암화학요법을 시행
    g. 림프절의 채취(Node sampling)를 시행

XII. 감염성 질환

임신과 면역학

1) 임신부의 면역학적 변화

- 임신 시 면역 기능의 장애는 없다

① 혈중 Immunoglobulin이 약간 감소하지만 기능 장애는 없음

② Lymphocyte의 Cytotoxic response는 감소되지 않는다.

2) 태아와 신생아의 면역학

(1) 능동 면역력은 소아나 성인에 비해 감소

(2) 면역계의 발달

① 임신 9~15주 - 세포성 면역과 체액성 면역이 발달하기 시작

② 태아는 IgG와 IgM을 모두 생성할 수 있으며, 감염 시 주로 IgM을 생성

③ IgG의 경우 주로 모체에서 생성된 IgG가 태반을 통과하여 점차 증가

: 임신 16주부터 급격히 통과가 증가

임신 26주에는 태아와 모체의 IgG 농도가 비슷해짐

★ 기형을 초래하는 감염(TORCHS)

    a. Toxoplasmosis

    b. Rubella

    c. CMV

    d. Herpes virus

    e. Syphilis

Cause of Fetal and Neonatal infection		
Intrauterine infection	**Intrapartum infection**	**Neonatal infection**

A. Transplacental
  1. Virus
    ① Varicella-Zoster
    ② Coxsackie,
    ③ Parvovirus
    ④ Rubella
    ⑤ CMV
    ⑥ HIV
  2. Bacteria
    ① Syphilis
    ② Listeria
  3. Protozoa
    ① Toxoplasmosis
    ② Malaria
B. Ascending infection
  1. Bacteria
    ① GBS
    ② Coliforms
  2. Virus
    : HSV
	A. Maternal exposure
	  1. Bacteria
	    ① Gonorrhea
	    ② Chlamydia
	    ③ GBS
	    ④ Tuberculosis
	  2. Virus
	    ① HSV
	    ② Papillomavirus,
	    ③ HIV
	    ④ HBV
	B. External contamination
	  1. Bacteria
	    ① Staphylococcus,
	    ② Coliform
	  2. Virus
	    : HSV
		A. Human transmission
		  ① Staphylococcus
		  ② HSV
		B. Respirator & Catheter
		  ① Staphylococcus
		  ② Coliforms

1. Virus 감염

1) 수두대상포진(Varicella-Zoster)

(1) 태아에 미치는 영향

• 임신 초기 임신부가 감염된 경우 선천성 기형 초래 가능

  : 맥락망막염, 소안구증, 백내장, 대뇌피질 위축증, 수신증, 피부와 하지골격의 결손

① 가장 위험한 시기 : 임신 13~20주 사이

② 임신 20주 이후에 감염 시

- 선천성 기형 발생 안함

- 임신 말기에 감염된 태아가 출생 수개월 후에 대상포진이 생길 수는 있다.

③ 분만을 전후하여 노출된 경우

- 임신부의 항체가 형성되기 전이므로 출생 후 신생아 시기에 심각한 위험이 있을 수 있다 (파종성 감염 초래 가능).

(2) 대책

① 노출된 임신부에게 Varicella-zoster immunoglobulin을 투여할 수 있다.

② 폐렴이 발생할 경우

   a. 산소투여(필요한 경우 인공호흡기 치료)

   b. 중증인 경우 Acyclovir 투여

③ 분만 5일 전~분만 2일 후 사이에 모체의 수두감염이 시작된 경우

   : 신생아에게 Varicella-zoster immunoglobulin을 투여해야 한다.

④ 임신 중에 수두 예방접종은 추전되지 않는다.

2) Influenza

① Influenza vaccine - 임신주수에 관계없이 임신부에게 안전하게 사용가능

② Osteltamivir, Zanamivir (Neuramidase 억제제) : 감염 의심 시 조기에 투여하여 증상 발현 기간 줄인다.

3) 볼거리(Mumps)

① 태아의 선천성 기형은 발생하지 않는다.

② 예방 접종 금기

4) 홍역(Measles)

① 임신 중 감염 시 유산 및 저체중아의 빈도 증가

② 분만 직전 임신부가 감염되면, 신생아 감염의 위험이 높다.

   : 태아에게 3일 내에 Immunoglobulin 근주

③ 예방 접종 금기

5) 풍진(Rubella)

(1) 전염경로

① 호흡기를 통한 비말 감염

② 태반을 통한 태아 감염

(2) 증상

① 잠복기 - 2~3주

② Lymphadenopathy

③ 발진(Rash)

(3) 풍진 감염 시 항체 생성및 혈청학적검사(발진 후 1~2주)

① IgG

• 노출 후 12~14일에 혈청에서 생성되어 농도가 상승

• 생성되면 거의 평생 지속 ★

• 2~3주 사이에 Titer가 4배 이상 증가하면 최근에 감염되었음을 시사

• Titer가 1:8 이상이면 풍진에 대한 면역이 있다고 판정

② IgM

• 노출 후 12~14일에 생성되기 시작

• 30일 후에는 거의 소실된다. ★

• 즉, IgM 검사는 발병 4주 이내의 최근 감염을 시사

• 태아의 제대혈에서 검출되면 태아 감염을 의미

Diagnosis rubella in pregnant woman who recently contacts with Rubella patient			
A. Contact ⟨ 3 weeks (within incubation period)			
IgG	IgM	Impression	
+	+	Current infection	
+	−	1. Previous rubella 2. Reinfectoin (?)	Repeat examination and If IgG↑ or IgM (+) → Reinfection
−	+	1. Early rubella 2. False positive (?)	Repeat examination
−	1	Susceptable	Repeat examination
B. Contact ⟩ 3 weeks (After incubation period)			
1. 3~4 weeks after exposure & IgG negative		Susceptable	Repeat examination
2. After 6 weeks after exposure & IgM negative		Possible past infection (Not exclude infection)	Consider test of intrauterine infection

· 재검 시기 : 3주 후

- IgM (+) : 감염
- IgG (+), IgM (−) : 면역있거나 재감염 → 3주 후 재검
- IgG (−), IgM (−) : 감수성 있다 → 3주 후 재검

(4) 자궁 내 태아 감염

① Gestational age에 따른 태아 감염율

　a. 11주 이내 - 90%(선천성 풍진증후군의 고위험군) ⭐

　b. 24~26주 - 30%까지 감소

　c. 36주 이후 - 100%

　d. 태아 결손은 임신 12주 이전에는 85%, 18주 이후에는 거의 0%

② 진단

　a. 임신부의 임상 증상

　b. Virus isolation

　c. 신생아 혈청에서 IgM antibody 검출 : 22주 이후에 Fetoscopy or Cordocentesis로

③ 감염이 확인되었을 때의 처치

　a. Abortion

　b. Intrauterine examination

　c. Immunoglobulin IM (controversy)

④ 선천성 풍진 증후군

　a. 안병변 : 백내장, 녹내장, 소안구증

　b. 심질환 : 동맥관개존, 폐동맥 협착증, 중격결손

　c. 청각결손

　d. 중추 신경 조직 결손 : 수뇌막염

　e. 태아 발육지연(m/c)

　f. 혈액이상 : 혈소판 감소증, 빈혈

　g. 간비장 종대 및 황달

　h. 만성 광범성 간질성 폐렴

　i. 골격의 이상

　j. 염색체 이상

(5) 예방

① 성인 여성의 6~25%는 항체가 없다.

② 풍진 예방접종 - 임신 직전이나 임신 중에는 금기(∵ 생백신)

③ 항체가 형성되지 않은 자에게는 분만이나 유산 후 즉시 접종한다.

④ 풍진 예방 접종 후 1개월 후에 임신 권유

6) Cytomegalovirus (CMV)

(1) 역학

: 주산기 감염의 가장 흔한 원인(신생아의 0.2~2%)

(2) 감염 경로

① 비말핵에 의한 수평 감염

② 타액, 소변 접촉에 의한 감염

③ 성접촉 감염

④ 임신부로부터 태아, 영아로의 수직 감염

: 임신부가 면역이 있어도 재발 감염이나 선천성 감염을 예방할 수 없다.

(3) 선천성 감염

① 경과

a. 임신 전에 이미 CMV에 대한 항체를 가지고 있는 경우

: 임신부의 재감염에 의한 것으로 태아는 대부분 무증상(85~95%)

b. 임신 전에 CMV에 대한 항체가 없었던 경우

→ 40%가 감염되며 이중 10~15%가 증상을 나타내고, 이중 90%는 후유증을 남김

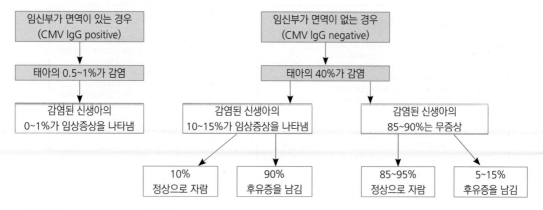

▶ 임신 중 CMV infection의 경과

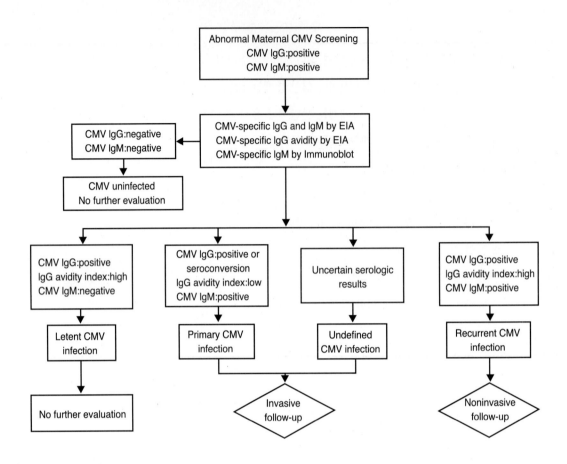

Vaginal and rectal GBS screening cultures at 35-37 weeks' gestation for ALL pregnant women(unless patient had GBS bacteriuria during the current pregnancy or a previous infant with invasive GBS disease)

Intrapartum prophylaxis indicated

- Previous infant with invasive GBS disease
- GBS bacteriuria during current pregnancy
- Positive GBS screening culture during current pregnancy (unless a planned cesarean delivery, in the absence of labor or amniotic membrane rupture, is performed)
- Unknown GBS status (culture not done, incomplete, or results unknown)and any of the following:
  - Delivery at < 37 weeks' gestation
  - Amniotic membrane rupture ≥ 18 hours
  - Intrapartum temperature ≥ 100.4℉ (≥38.0℃)

Intrapartum prophylaxis not indicated

- Previous pregnancy with a positive GBS screening culture(unless a culture was also positive during the current pregnancy)
- Planned cesarean delivery performed in the absence of labor or membrane rupture (regardless of maternal GBS culture status)
- Negative vaginal and rectal GBS screening Culture in late gestation during the current pregnancy, regadless of intrapartum risk factors

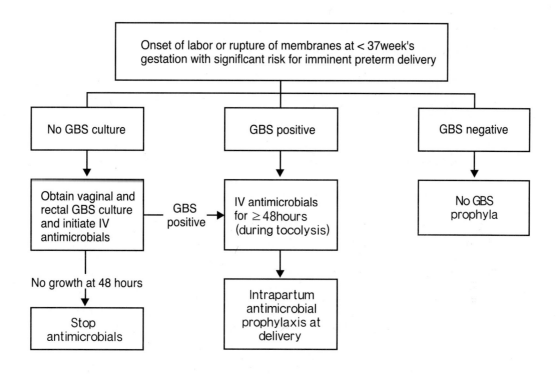

② Cytomegalic inclusion disease

: 저체중아, 대뇌 석회화, 맥락정신 및 운동지체, 청력장애, 간비장종대, 황달, 용혈성 빈

혈, 혈소판감소성 발진

③ 산전 진단

a. 초음파

: 소두증, 대뇌 석회화, 뇌실 확장, 장의 에코증가 소견

b. 양수를 이용한 배양검사

c. 제대 혈액 내 IgM 검출

2. Bacteria 감염

● Group B streptococcus

1) 임상적 의의

① 임신부 - 조기 진통, 조기 양막파수, 융모양막염, 산욕기 패혈증 유발

② 태아 - 신생아 패혈증 유발

2) 예방

(1) 고위험군에게 예방적 항생제 투여(Penicillin G)

① 37주 이전의 조산

② 분만진통 중 38℃ 이상의 발열

③ 18시간 이상 파막된 경우

④ 이전 임신에서 신생아 GBS 감염이 있었던 경우

⑤ 이번 임신 중 임신시기와 관계없이 GBS 세균뇨가 검출되었던 경우

3. 원충 감염

1) Toxoplasmosis

(1) 임상적 의의

• First trimester에 감염된 경우, 약 10%에서 선천성 감염 유발

: 서체중아, 간·비상 비대, 황달, 빈혈

(2) 선별 검사

① 임신 전 IgG antibody의 확인 : 항체가 있으면 선천성 감염의 위험성은 없다.

② 임신 중 감염의 진단 : IgG titer의 연속적 측정

③ 양수를 이용한 PCR

(3) 치료

: Pyrimethamine, Sulfadiazine

2) Malaria

(1) 임상적 의의

① 임신부 - 유산, 조기 진통 유발, 면역이 없는 초산부에 심하게 발현

② 태아 - 신생아 체중감소, 태아 감염 및 사망

(2) 치료 : Antimalarial drug을 임신 중 사용할 수 있다(금기 아님).

(Chloroquine, Quinine, Meflopuine)

(3) 예방 : 유행 지역을 여행할 경우, Chloroquine 500 mg을 여행 1~2주 전부터 여행 4주 후까

지 일주일에 한번 경구 투여

4. 성병

1) 매독(Syphilis)

(1) 임상적 의의 : 조기 진통, 태아 사망, 태반을 통한 감염, 주산기 감염

(2) 태아와 신생아 감염의 특징 ★

① 태반을 쉽게 통과한다.

② 임신 중 어느 시기에나 태아 감염을 초래할 수 있다.

   a. 최근에 감염되었을수록 태아의 병변이 심해진다.

   b. 임신 18주 이전에는 태아의 면역기능이 불충분하므로 증상이 나타나지 않는다.

③ 임신부가 초기 매독(1·2차 매독)일 경우에 신생아 매독의 발생률이 높다.

(3) 진단

① 임신부의 진단

   a. Non-treponemal test (VDRL, RPR) - Screening

     • 1차, 2차 매독 환자의 대부분에서 양성 반응을 보임

     • 매독의 위험요인이 높은 경우, 임신 후반기 및 분만 시에 다시 VDRL 검사를 해야 함

   b. Treponemal test (FTA-ABS, MHA-TP) - 확진

② 태아의 진단

   a. 양수 검사

   b. 신생아의 혈청 및 척수액 검사

   c. 임상 양상

(4) 선천성 매독 시의 임상 증상

linical features of Congenital syphilis	
Early congenital syphilis (manifestate before 2 years)	Late congenital syphilis (manifestate after 2 years)

1. Placental enlargement
2. Hepato-splenomegaly
3. Edema, Ascites, Hydrops
4. Jaundice
5. Rhinitis
6. Skin & Mucosal change
  ① Maculopapular rash
  ② Petechiae, Purpura
7. Lymphadenopathy
8. Bone change
  ① Osteochondritis (Wimberger sign)
  ② Epiphyseal separation
  ③ Pseudoparalysis of Parrot
  ④ Saber shin, Frontal bossing
9. Pneumonia
10. Carditis
11. Nephritis
	1. Hutchinson's teeth
	2. Interstitial keratitis
	3. Bone change
	  ① Saber shin
	  ② Frontal bossing
	  ③ Higoumenakis sign
	  ④ Saddle nose
	  ⑤ Destruction of Hard palate
	  ⑥ Synovitis
	4. Auditory deafness
	5. Mental retardation
	6. Hemiplegia
	7. Paroxysmal nocturnal hemoglobinuria

(5) 임신부의 치료

    ① 조기매독 : Benzathine penicillin G 240만 단위 근육주사 1회

    ② 만기매독 : Benzathine penicillin G 240만 단위 근육주사 1주 간격으로 3번

    ③ 신경매독 : Potassium crystalline penicillin G : 300~400만 단위 정맥주사 6회/일

(6) 추적 관찰

    VDRL 정량검사를 1개월마다 실시하여 primary, secondary는 3~4개월에, early latent는

    6~8개월 사이에 4배 이상 감소 시 완치 판정함

(7) Jarisch-Herxheimer reaction

    : Penicillin 치료 후, 빈번한 자궁 수축이 발생되고 태아 심박수의 Late deceleration이 발생

    하는 태아 곤란증의 양상을 보이는 징후

(8) 임신부 요추 천자의 적응증(신경매독 진단) ★

    ① 잠복매독이 1년 이상 지속되었던 경우

    ② 신경학적 증상이 있는 경우

    ③ 치료가 실패한 경우

④ 혈청 역가가 1:32 이상

⑤ 비페니실린으로 치료한 경우

⑥ HIV감염이 동반된 경우

2) 임질(Gonorrhea)

• 임질에 감염된 임신부의 40%에서 Chlamydial infection이 동반

(1) 임상적 의의

: 패혈성 자연유산, 유산 후 감염, 조기분만, PROM, 융모양막염, 산욕감염

• 임신 중 어느 시기에나 임신에 나쁜 영향을 줄 수 있다.

(2) 임신부의 치료

: Ceftriaxone - 250 mg IM

(3) 신생아의 관리

① 임균성 안염에 대한 예방 : Ceftriaxone - 25~50 mg/kg IM or IV(안부의 국소 항생제는 부적질하다)

② Chlamydial infection에 대한 선별 검사

③ 격리 - 24시간

3) Chlamydial infection

• 가임 연령에 있는 여성에게 가장 빈번한 성기감염

(1) 감염의 위험인자

① 25세 미만

② 성병을 앓았던 병력

③ 여러 명의 성교 파트너

④ 최근 3개월 이내의 새로운 성교 파트너

(2) 증상

Chlamydia 감염의 임상 증상	
임신부	신생아
1. 급성 요도증후군 2. 바르톨린선염 3. 점액화농성 자궁경부염 4. 난관염 5. 간주위염(perihepatitis) 6. 결막염 7. 관절염	1. 결막염(Inclusion conjunctivitis) 2. 폐렴

(3) 임신부의 치료

① Azithromycin 1 gm을 1회 경구투여

② Amoxicillin

4) Herpes simplex virus infection

(1) 임신부의 질환 500 mg 7일간 하루 세번 경구 투여

① 진단 - Tzank smear

② 치료 - acyclovir, valacyclovir

(2) 신생아 감염

① 감염 경로

: 하부생식기나 자궁경부에서 배출된 바이러스에 의해 감염

(태반이나 양막을 통해서는 거의 감염되지 않는다)

② 신생아 감염

a. 감염 형태 - 전파형, 국소형, 무증상형

b. 감염 신생아의 절반이 조산아

c. 1차 감염 시 - 40~50%의 신생아가 감염

반복 감염 시 - 4~5%만 감염(모체 항체의 보호 효과)

③ 산전처치 ☆

제왕절개수술의 적응증 : 전에 외음부에 단순포진을 앓은 적이 있는 임신부가 분만에 임박한 경우, 전구 증상이 있거나 외부생식기에 단순포진 병변이 관찰되는 경우

→ 활성적 생식기 병변이 없거나 활성적 병변이 생식기가 아닌 곳에 있을 때 →질식

분만을 시도할 수 있다.

c. 태아 감염을 확인하기 위한 양수검사는 불필요

5) HIV infection

- 보통 2~3개월의 잠복기를 갖는다.

(1) 주산기 감염경로

① 임신 중 태반을 통한 감염

② 출생 시 감염

③ 출생 후 수유를 통한 감염(∵ 모유 수유 금기)

(2) 진단 방법

① ELISA - Screening

② Western blot or Immunofluorescence - 확진

③ 기타

• Assay for Circulating viral protein (p24 core Ag)

• Viral isolation

• PCR

(3) 신생아 감염의 진단

① 항체 검출만으로는 주산기 HIV 감염을 진단할 수는 없다.

(다량의 모체 항체가 태반을 통해 태아로 전달)

② 항체 검사와 동시에 배양검사, p24 Ag, PCR 등 병행

③ Passive maternal antibody가 생후 18개월까지 존재

(4) HIV infection이 임신에 미치는 영향

① 감염 자체는 임신 결과에 크게 나쁜 영향을 미치지 않는다.

• 융모 양막염, 자궁 내막염 발생과 무관

• 자연 유산, 선천성 기형, 임신 주수, 출생 체중, Apgar score와 무관

② 다른 감염의 여부에 대해 검사해야 함

• 성병 - 임질, 매독, Chlamydia, B형 간염, HSV

• 기회감염 - Toxoplasmosis, Candidiasis, CMV, Tbc

(5) 임신 중 태아의 관리

: 임신 32주부터 NST 및 US을 지속적으로 시행

(6) 분만 및 산후 관리

① 분만 진통의 관리

a. 태아 두피에 손상을 주는 침습적 검사는 피한다.

b. 인공 파막은 가능한 피한다.

c. 내진을 자주하지 않아야 한다.

d. 의료인은 Virus 노출에 주의한다.

e. 분만 방법

: 이론적으로는 파막되지 않은 상태에서 제왕절개술이 유리할 것으로 생각되나 최근
의 연구결과는 그 차이는 분명치 않다.

② 산후 관리

a. 모유 수유 금지

b. 격리할 필요는 없다(접촉 감염은 매우 드물다).

(7) 치료

Antiretroviral agents	
Nucleoside analogue reverse transcriptase inhibitors	Protease inhibitors
Zidovudine tenofovir Emtricitabine Lamivudine	Atazanavir Ritonavir Lopinavir/Ritonavir

- Zidovudine 사용의 적응증 ☆

① 임신 14~34주의 HIV에 감염된 임신부로서 CD4+가 200/mm^3 이상이고, Zidovudine에
대한 임상 적응증이 없고, 전에 항레트로바이러스 치료경력이 없는 경우

② ①항의 경우 임신 34주 이상

③ ①항의 경우 CD4+ 200/mm^3 미만

④ 이전에 zidovudine 치료 또는 antiretrovirus 치료를 6개월 이상 받았던 임신부는 상담 후
경우에 따라 적용

⑤ 산전관리 시 zidovudine 치료를 받지 않았던 HIV 감염된 임신부가 진통이 시작된 경우

⑥ 산전관리 중 또는 분만 중 zidovudine 치료를 받지 않았던 임신부는 분만 후 6주동안 치료

6) Human papillomavirus infection

(1) Condyloma acuminata

① 임상적 의의

　a. 임신 중 급격히 증가해서 정상 분만이나 회음절개술을 어렵게 할 수 있다(∵ 점막 분비물이 증식에 좋은 환경 제공).

　b. 자궁 경부암의 발생

　　• 분만 후에는 병소가 호전되거나 사라진다.

② 치료

　•임신기간 동안 완전히 소멸시키려고 노력할 필요는 없다.

　•임신부가 불편함을 느낄때만 치료

　•방법

　　a. 하루에 한번씩 외부 생식기를 씻고, 질내를 부드럽게 세척하고 말림

　　b. 80~90% Trichloroacetic acid 또는 Dichloroacetic acid의 도포

　　c. 큰 병변은 Cryotherapy or Laser ablation

　•금기 약제 - Podophyllotoxin, 5-FU, Interferon ☆

③ 분만 방법

　a. 질식 분만을 시도할 수 있다.

　b. 병변이 매우 클 경우에는 C-sec

(2) 신생아 감염

① 주로 HPV type 6, 11과 관련(92%)

② 제왕 절개술의 적응증이 되지는 않는다(어느 정도 예방은 가능하나 완전히 막지 못함).

32 산과 수술 및 관련 수기

Power Obstetrics

I. 무통 분만과 산과 마취(Analgesia and Anesthesia)

Overview

1) 마취 시행의 위험 요소

① 과도한 비만

② 안면 및 목의 과다한 부종이나 해부학적 이상

③ 치아의 지나친 외부 돌출 또는 구강을 열기 힘든 경우

④ 단신 또는 목이 짧은 경우

⑤ 천식 또는 기타 내과적, 산과적 합병증

⑥ 산과적 합병증의 과거력이 있는 경우

2) 진통 분만 중 사용 약제

(1) Meperidine & Promethazine

: 무통 분만의 목적으로 Meperidine을 투여할 경우 분만이 지연되지는 않는다.

(2) Butophanol

(3) Fentanyl

(4) Nalbuphine

• Naloxone hydrochloride (Narcan)

: Opioid 마취제에 의해서 일어나는 호흡 억제를 회복시킬 수 있는 마취 길항제

1. 전신 마취

1) 마취제의 종류

(1) 흡입 마취제 : N_2O, Isoflurane, Halothane

(2) 정맥 마취제 : Thiopental, Ketamine

2) 흡인성 폐렴

(1) 의의

- 위 내용물의 흡인에 의한 Aspiration pneumonia → 산과 마취 사망의 m/c cause ☆

(2) 예방 방법 ☆

① 마취 전 최소 6시간, 가능하면 12시간동안 금식

② 전신 마취의 유도 및 유지하는 동안 위산도를 낮추는 약물 이용

③ 윤상 연골에 압력을 가해서 식도를 막고 능숙한 기관 내 삽관을 시행

④ 수술이 끝날 때 임신부가 깨어나면 환자를 옆으로 눕히고 머리를 낮춘 상태에서 삽관한
   튜브를 빼는 방법

⑤ 적절하다면 부위 마취를 이용

(3) 치료 ☆

① Suction & Bronchoscopy

- 가능한 한 많은 흡인 액체를 suction 해내고, 큰 고형 물질이 흡입되면 기도 폐쇄를 피하
  기 위해 빨리 Bronchoscopy를 시행

- 식염수 세척은 금기(폐로 위산을 더욱 퍼지게 함)

② Oxygen & Ventilation

③ 항생제

- But, 예방 목적의 항생제 투여는 권장되지 않는다.
    임상적으로 감염 발생이 확실히 증명된 경우에 항생제 투여

- Corticosteroid는 효과없음

(4) 삽관의 실패

① 예방

- 삽관 실패의 위험요소 - 심한 비만

    a. 과거에 삽관에 어려움이 있었는지 파악

b. 경부, 상악안면, 인두의 해부학적 구조 평가

② 관리

a. 기관지 삽관이 확인된 후에만 수술을 시작

b. 깨어있는 상태에서의 삽관 또는 국소마취 시행

c. 삽관 실패 시 산소 마스크를 통한 환기

d. 흡인을 막기 위해 윤상연골 압박을 시행

e. Fiber-optic laryngoscope를 통한 삽관 시행

f. Laryngeal mask airway 또는 Needle cricothyroidotomy & Jet ventilation 시행

g. Cricothyroidotomy 시행

2. 국소 마취

1) 생식기의 감각 신경 지배

(1) 자궁의 Sensory innervation

- 자궁, 경관, 질상부

  → Frankenhaüser ganglion

  → Pelvic plexus

  → Middle & Superior hypogastric plexus

  → Lumbar or Thoracic symphathetic channel

  → $T_{10} \sim L_1$ white rami

● 분만 시 Pain pathways

① First Stage

- Early part : T_{11} and T_{12}

- Late part : T_{10} and L_1

② Second Stage

- Lower lumbar and upper sacral nerves

③ Third Stage

- $T_{10} \sim T_{12}$

(2) 하부 생식기의 Sensory innervation

• Pudendal nerve

① 지배 영역

: 회음부, 항문, 외음부의 내측 및 하부, Clitoris 부위의 감각 신경지배

② 주행

• Sacrospinous ligament가 Ischial spine에 부착되는 부위를 지나감

→ Ischial spine이 Pudendal nerve block의 landmark가 됨

2) 국소 마취제 중독

(1) 중추 신경계 중독

① 증상

a. 흥분 상태에 이어 억압상태가 옴

b. 현기증

c. 불분명한 발음

d. 금속성 미각

e. 혀, 구강의 무감각

f. 전신 경련

② 치료

a. 산소 공급

b. 기관 내 삽관

c. Thiopental or Diazepam으로 전신 경련 억제

(2) 심혈관계 중독

① 증상

a. 흥분 상태에 이어 억압 생태가 옴

b. 초기에는 혈압, 맥박 상승

c. 저혈압, 부정맥

d. 태아 가사

② 치료

a. 저혈압의 경우 임신부를 옆으로 눕힌다.

    b. 수액 요법

    c. Epinephrine 주입

    d. 태아 가사가 있는 경우 응급으로 C-sec

3) 국소 침윤 마취법(Local infiltration)

(1) 적응증

  ① 회음부 절개와 분만 전

  ② 분만 후 열상 부위의 봉합

  ③ 경막외 마취나 음부신경 차단이 실패한 경우

  ④ 응급 제왕절개 수술이 필요하지만 마취 협조가 불가능할 경우

  ⑤ 국소 마취가 불충분하게 된 경우

(2) 방법

  ① 절개 예정 부위의 피부, 피하조직, 근육 등에 희석된 Lidocaine 100~120 mL를 주사 또는

  ② $T_{10} \sim T_{12}$ intercostal nerve, Ilioinguinal nerve, Genitofemoral nerve 차단

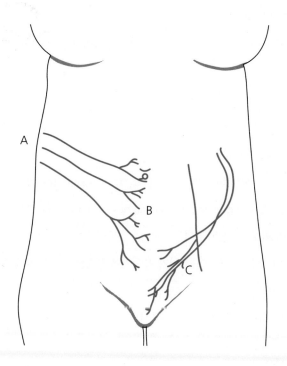

▶ Local infiltration

A - Intercostal space의 끝과 iliac crest 사이의 10th~12th Intercostal nerve를 차단

B - 피부 절개 부위를 따라 주사

C - Genitofemoral nerve와 Iliofemoral nerve를 차단하기 위해 External inguinal ring에 주사

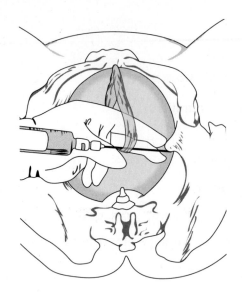

▶ Pudendal nerve block

4) 음부신경 차단(Pudendal nerve block)

(1) Landmark - Ischial spine

(2) 주의 사항 : 정맥 내에 주입하지 않도록 주사 전 흡인을 한 뒤 확인해야 한다.

(3) 합병증

① 정맥 내 주사 시 심각한 전신 중독증 유발

② 대뇌 피질 자극으로 전신 경련

Tx - a. control convulsion

: succinylcholine(abolishes peripheral manifestation of convulsion and allows

tracheal intubation) thiopental or diazepam(경련 억제)

b. 기도확보와 산소 투여

c. 위와 같은 보존적인 처치가 응급제왕절개술보다 태아생존률에 유리함

③ Hematoma 형성

④ 주사 부위의 심한 염증 및 염증의 확산

5) 경부 마취(Paracervical block)

(1) 목적 - Pudendal nerve block으로 차단되지 않는 자궁 수축 시의 통증 경감

(2) 방법 - 1% Chloroprocain 5~10 mL를 3시, 9시 방향에 주입

(3) 금기증 - 10~70%에서 태아 서맥을 초래하므로 태아가 위태로울 가능성이 있는 경우는 금기

6) 척추 마취(Subarachnoid anesthetic block, Spinal block)

(1) 마취 부위

① 질식 분만 : T_{10} level (Umbilicus level) (Saddle block이라고도 함)

② C-sec

: 질식 분만보다 마취되는 부위가 높아야하며 T_8 level (xyphoid process level)까지 차단 되어야 한다.

(2) 척추 마취의 합병증

① 저혈압

② 완전 척추 차단

③ 두통

• 치료 및 예방법 ☆

a. 가능한 가느다란 주사침 사용(예 : 25 G needle)

b. 충분한 수액 공급

c. Blood, Saline Patch (epidural blood patch , EBP : 가장 효과적)

d. 복대 착용

• 누워있을 경우 두통이 소멸되기는 하나, 척추마취 후 누운 자세로 있는 것이 두통발생의 예방에 도움이 된다는 증거는 없음

e. 진통제

f. 침상 안정

g. 카페인

h. 대뇌 혈관수축제

④ 경련

⑤ 방광의 기능 부전

⑥ 마취 후 Ergonovine을 사용했을 때 고혈압 발생

⑦ 지주막염, 뇌막염

Subarachnoid block과 관련된 합병증의 예방 및 치료	
Complication	예방 및 치료
1. Hypotension	① Uterus displacement ② Hydration (500~1,000 mL balanced salt solution) ③ Ephedrine(저혈압이 지속될 경우)
2. Total spinal block	① 저혈압과 관련된 치료 ② 기도 삽관 ③ Ventilatory support

(3) 척추 마취의 금기증

① 저혈압이나 혈액량이 감소된 경우

② 심한 임신 중독증

③ 혈액 응고 장애가 있는 경우

④ 마취 부위의 감염

⑤ 신경학적 문제가 있는 경우

7) 경막외 마취(Epidural anesthesia)

(1) 마취 부위

• 질식 분만 : T_{10}~S_5, C-sec : T_8~S_1

• 분만에 대한 영향

: Latent period에 시행하면 분만 진행이 늦어질 수 있으므로 Active phase에 시행하는 것

이 원칙

(2) 합병증

Complication of Epidural analgesia	
Immediate complication	Long-term complication
1. High or Total spinal block 2. Hypotension 3. Urinary retension 4. Headache 5. Postdural puncture seizures 6. Meningitis 7. Cardiopulmonary arrest 8. Vestibulocochlear dysfunction	1. Headache 　① Frequent headaches 　② Migrane headache 　③ Neckache 2. Tingling in hands or fingers

(3) 금기증

　① 심각한 모성 출혈

　② 주사 부위의 감염

　③ 생명을 위협하는 질환이 의심되는 경우

　④ 혈소판 $100,000/mm^3$ 이하

II. 겸자 분만술(Forcep delivery)

1. Overview

● 겸자의 구성

① 날(blade)　　② 몸통부분(shank)　　③ 잠금장치　　④ 손잡이

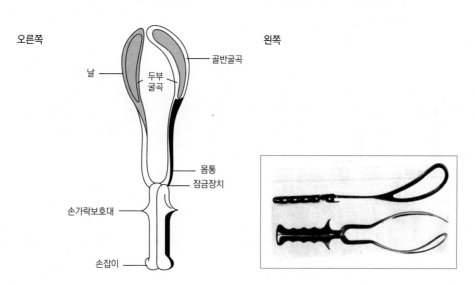

오른쪽　　　　　　　　　　　　　　　　왼쪽

골반굴곡

날　　두부굴곡

몸통
잠금장치

손가락보호대

손잡이

▶ Simpson Forcep

태아의 Station과 Rotation에 따른 겸자 분만의 분류	
Type of procedure	Classification
1. Outlet forceps	1) Scalp가 질입구에서 음순을 벌리지 않고도 보임 2) 태아 두개골이 Pelvic floor에 도달 3) Sagittal suture가 AP diameter에 있거나 Right or Left occiput anterior or posterior position 4) 아두는 회음부에 있다 5) Rotation이 45도 미만
2. Low forceps	선진부의 하강 정도가 +2 cm 이상이고 pelvic floor에 있지 않음 1) Rotation이 45도 이하 (Left or Right occiput anterior to occiput anterior, or Left or Right posterior to occiput posterior) 2) Rotation이 45도 초과
3. Midforceps	Station이 +2 cm 이상이고 아두는 진입(Engaged) 상태
4. High	Not included in classification

1) 겸자 사용의 적응증 ☆

● 임신부나 태아를 위협하는 어떤 조건이든지, 겸자 분만에 의해 구제할 수 있는 상태이면서 겸자 분만이 안전하게 성취될 수 있다면, 겸자 분만의 적응증이 된다.

Indications for Use of Forceps	
Maternal	Fetal
1. 심장 질환 2. 호흡기계 장애 3. 분만중 감염증 4. 신경학적 이상 5. 극도의 피로(Exhaustion) 6. 분만 2기의 지연	1. 제대 탈출 2. 태반 조기 박리 3. 태아 곤란증으로 보이는 태아심음 이상

2) 겸자 사용의 조건

(1) Deep engagement of fetal head

: 태아머리는 반드시 진입되어 있어야 하며 깊이 진입되어 있을수록 좋다.

(2) Vertex presentation or Face presentation with chin anterior

: 태위는 반드시 두정위이거나 턱이 앞쪽에 있는 안면위여야 한다.

횡위(Transverse lie)와 둔위(Breech presentation) 시에는 겸자사용 시도하면 안된다.

(3) Knowledge of Fetal head position

: 겸자를 태아의 머리에 제대로 적용하기 위하여 머리의 위치를 정확히 알아야 한다.

소위 골반적용(pelvic application)은 위험하다.

(4) Complete dilated cervix

: 자궁경관은 겸자 사용 전 완전히 확장되어 있어야 한다. 자궁경관 테두리가 조금이라도 남아 있으면 견인 시 많은 저항을 주며 경관 열상을 초래하여 심하면 자궁하분절까지 파급된다. 만약 자궁경관이 완전히 확장되기 전 분만이 시급할 경우 제왕절개술을 시행하는 것이 더 이상적이다.

(5) Ruptured fetal membrane

: 겸자를 사용하기 전에 파막을 시행하여, 겸자의 날이 아두를 견고히 잡을 수 있도록 해야 한다.

(6) No Cephalopelvic disproportion

: 태아 머리크기와 Pelvic inlet or Midpelvis 사이에 불균형이 없어야 한다.

(7) 방광을 비워야 한다.

2. 겸자 분만의 수기

● 겸자 분만의 적용 방식

• 두부 적용(Cephalic application)을 시행하여야 한다.

: 아두의 양측에 겸자를 정확하게 끼우는 방법

• 골반적용(Pelvic application)은 아두에 대한 위험성 때문에 사용 안함

● 수술 전 고려사항

① 적절한 마취를 시행

② 방광을 비워야 함

③ 태아의 위치를 확인 - 태아 귀의 위치를 확인

④ 겸자의 두부 적용 방법

: Biparietal or Bimalar application 해야 함(아두의 양측에 걸치도록)

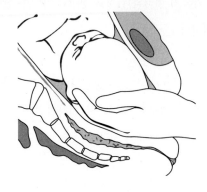
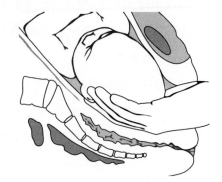

▶ 태아 귀의 촉지를 통한 태아 위치 확인

● Outlet forcep delivery

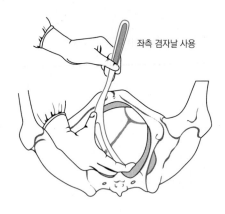

좌측 겸자날 사용

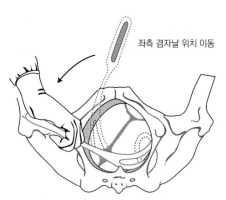

좌측 겸자날 위치 이동

▶ Step 1. 좌측 겸자날의 삽입

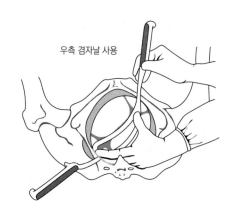

우측 겸자날 사용

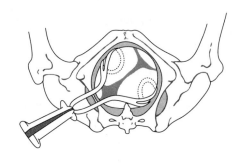

▶ Step 2. 우측 겸자날의 삽입　　　　▶ Step 3. 양날 삽입

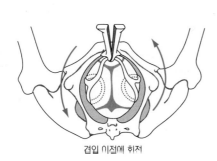

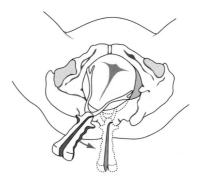

견입 이전에 히저

▶ Step 4. 겸자의 회전

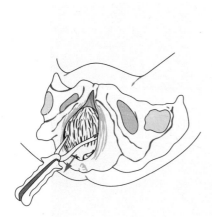

▶ Step 5. 수평 견인

▶ Step 6. 상방 견인

4) 겸자 분만의 합병증

Complications associated with forceps deliveries(빈도순)	
Maternal complication	Fetal complication

A. Third stage
  1. Vaginal laceration
  2. Postpartum hemorrhage
  3. Blood transfusions
  4. Manual removal of placenta
  5. Cervical laceration
  6. Fourth-degree tear
 	
B. puerperal
  1. Urine retention
  2. Anemia
  3. Urinary tract infection
  4. Perivaginal hematoma
  5. Episiotomy breakdown
	1. Prominent forceps marks
	2. Neonatal jaundice
	3. Birth trauma
	4. Facial bruising
	5. Cephalohematoma
	6. Nerve palsy
	    Facial nerve
	    C_5 brachial plexus
	7. Scalp blister/abscess
	8. Periorbital hematoma
	9. Subconjunctival hemorrhage

5) 실패 겸자

- 겸자분만 실패의 원인

  ① Cephalopelvic disproportion (CPD, 아두 골반 불균형)

  ② 불완전한 경관 확장

  ③ 태아 아두의 위치 이상

III. 흡입 분만술(Vacuum extraction)

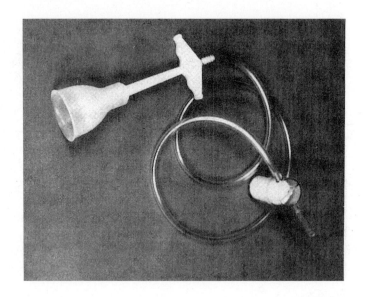

▶ 흡입 분만기

1) 흡입 분만의 이론적인 장점

  ① 질과 태아머리 사이의 공간을 차지하지 않는다.

  ② 사용할 때에 반드시 정확한 위치에 부착시키지 않아도 된다.

  ③ 질과 회음부 및 회음측 절개술 부위에 대한 손상이 적다.

  ④ 태아 두개내압을 감소시킬 수 있다.

  ⑤ 분만과정이 보다 자연적이다.

  ⑥ 자궁경부가 완전히 개대되기 전에도 필요에 따라 사용할 수 있다.

  ⑦ 임신부의 연부조직의 손상이 없이 적절한 회전을 얻을 수 있다.

2) 흡입 분만의 적응증 및 금기증

(1) 적응증 : 겸자 분만 시와 유사

(2) 금기증

① 안면위(Face presentation)

② Non-vertex presentation(비두정태위)

③ 극도의 미숙아

④ 태아혈액 응고상해

⑤ 거대아

⑥ 최근의 두피혈액채취

3) 흡입 분만의 수기

① Cup의 중심이 시상봉합부에 위치하여 소천문의 3 cm 정도 전방에 있도록 한다

② Cup이 임신부의 연부조직에 삽입되지 않도록 한다(산도 열상 및 출혈).

　: 컵의 전 직경을 흡입기의 장치 전후 및 견인 전에 촉진해야 함

③ 견인 시 양손을 모두 사용하여, 한손은 Cup을 잡고 한손은 손잡이를 잡아 견인

4) 합병증

• Soft cup의 흡입분만기를 사용할 경우 겸자 분만보다 모체의 외상 및 출혈이 적다.

• Metal cup을 사용할 때 합병증이 증가한다.

　: 두피 열상, 좌상, 두혈종, 두개내 출혈, 신생아 황달, 결막하 출혈, 견갑난산, Erb palsy, 망막출혈, 태아사망

5) 흡입 분만과 겸자 분만의 비교

Neonatal complications with Vacuum and Forceps delivery		
Complications	Route of delivery	
	Vacuum (%)	Forceps (%)
1. Apgar scores 　1 min < 7 　5 min < 8	10 2	10 2
2. Cephalohematoma 　Mild 　Moderate	15 2	10 7
3. Caput	34	14
4. Facial mark / injury	2	18
5. Trauma 　Erb palsy (Mild) 　Fractures of clavicle	2 2	0 0
6. Elevated bilirubin	20	10
7. Retinal hemorrhage 　Mild 　Moderate or Severe	16 37	8 8
8. Infant stay (days)	3.4	3.1

- 흡입 분만을 시행한 군에서 견갑난산 및 두개내 혈종은 높고, 산도의 외상이나 신생아 이환율은 낮다.

IV. Cesarean delivery(제왕절개)

1. Overview

1) 정의

- 복벽(laparotomy)과 자궁벽(hysterotomy)를 절개하여 태아를 분만하는 것
- 자궁파열이나 복부 임신 시에 복강으로부터 태아를 제거하는 것은 포함되지 않는다.

2) 빈도

- 2009년 32.9%(미국)

- 증가추세의 원인

    ① 분만횟수의 감소로 미분만부가 대부분이고, 미분만부에서 발생률이 높은 난산, 임신중 독증에 의한 제왕절개 빈도 증가

    ② 노령 임신부의 증가

    ③ 전자 태아 감시장치의 등장으로 태아곤란증 발견율 증가

    ④ 둔위의 제왕절개술 증가

    ⑤ 겸자분만의 사용이 감소

    ⑥ 반복 제왕절개술 증가

    ⑦ 사회 경제학적 문제와 인구 통계학적 요소

    ⑧ 임신부가 원하기 때문에(Wanted C-sec 증가)

3) 적응증

- 이전에 제왕절개술을 한 산모가 영구적인 불임 수술을 원한다고 해서 반복적인 제왕절개술의 적응증은 되지 못한다.

    → 질식 분만 후 불임 수술을 하는 것이 유병률이 적음

빈도가 높은 4가지 적응증 (85% 이상 차지)
① 이전의 제왕절개술, Repeat procedure (m/c)
② 난산으로 인한 분만진행 실패, dystocia (2nd) – primary C-sec m/c
③ 둔위, breech presentation
④ 태아곤란증, fetal distress

(1) 이전의 자궁절개형태와 자궁파열과의 관계

　　① 자궁하부 횡절개 및 자궁하부 종절개의 경우 자궁파열의 빈도가 높지 않다.

　　② 자궁 절개가 자궁 상부까지 확장된 경우(Classic C-sec)

　　　: 자궁 파열 위험도가 높으며, 이 때 질식 분만 시도는 금기이다.

(2) 제왕절개술 후의 질식 분만(vaginal birth after cesarian, VBAC)

　　① 1회의 lower segment transverse C-sec 기왕력(classic C-sec 기왕력 임신부는 불가능)

　　② 임상적으로 질식분만에 적합한 골반

　　③ 응급 C-sec할 수 있는 의사, 마취과 의사 등의 인력이 확보된 경우

　　④ 다른 자궁의 상처나 이전의 파열이 없는 경우

(3) 반복 제왕절개술 시행 시기를 결정하기 위한 조건

반복 제왕절개술 시행 시기를 결정하기 위한 조건
· 정상 생리주기를 갖고 있었고 이전에 피임제 복용이 없었던 임신부들의 경우 아래 중 적어도 한가지 조건을 충족시켜야 한다. ① 태아심박동의 임신 20주 동안 태아경을 통한 증명 또는 30주 동안 Doppler를 통한 확인 ② 혈청 또는 소변검사상 임신이 확인된 이후 36주의 경과 ③ 임신 6~11주에 시행한 초음파의 C-R length가 재태연령 39주 이상일 경우 ④ 임신 12~20주에 초음파로 재태 연령이 확진된 경우 임상적 검사와 진찰에서 39주 이상을 나타낼 때

4) 모성 사망률과 이환율

(1) 수술 시 사망의 주요 원인 - 마취 사고

(2) 주산기 이환율의 급격한 증가

① Endometritis

② 출혈

③ 요로감염

④ 혈전색전증

• cf) 평균 실혈량의 비교

① Vaginal delivery - 500 mL

② C-sec - 1,000 mL

③ Cesarean hysterectomy - 1,500~2,000 mL 이상

2. 자궁 절개 및 복부 절개의 선택

1) 자궁 절개의 종류

자궁절개의 방법에 따른 비교		
	Lower segment transverse	Classic
1. Bleeding	Lesser	More common
2. Repair	Easy	Difficult
3. Uterine rupture during next pregnancy	Rare	More common
4. Injury of Cervix, Vagina, Bladder	Lesser	More common
5. Adherence of bowel or omentum to incisional line	Lesser	More common
6. Uterine vessels injury	More common	Lesser
7. Bladder dissection	Modest	Lesser

(1) 고전적 제왕절개(classical cesarean section)

: 자궁하부에서 자궁 기저부(Uterine fundus)까지 수직 절개를 시행

● 적응증 ☆

① Low uterine segment가 잘 노출되지 않거나 안전하게 진입할 수 없는 경우

a. 이전의 수술로 방광이 심하게 유착되어 있는 경우

b. 자궁 하부에 자궁 근종이 있을 때

c. Invasive cervical cancer가 있는 경우

② 큰 태아가 Transverse lie(횡위)로 있을 때

: 특히 양막파수가 있고 신생아의 어깨가 산도를 막고 있을 때

③ Placenta previa with Anterior implantation

④ 매우 작은 태아(특히 Breech)의 경우에 Lower uterine segment가 얇아지지 않는 경우 (not thinned out)

⑤ Low uterine segment로의 안전한 진입을 어렵게 하는 Massive maternal obesity

⑥ Multiple fetuses

(2) 자궁하부횡절개(lower segment transverse incision) (m/c)

① 장점

a. 출혈이 덜하다.

b. 봉합이 수월하다.

c. 다음 임신 시 자궁파열이 될 가능성이 적다.

d. 장 또는 장간막이 유착되는 것이 적다.

e. 자궁근층 밑에 있는 방광의 일부분만을 박리하면 된다.

② 단점 : Vessel injury

- 절개가 밖으로 확장되면 열상이 Uterine vessel의 손상을 줄 수 있다.

(3) 자궁하부수직절개(lower segment vertical incision)

: 자궁 하부에 국한하려면 방광 박리를 보다 넓게 해야하고, 자궁 체부 위로 확장하면 봉합이 힘들고 파열 가능성이 높다.

2) 복부 절개의 선택

(1) 제와하 정중선 수직 절개(Infraumbilical midline vertical incision)

•적응증

① 빠른 분만을 요할 때

② 비만한 여성

③ 수술의 기술이 미숙할 때

(2) 복부 반월형 횡절개(Pfannenstiel incision)

① 장점

a. Cosmetic advantage

b. Ventral hernia가 적다.

② 단점

a. 수술 시야가 좁다.

b. 수직절개 시는 필요할 때 언제든지 제대주위나 그 위로 절개를 연장시킬 수 있는 반면 반월형 절개는 그렇지 못하다.

c. 수직 절개보다 시간이 많이 걸린다.

•즉, 숙련된 수술자에 의해 마른 여성에게 시행되는 경향

3. 제왕 절개술의 수기

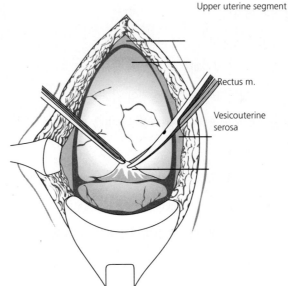

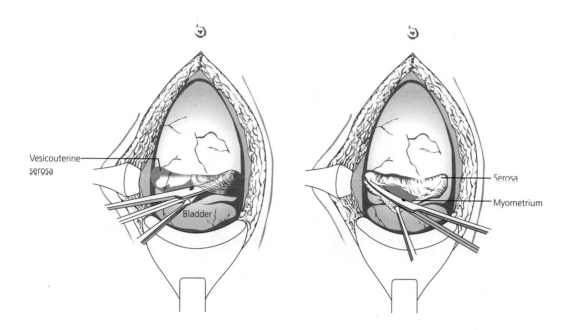

▶ Step 1. Peritoneal incision

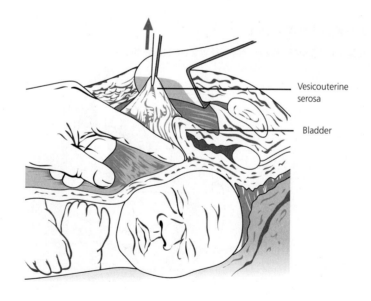

▶ Step 2. Separation of Urinary bladder

방광의 분리는 5 cm 이상을 넘지 말아야 한다.

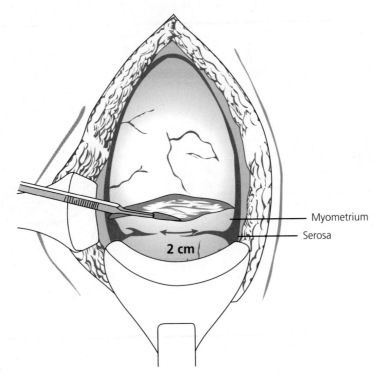

Myometrium
Serosa
2 cm

▶ Step 3. 자궁 근층의 최초 절개

자궁의 최초 절개는 자궁하부의 약 2 cm 상부에서 약 2 cm 정도로 한다.

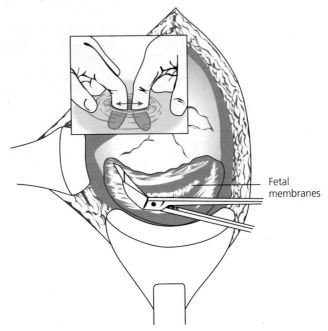

Fetal
membranes

▶ Step 4. 자궁 근층의 완전 절개

붕대 가위나 Index finger를 이용하여 완전 절개 시행

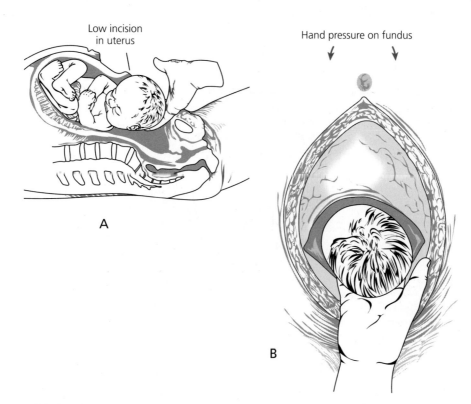

Low incision
in uterus

Hand pressure on fundus

A

B

▶ Step 5. 태아의 분만

● 태아 분만 시 처치

① Cephalic presentation이면 손을 태아 머리 아래로 넣어 들어올리면서, 자궁 저부에 압력
을 가하면서 태아를 분만한다.

② 태아의 머리가 나오면 즉시 입과 코를 Suction 한다. ☆

③ 태아의 어깨가 나오면 분만부에게 Oxytocin을 IV하여 자궁 수축을 유도한다.

④ 태아가 분만된 후 빨리 기저부 마사지를 하면 출혈을 줄일 수 있고, 태반의 분만을 촉진
시킬 수 있다.

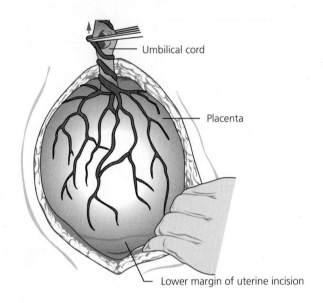

▶ Step 6. 태반의 분만

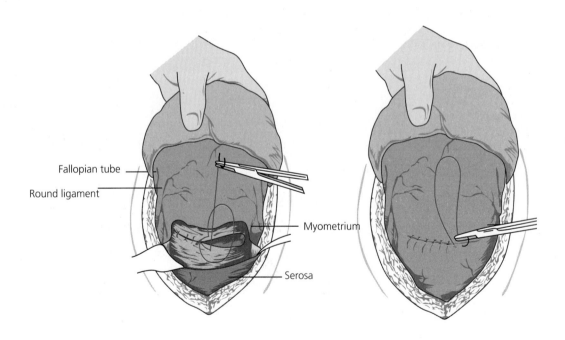

▶ Step 7. 자궁의 봉합

• 자궁 봉합 시 주의사항

: 일단 바늘이 자궁 근층을 통과하면 다시 빼지 않도록 해야, 출혈을 최소화 할 수 있다.

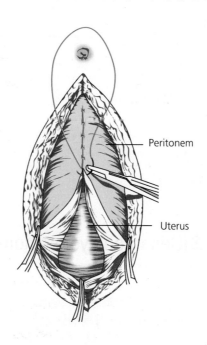

Peritonem

Uterus

▶ Step 8. 복막의 봉합

4. 수술 전후의 처치

1) 수술 전 처치

① 수술 당일 내원

② Hct 측정

③ Indirect Coombs test

④ NPO(술전 8시간)

⑤ 제산제(gastric acid에 의한 lung injury의 위험을 줄임)

2) 수술 후 처치

(1) 깊은 호흡과 기침유도(Pneumonia 예방)

(2) 배뇨와 배변

① 도뇨관 제거 - 술후 12시간 후 or 다음날 아침

② 고형식 - 술후 8시간 내에 섭취시켜도 됨

(3) Ambulation

- 술후 1일째 환자는 도움을 받아 적어도 2회 정도 침대에서 간단히 내려와야 한다(정맥혈전, 폐색전증 감소).

(4) 환부처치

① 수술부위 매일 관찰

② 피부봉합은 술후 4일째 제거

(5) 퇴원

① 산후 3~4일째 퇴원

② 산후진찰 : 분만 1~3주 후

V. 제왕자궁적출술(Cesarean hysterectomy)

1) 적응증

① Placenta accreta or increta가 C-Sec 시 동반한 경우

② 해결하기 어려운 uterine atony

③ Grossly defective scar

④ Major uterine vessel laceration

⑤ Significant myoma

⑥ Severe dysplasia or CIS of cervix

2) 합병증

① 과다 출혈

② Ureter의 손상

- 응급 수술 시 흔히 발생

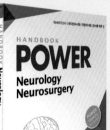

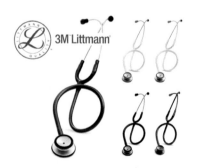